D0429798

АЛЕКСАНДРА МАРИНИНА

Адрес официального сайта Александры Марининой
в Интернете http://www.marinina.ru

АЛЕКСАНДРА МАРИНИНА

ВСЕ НЕ ТАК

Москва 2007

УДК 82-3
ББК 84(2Рос-Рус)6-4
М 26

Дизайн переплета *С. Груздева*

Маринина А. Б.
М 26   Все не так: Роман / А. Б. Маринина. — М.: Эксмо, 2007. — 448 с.

ISBN 978-5-699-21125-8
ISBN 978-5-699-21329-0

Все прекрасно в большом патриархальном семействе Руденко. Но — увы! — впечатление это обманчиво: каждого из многочисленных представителей семьи обуревают свои потаенные страсти и запретные желания. И потому, когда погибает — причем явно насильственной смертью — один из членов клана Руденко, то все домочадцы попадают под подозрение. Каково это — сидя в тесном семейном кругу, сознавать, что один из них убийца? Но еще страшнее заглянуть себе в душу, посмотреть в глаза демонам, что гнездятся в ней и заставляют жизнь идти не так, как надо. Именно эти демоны подталкивают человека к той черте, переступив которую повернуть назад уже невозможно...

УДК 82-3
ББК 84(2Рос-Рус)6-4

ISBN 978-5-699-21125-8 (А.М.Кд)
ISBN 978-5-699-21329-0 (Кп)   © ООО «Издательство «Эксмо», 2007

Глава 1

ПАВЕЛ

Говорят, есть люди, которые любят ходить на похороны. Я к ним не отношусь, может быть, возраст пока еще не тот, чтобы любить подобные мероприятия, а может, характер у меня для этого дела неподходящий. И вообще, я не уверен в правдивости информации о существовании таких людей. Лично я в похоронах ничего хорошего или хотя бы интересного не нахожу, а ведь проводил в последний путь я, несмотря на относительную молодость, уже многих: мало кому из молодых спортсменов удается сделать спорт своей профессией на долгие счастливые годы, зато несть числа тем, кто отдает свою накачанную мускулатуру и приобретенные в секциях навыки за хорошие деньги в охранные службы или за еще большие деньги — в криминал. Вот и хороним.

Но сегодняшние похороны, на которые я явился, как полагается, в черных джинсах и черной водолазке, держа в руках охапку пушистых разноцветных астр, были другими. Солидными, спокойными, многолюдными. И что самое любопытное — ни одного истерического выкрика, никого, кто забился бы в рыданиях, хватался за сердце или терял сознание, как часто бывает, когда внезапно гибнет тот, о чьей смерти никто и думать не думал и чей неожиданный уход повергает близких в шок. Н-да, ни малейших признаков шока я не наблюдал. И это было странным.

Впрочем, нет, не буду кривить душой. Еще два дня назад меня долго и муторно допрашивал следователь, ибо результаты вскрытия показали совершенно недвусмысленно: смерть наступила в результате отравления, а точнее — остановки сердца, вызванной огроменной дозой сердечного препарата, прописанного одному из членов семьи. И совсем даже не тому, кто в итоге умер. Можно по ошибке выпить не ту таблетку, но одну, а не пару десятков, к тому же растворенных в большой кружке с чаем. Вот такие пироги...

К ритуальному залу я подъехал одним из первых и сидел в машине, наблюдая за прибывающими. Минут через пять после меня появилась сверкающая — только что из мойки — машина, из которой, к вящему моему изумлению, вылез Игорь, участковый, обслуживающий тот микрорайон, в котором проживала семья Руденко. С Игорем я познакомился давно, еще когда только начал работать у Руденко, он мне нравился, и мы даже пару раз пили пиво в ближайшей забегаловке и трепались о всякой ерунде, и я, конечно, замечал, что прикид у него неброский, но фирменный, однако мне и в голову не приходило, что он ездит на такой тачке. Впрочем, возможно, машина и не его, просто взял у кого-то, чтобы доехать до ритуального зала, расположенного довольно далеко от центра.

Игорь заметил меня, подошел и уселся рядом, на переднем сиденье.

— Здорово, — кивнул я, — пришел оказать уважение и выразить соболезнования?

— Следователь велел быть, — хмуро ответил он. — Понаблюдать. Ну, сам понимаешь, смерть-то криминальная. Опера тоже сейчас подтянутся. Паша, ты порядок знаешь?

Я снова кивнул. Уж сколько этих похорон было на моей памяти...

— Пойдешь с первой группой, с близкими.

Я удивленно посмотрел на участкового. На церемонии прощания в зал, где установлен гроб, сначала приглашают самых близких, иными словами — членов семьи, дают им возможность побыть наедине с усопшим, порыдать, а уже потом, спустя минут десять-пятнадцать, когда проходит первая волна истерик, запускают всех остальных, после чего и начинается собственно гражданская панихида или отпевание, это уж у кого что. Членом семьи Руденко я не являюсь, а причислить меня к близким если и можно, то с очень большой натяжкой. Кто я им? Наемный работник.

— Неудобно, — с сомнением произнес я.

— Я понимаю, — в голосе Игоря зазвучала неожиданная мягкость, — я все понимаю, Паша, но я тебя прошу. Пожалуйста. Уж мне или операм из розыска идти с близкими совсем не в дугу, а посторонние глаза должны быть. Обязательно. Убийца — кто-то из тех, кто пойдет с первой группой, с родными. И очень важно знать, кто где стоял, как себя вел, как смотрел, кто с кем переговаривался, кто плакал, а кто только делал вид, что скорбит. Ну, Паш?

Я молчал, уставившись в приборную доску.

— Ты пойми, — настойчиво продолжал Игорь, — первый момент, когда они увидят открытый гроб, — он самый острый, так всегда бывает. Большинство из них видело человека только живым и здоровым, потом его увозит «Скорая», потом сообщают, что он умер, и потом они видят его уже мертвым в гробу. Это невероятный шок. Люди в этот момент плохо владеют собой, плохо соображают, и очень часто вылезает то, что они хотели бы скрыть. Ну? Поможешь?

В общем, он меня уговорил.

И вот я стою в небольшом красивом зале, в центре которого возвышается открытый гроб, и наблюдаю за присутствующими, спрятав глаза за темными стеклами очков. Тут все в очках, все до единого, кроме самого младшего, шестилетнего Костика, и иди знай, то ли человек прикрывает покрасневшие и опухшие от слез веки, то ли хочет скрыть сухой, равнодушный или полный злорадства взгляд.

Кто из них убийца? Кто? А ведь это совершенно точно кто-то из них, потому что больше некому.

Мог ли я знать два года назад, когда пришел работать к Руденко, что все закончится вот так страшно?

* * *

Когда я был еще пацаном, мама постоянно твердила, что надо быть умнее, хитрее, осторожнее, что я со своим таранным прямодушием, которое я по наивности считал честностью, только настрадаюсь, а толку все равно не будет. По-видимому, мамуля была права, но, чтобы это оценить, мне понадобилось прожить без малого тридцать лет, набить синяки и шишки, завоевать кое-какие призы и медали вкупе со званием мастера спорта международного класса, побалансировать на грани инвалидности и в конце концов остаться без работы и без жилья. Вернее, жилье пока еще было, но очень условное, а вот работы не было совсем. Никакой. Условность же моего пристанища заключалась в том, что мне, скрипнув зубами, разрешили пожить в нем бесплатно, но очень короткое время.

Как и многие молодые люди, я совершал, причем неоднократно, типичную ошибку: считал, что «так будет всегда». Всегда будут молодость, силы, здоровье, физические кондиции, спортивные успехи, всегда будут работа и деньги, и любовь тоже будет всегда. Причем объекты самой любви периодически меняются, но все равно каждый раз возникает твердое убеждение, что это никогда не кончится.

Я был дураком, за что и поплатился. Нет, не дураком — идиотом, причем фантастическим. Наверное, мне просто везло в той сфере, которая именуется личной жизнью, и каждая следующая пассия возникала на моем пути в то время, когда я еще не расстался с предыдущей, поэтому проблема жилья надо мной как-то не висела: я просто переезжал с одной квартиры, принадлежащей даме сердца, на другую, хозяйка которой становилась моей новой возлюбленной. И какого же черта я полагал, что так будет всегда?

Нет, вру, ничего такого я, конечно, не думал, и в этом как раз и состоит типичная ошибка: о будущем я не думал вообще. А чего о нем думать, если оно будет таким же, как сегодня? Будут обеспеченные милашки с квартирами, и будут платные бои в закрытых клубах и «черные» тотализаторы, и будут люди, желающие серьезно тренироваться и платить за это деньги. Так о чем тут думать?

Потом я здорово покалечился, оказавшись со своей машиной не на том перекрестке и немножко не в то время. Пятью секундами раньше или позже — и тот пьяный кретин, несшийся на красный свет со скоростью чуть меньше скорости звука, проскочил бы мимо меня. Но он не проскочил, и когда я через полгода вышел из больницы, ни о каких серьезных тренировках с серьезными противниками уже не могло быть и речи. За эти полгода моя «квартирная хозяйка» успела решить личные вопросы самым кардинальным образом, то есть собралась замуж. Естественно, не за меня. Возможность проживать на ее площади я потерял, но, поскольку жених у нее выдался знатный, она к моменту моей выписки уже переехала к нему в загородный коттедж, а мне милостиво позволила пожить в ее квартире, но только недолго, пока я подыскиваю себе жилье. Вы еще не поняли? Я не москвич. Я приехал совсем из другого города, маленького и далекого, ибо, как и огромное множество людей, наивно полагал, что если красивая, как в кино, жизнь где-то и существует, то только в столице, где крутятся большие деньги и существует масса возможностей показать себя и как-то продвинуться.

В общем, можно было бы долго описывать историю моей глупости, но я не стану этого делать, потому что важен результат: я одновременно оказался без привычных физических кондиций, без денег (правда, с новенькой машиной. Старая, попавшая в аварию, восстановлению не подлежала, и первое, что я сделал, выписавшись из больницы, — купил машину, угрохав остатки сбережений, и без того оскудевших, потому как полгода лечения — удовольствие не из дешевых), без работы и без жилья. К перечню того, чего у меня не было, надо добавить и желание вернуться домой, в родной город. Уезжать из Москвы мне не хотелось. Ума у меня, вероятно, тоже не было, потому что какой же умный человек покупает машину, когда ему негде жить? Но представить себя без машины было совершенно невозможно. Как это: в Москве — и без машины? Так что я, засунув гордость в одно пикантное место, начал искать работу. Если бы рядом была моя мама, она, конечно, сказала бы, что мне надо быть умнее и хитрее, то есть делать вид, что предложений у меня хоть отбавляй, что за такого ценного кадра, как я, любой готов уцепиться обеими руками, но мне, понимаете ли, наскучила работа со взрослыми здоровенными накачанными дядьками, все необходимые деньги я уже заработал и теперь ищу, чем бы мне развлечься, так что вы предлагайте, а я еще повыбираю да повыкобениваюсь. Но мамы рядом не было, и за поиски работы я взялся со всем присущим мне дурацким прямодушием, то есть запустил свое резюме в Интернет, а также обзвонил все места, где успел за последние восемь лет поработать, честно рассказал про проблемы со здоровьем и признался, что готов взяться за любое дело, если зарплаты хватит на съем самого дешевого жилья, бензин и прокорм.

По состоянию здоровья я мог бы заниматься с детьми и начинающими подростками, но это поле оказалось давно и плотно занято, и мне там места не нашлось. На остатки денег я уныло жил в милостиво оставленной мне на время квартире и ждал, когда что-нибудь проклюнется. Ждал я долго, тратя свободное время на то, что погрызал сам себя, посыпая раны солью упреков в глупо потраченных годах. Вообще-то по молодости лет трудно сделать правильный выбор, когда выбирать приходится между бурной денежной жизнью, с одной стороны, и планомерным монотонным выстраиванием собственной карьеры — с другой. Покажите мне молодого мужика, который при подобной альтернативе выберет не то, что выбрал в свое время я сам. Участвовать в платных боях, проводящихся в закрытых клубах, и получать за это немалые деньги, заводить яркие знакомства и страстные скоротечные романы или вставать каждый день в семь утра и скучно ходить на службу, выгадывая и высчитывая, когда можно будет позволить себе поменять машину или съездить отдохнуть за границу... Одним словом, все понятно.

Когда деньги уже почти совсем закончились, мне позвонили. Это была Нана Ким, начальник службы безопасности одного издательства. Когда-то она два или три раза приглашала меня на трехмесячный договор, и я занимался с ее сотрудниками рукопашным боем. Ей я тоже звонил, устраивая свой SOS-обзвон потенциальных работодателей.

— Ты все еще ищешь работу? — спросила она.

— Ищу, — вздохнул я.

— Ну приезжай, поговорим.

Я быстренько принял душ, вымыл голову, побрился, всунул себя в джинсы и куртку, дохромал не без помощи палки до своей новенькой машинки и помчался в издательство. По дороге размышлял, купить цветы для Наны или не нужно. Был момент, когда она мне очень нравилась. Ну просто очень! Она была старше меня на несколько лет, но меня такие мелочи никогда не смущали, и я с ходу ринулся в бой, но был немедленно и жестко остановлен. Слава богу, природа наделила меня одним полезным качеством: я совершенно не умею сохранять мужской интерес к женщине, если она не отвечает мне взаимностью. Так что муки неразделенной любви мне неизвестны, и влюбленность в Нану Ким, продлившись ровно одну неделю, тихо скончалась. Сами видите: мысли о цветах были не праздными. С одной стороны, она все-таки женщина и, вполне возможно, от нее сейчас зависит мое трудоустройство, посему надо бы прогнуться, но, с другой стороны, цветы могут быть восприняты ею как намек на неостывшее чувство и надежду на новый виток в отношениях и новую попытку, а вдруг это ее разозлит? И никакой работы для меня не окажется...

Ни до чего умного не додумавшись, я явился к ней в кабинет с пустыми руками, отметив попутно сидящую в приемной новую секретаршу, жуть какую хорошенькую, хотя прежняя, которую я знал когда-то, тоже была красоткой хоть куда. Обладающая совершенно не «модельной», но абсолютно неординарной внешностью, Нана Ким была из тех редких женщин, которые не боятся близкого соседства с молодыми очаровашками.

Палку я на всякий случай оставил в приемной и постарался не очень припадать на больную ногу, но Нана, сама в прошлом спортсменка, поляну просекла мгновенно и посмотрела на меня с нескрываемым сочувствием.

— Что врачи обещают? — спросила она.

— Мало что, в основном пугают. — Я попытался выглядеть беззаботным и стопроцентно уверенным в полнейшем и скорейшем восстановлении своей физической формы, но и совсем уж нагло врать тоже не хотелось. — Это нельзя, то нельзя, и нога какое-то время будет болеть, особенно на перемену погоды.

— А спина?

Ах, прозорливая ты моя! Про спину я малодушно умолчал, хотя по сравнению с этой проблемой больная нога казалась просто-таки фурункулом на фоне инфаркта.

— Ну, и спина, конечно, тоже. — Мне показалось, что я очень ловко увернулся от конкретного ответа.

— Ладно. — Нана почему-то вздохнула, пододвинула к себе толстый ежедневник и принялась его листать. — Значит, выступать ты не сможешь еще года три, это как минимум, тренировать взрослых дядек тоже. Одному человеку нужен домашний тренер для ребенка пятнадцати лет. Как тебе такой вариант?

Как? Да просто блеск! Что я, маленький, не понимаю, что это значит — домашний тренер для подростка? А это значит, что есть шанс устроиться на работу в богатую семью. Воображение у меня буйное, и я мгновенно и в красках представил себе роскошный загородный дом с большим участком, и я каждый день подъезжаю к кованым чугунным воротам на своей любимой сверкающей новенькой машинке, охранник приветственно машет мне рукой, а в доме, в специальной комнате, установлены все необходимые тренажеры, купленные, разумеется, по моему профессиональному указанию и под моим чутким руководством, и есть бассейн (что немаловажно, ведь доктора настоятельно требовали, чтобы я непременно плавал — это необходимо для восстановления позвоночника и поврежденных суставов) и баня (а как же без нее в богатом-то доме?!), и я регулярно и грамотно занимаюсь с пацаном, и его спортивные достижения становятся все заметнее. И вот он уже чемпион. Ну, не мира, конечно, и не Олимпийских игр, но какого-нибудь районного масштаба, ну хотя бы для начала своей школы. Или мальчики из богатых семей учатся в частных гимназиях? И это наша общая победа. А дальше — больше...

— Хороший вариант, просто отличный. Каким видом спорта парень занимается?

— Девочка.

— Что? — не понял я.

— Это не парень, а девочка.

Нана смотрела на меня со странной улыбкой, смысла которой я не понимал. Вот черт! Значит, девчонка. Ну ладно, какая разница-то? Пусть будет девчонка. Будем надеяться, что спортом она занимается все-таки не «девчачьим», типа художественной гимнастики или синхронного плавания, в которых я совсем уж ничего не понимаю. А со всем остальным я как-нибудь справлюсь. А может, все не так уж и страшно, и девица решила в домашних условиях овладеть единоборствами, а тут я как раз крутой спец, это — мое.

И я задал уже следующий вопрос, вполне деловой:

— Сколько километров от МКАДа? Далеко они живут?

— А тебе не все равно? — усмехнулась Нана. — Тебе же работа нужна и зарплата. Или если они далеко живут, то такая работа не нужна?

— Да нет, — смешался я, делая вывод, что живут мои потенциальные работодатели где-то в жуткой тьмутаракани и на дорогу мне придется тратить часа по два в один конец, а то и больше. — Я просто так спросил, чтобы понимать.

— Ладно, расслабься. Они в Москве живут, в центре.

Я решил, что ослышался. Как это — в Москве, в центре? Особняк у них, что ли? Но если там столько деньжищ — а сколько стоит особняк в центре Москвы, я представляю, — то на хрена им сдался безработный, мало кому известный провинциал с тяжелой травмой, если они легко могут нанять своей ненаглядной доченьке в тренеры самого именитого и дорогого специалиста, хоть олимпийского чемпиона? А если деньжищ не «столько» и живут они не в особняке, то где, позвольте спросить, я должен детку тренировать? В коридоре на коврике? Конечно, квартира может оказаться очень большой и в ней есть отдельное, достаточно просторное помещение для занятий спортом, но мой жизненный опыт показывает, что люди с приличными деньгами все-таки стараются жить в собственных домах за городом, а вовсе не в центре столицы.

— Почему? — тупо спросил я.

Нана помолчала, глядя почему-то не на меня, а на заполненные страницы своего ежедневника. А вот я-то как раз смотрел на нее и думал, что она, как и прежде, вызывает у меня ассоциации с орхидеей, стоящей на столе, заваленном бумагами. В Нане, если я правильно помню, намешано много кровей: корейская, грузинская, молдавская и славянская, и это сделало ее внешность экзотически-прекрасной, хотя и не отвечающей никаким современным канонам красоты: очень черные волосы, крупный нос с горбинкой, раскосые глаза, крутой изгиб верхней губы — все это в сочетании было необычным, ярким, каким-то дисгармоничным и от этого ужасно привлекательным. По крайней мере, на мой вкус. Но, судя по тому, как безжалостно был в свое время остановлен мой романтический порыв, подобные вкусовые пристрастия свойственны не мне одному...

— Послушай, Паша, — заговорила наконец она, — ты задал хороший вопрос. Но ответа на него у меня нет. Действительно, почему они живут в городе, хотя денег там более чем достаточно? Или на самом деле денег там не так уж и много? У меня вообще на этот счет накопилось много вопросов, и твоя будущая работа в значительной степени зависит от твоей готовности помочь мне найти ответы.

— Не понял, — озадаченно протянул я.

Нет, вы не подумайте, что я совсем тупой, просто Нана Ким — руководитель, которому то и дело приходится вести переговоры, и она здорово наблатыкалась в изящных формулировках, а я — парень незатейливый, чтобы не сказать — простой, от политесов далекий, словарный запас у меня бедноватый (так, во всяком случае, утверждает моя мама, которая всю жизнь работает в школе учителем русского языка и литературы), и, когда со мной начинают разговаривать вот так сложно, я на слух плохо воспринимаю.

Нана объяснила. Суть дела оказалась в том, что некий бизнесмен Михаил Руденко некоторое время назад предложил владельцу издательства, в котором работает Нана Ким, благотворительный проект с условным названием «Молодая поэзия». Руденко дает деньги, а издательство находит молодых талантливых поэтов и печатает их стихи. Коммерческого успеха этот проект иметь не может, и вложенные бизнесменом деньги не окупятся никогда, потому что сегодня поэзия не в моде и сборники стихов покупают только любители и специалисты, которых крайне немного. Но Руденко на возврат инвестиций и не рассчитывает, по крайней мере, он так заявляет. Владелец издательства предложение принял, проект уже значительно продвинулся, через месяц выйдут первые три сборника, в течение года запланирован выпуск еще четырех. Конечно, книжечки тоненькие, маленькие, но все-таки это серия, и переплет твердый, и оформление серийное, в общем, все честь по чести, как у больших. И Нане как руководителю службы безопасности все это кажется чрезвычайно подозрительным. Кто сегодня вкладывает деньги в поэзию? Никто. Кто дает деньги на некоммерческие проекты и при этом даже не заикается о том, чтобы его имя или название его фирмы упоминалось на первых страницах или еще где-нибудь для всеобщего сведения? Нет таких. Зачем все это нужно бизнесмену Руденко? Непонятно. Если бы проект приносил хоть какой-нибудь доход, можно было бы предположить отмывание денег, но дохода-то не предвидится, тиражи будут крошечными, да и те наверняка станут пылиться на складе, хорошо, если книжные магазины в общей сложности экземпляров сто возьмут. В общем, сплошные непонятки. И среди этих непоняток, в частности, затесался и вопрос о том, почему состоятельный человек Михаил Руденко не купил, как подавляющее большинство успешных бизнесменов, дом за городом и продолжает жить в Москве. Нана пыталась озадачить своими вопросами владельца издательства, но тот лишь отмахнулся и ответил, что Михаил — хороший мужик и нет никаких оснований ему не доверять. А тут на днях господин Руденко в частной беседе с владельцем издательства спросил, нет ли у него на примете человека, который смог бы заниматься физической подготовкой с его пятнадцатилетней дочерью. Владелец обещал узнать и переадресовал вопрос Нане, поскольку та много лет занималась спортом, окончила институт физкультуры и вообще, как говорится, «в теме».

— Я могу рекомендовать тебя на это место, но при одном условии: ты будешь информировать меня обо всем, что увидишь и услышишь в этой семье. Ты будешь работать у Руденко, если пообе-

щаешь, что поможешь мне найти ответы на все
интересующие меня вопросы.

Нана говорила спокойно и теперь уже смотрела прямо мне в глаза. Ну и дела, елки-палки! Соглашаться? Да на хрена мне эта головная боль?
Что я, Эркюль Пуаро, или какие там еще есть знаменитые сыщики? И вообще, фигня какая-то.

— Слушай, — миролюбиво начал я, — а нельзя
как-нибудь отдельно?

— Что — отдельно? — Нана слегка приподняла
брови.

— Ну, мои занятия с девицей отдельно, а все
вот это... пусть как-нибудь по-другому. У тебя же
целый штат службы безопасности, неужели не
найдется кого-нибудь поприличнее для такой работы, а, Нана?

Она вздохнула и снова взялась за ежедневник.
И что она там ищет, интересно знать? Ответы на
вопросы о смысле жизни? Или у нее на этих чудесных листочках записаны имена тех, кто может справиться с сыщицкой работой лучше меня?

— Паша, у меня дел выше головы, и я не собираюсь тратить целый день на то, чтобы тебя уговорить. Мне, в общем-то, все равно, кто именно
будет работать с девочкой Руденко, просто я первому предложила тебе, потому что ты звонил и
плакался насчет своего бедственного положения
в смысле денег и работы. Если тебе работа и зарплата не нужны, нет вопросов, я позвоню кому-
нибудь еще. А торговаться с тобой я не собира-

юсь, мы не на базаре. Берешь товар — значит, берешь, нет — значит, нет. Мне нужен четкий конкретный ответ. И желательно побыстрее, потому что мой шеф не любит, когда его поручения исполняются слишком долго.

Вот, Фролов, ты и приехал. На ту самую станцию, где вдруг оказывается, что ты — не совсем то, что о себе думаешь. Ты привык быть незаменимым, ты привык к тому, что тебя на руках носят и тревожно заглядывают в глаза: будешь ли ты выступать, не передумал ли, здоров ли, в хорошей ли форме, потому что зрители ходят «на тебя», и никакие замены их не устроят, и ставки они будут делать тоже только в том случае, если выступать будешь именно ты, и ставить будут на твоего соперника в надежде на то, что настанет тот радостный час, когда найдется управа и на твою безупречную красивую технику и кто-нибудь наконец исковеркает твою фотомодельную рожу. Н-да, оказывается, теперь все не так, и со своим поврежденным позвоночником ты мало кому нужен и интересен, и заменить тебя — раз плюнуть. Да что там заменить, без тебя вообще можно распрекрасно обойтись, никто и не заметит, что тебя нет. Другие найдутся, да получше и поздоровее.

И тут я поймал себя на удивительной мысли: а про деньги-то я не спросил. Вот дурацкая моя натура, мне, парню из маленького провинциального городка, куда важнее были всяческие атрибуты красивой столичной жизни — клубы, тусовки, девушки, красивые шмотки, новенькие автомобильчики, толпа, шум, музыка и слава, одним словом, все то, что модно и престижно, то, что у меня было до аварии и чего я напрочь лишился, утратив способность выступать в платных боях, и пока Нана (надо признаться, довольно скупо) обрисовывала мою будущую работу, я думал только о том, насколько она позволит мне все это вернуть. Я предавался наивным мечтаниям, совсем забыв о зарплате. Как будто без денег можно иметь эти самые атрибуты... И только когда Нана произнесла сакраментальные слова о зарплате, я спохватился.

— А можно узнать, сколько мне собираются платить? — спросил я. И на всякий случай осторожно добавил: — Если я соглашусь.

Нана усмехнулась и назвала сумму, которая мгновенно примирила меня с необходимостью выступать в роли неумелого шпиона в тылу врага. Да ладно, за такие-то бабки можно и покорячиться. Штирлиц — не Штирлиц, а уж реплику «Вы болван, Штюбинг!» из бессмертного фильма «Подвиг разведчика» я как-нибудь произнесу.

* * *

Первая встреча с моим работодателем оставила у меня странное впечатление. Не то недоумения, не то ошарашенности... Не таким я его себе представлял. А может, я просто мало знаю жизнь и людей, и мне вот кажется, что человек с собственным бизнесом и деньгами должен быть таким-то и таким-то, а когда он оказывается вовсе даже эдаким — я теряюсь и начинаю сомневаться: то ли я дурак, то ли меня пытаются одурачить. И то и другое в равной степени малоприятно.

Михаил Олегович Руденко внешне и манерами напоминал директора совхоза, какими их показывали в старых советских фильмах, которые я видел по телевизору: на лице красовались глубокие мимические морщины вкупе с усами, что его, само собой, не молодило, однако густые волосы были совсем без седины, и это как-то не давало мне забыть, что ему всего лишь чуть за сорок (так, во всяком случае, утверждала Нана Ким). Крепкий, невысокий, слегка полноватый, даже рыхлый, то есть фитнесом явно не злоупотребляет, а вот к еде и выпивке относится, судя по всему, с большой нежностью. Изъяснялся он короткими фразами, сложные формулировки были ему не под силу или не по вкусу, и этим он сразу расположил меня к себе. По крайней мере, все, что он говорил, было мне понятно. Но я никак не мог представить себе этого Руденко в роли бескорыстного благотворителя и тонкого ценителя поэзии. Пожалуй, Нана права, что-то тут не так.

— Каким видом спорта занимается ваша дочь? — приступил я к делу.

— Никаким, — отрезал Михаил Олегович, не глядя на меня.

Глядел он в тарелку с салатом, откуда выцапывал вилкой кусочки копченого мяса, старательно разгребая зеленые салатные листья. Встреча наша состоялась в небольшом ресторанчике в центре Москвы, где Руденко предложил пообедать и познакомиться поближе, прежде чем принимать решение, брать ли меня на работу. Ну что ж, его право, сперва думал я, теперь его очередь подумать.

— А почему сейчас возникла необходимость в домашнем тренере?

— Ей худеть надо. Толстая стала, разъелась. Из дому не выходит. Надо что-то с этим делать.

Вот тебе здрасьте! Докатился ты, Фролов, до положения личного диетолога дочки богатого папаши. Да что я ему, врач, что ли? Совсем обалдел от своих деньжищ. Впрочем... Н-да, деньжищи. Они мне совсем не лишние. Только вот вопрос: справлюсь ли я? Я же этого совершенно не умею. Заниматься единоборствами, хоть контактными, хоть бесконтактными, — это я всегда пожалуйста, это мой хлеб, это единственное, что я умею, я даже общефизическую подготовку без труда осилю, но похудание — это как-то уж слишком. Или как там правильно говорить? Похудение? У меня с русским языком не так чтобы очень, вот моя мама, всю жизнь проработавшая учителем русского языка и литературы, знала бы точно.

— Может быть, ваша девочка больна? — предположил я. — Вы врачам ее показывали? Может, у нее нарушение обмена или сердце больное? Начнем ее физически нагружать и только навредим еще больше.

— Да не больна она, — раздраженно ответил Руденко. — Водили ее к врачам. Все одно талдычат: много ест, мало двигается. Короче, тебе задача понятна. Ну как, возьмешься?

— Возьмусь, — решительно ответил я.

— А почему?

Он наконец посмотрел мне прямо в глаза, и вот тут у меня впервые возникло ощущение крупного подвоха.

— Что — почему?

— Почему берешься за такую работу? Ты молодой красивый мужик, ты что, другого занятия себе найти не можешь?

Значит, Нана ему не сказала про мои проблемы. Или сказала, а теперь он хочет проверить, не попытаюсь ли я соврать. Нет, Михаил Олегович, не попытаюсь. Себе дороже выйдет. Конечно, в ресторан я пришел вовремя, даже чуть раньше назначенного времени, и Руденко не видел, как я прихрамываю и опираюсь на палку. Когда он явился, я уже сидел за столиком, благоразумно спрятав палку за оконной шторой, и, наверное, внешне производил впечатление человека вполне здорового и полного сил.

— Пока не могу. У меня была серьезная травма, бороться с полновесными взрослыми мужиками мне запретили как минимум года на два, так что работать я могу пока только с детьми. А жить-то надо на что-то.

— Ладно. — Он, казалось, был вполне удовлетворен моим ответом. — О себе расскажи. Кто ты, что ты. Родители кто. Откуда родом.

Я рассказал про маленький провинциальный городок, про маму-учительницу и папу — школьного физрука, про выдающегося спортсмена, который давным-давно, еще при советской власти, получил срок за «незаконное обучение карате» (представляете, была такая статья в тогдашнем Уголовном кодексе! Страна непуганых идиотов!) и после отсидки обосновался в нашем городке и с удовольствием тренировал всех желающих, когда эту идиотскую статью отменили. Что самое обидное, отменили ее через полтора месяца после того, как его освободили. Вот судьба, да? Если бы со мной такое случилось, я бы, наверное, сдох от ненависти, а он — ничего, улыбался, веселый такой был мужик, и детишек очень любил, и на жизнь никогда не жаловался, во всяком случае, я ничего такого от него не слышал. Рассказал про свои спортивные достижения, первенства, призы и кубки, которые выигрывал.

— Родители, значит, учителя, — констатировал Руденко, вытирая губы салфеткой. — Это хорошо. Мы с тобой, значит, родственные души получаемся. У меня мать в гороно работала, тоже всю жизнь со школами и учителями дело имела. Ты небось и не знаешь, что такое роно.

— Почему же, знаю, — улыбнулся я. — Мама рассказывала. И папа тоже. Когда я был маленьким, гороно еще был, и я постоянно про него слышал. Туда все время кого-то вызывали, а оттуда приходили руководящие указания.

— Все верно. Личная жизнь у тебя как устроена? Женат?

— Нет. И не был пока. Детей тоже нет.

— С бабой какой-нибудь живешь?

— Сейчас нет.

Ответил я машинально, а сам в это время подумал, что манера общения у этого дядьки как-то плохо соединяется в моем представлении с бескорыстной помощью молодым поэтам. Ой непросто там все, ох непросто, не зря Нана беспокоится. Руденко больше похож на заурядного бандюка в возрасте, чем на спонсора малопрестижных литературных изданий.

Он задал мне еще множество вопросов, после чего подвел итог:

— Ладно, ты мне подходишь. Завтра придешь ко мне домой, познакомишься с Даной, посмотришь комнату, в которой будешь с ней заниматься, и составишь список, чего там купить надо или сделать. Я в этом не разбираюсь. Что скажешь — куплю. Остальное за тобой.

— Дана? — переспросил я. — Редкое имя.

— Богдана. Украинское имя. У меня жена из Украины, дочку в честь деда своего назвала, его Богданом звали. У нас еще старший сын есть, он сейчас в Англии учится, так она его в честь своего брата назвала Тарасом.

Он вдруг посмотрел на меня хитро-хитро и впервые за весь разговор улыбнулся. Правда, коротко и скупо, но все-таки это была улыбка.

— Я своей жене всегда уступаю в мелочах, пусть думает, что она тоже что-то может. Но имей в виду: хозяин в доме — я, и только я. И все вопросы решать только со мной. Ты понял?

— Понял, — кивнул я. — Все вопросы — только с вами.

— И еще: четкость и организованность. Никаких опозданий, прогулов, пропусков занятий. Составишь план, заведешь дневник, будешь все записывать. Я буду регулярно проверять.

Ишь ты! План, пропуски занятий, дневник... Сразу видно, что мамаша в гороно работала. Не зря говорят, что все мы родом из детства.

— Приезжать будешь к семи утра, — продолжал между тем Михаил Олегович.

Я чуть не поперхнулся. Как — к семи утра?! С какой это стати? Это где ж вы видели такой рабочий день? Но возмутиться вслух я не успел, потому что вспомнил об обещанной зарплате. Наверное, потому она такая высокая, что у Руденко требования просто офигенные.

— С семи до девяти занимаешься с Даной, потом у тебя перерыв. С девяти утра до двух она занимается школьной программой. С семи вечера — опять твое время.

— И до скольких? — безнадежно уточнил я.

— Пока она не похудеет и не станет похожа на человека, — отрубил он.

Хороший ответ. Типа «от забора и до обеда».

— С девяти до семи я должен находиться у вас дома или могу уходить?

— Делай что хочешь. Мне нужен результат. Если нужно, можешь оставаться у меня ночевать, комнату я тебе выделю.

Ах ты ж елки-палки, какие мы широкие натуры! И комната для тренажеров у нас есть, и свободная комната для тренера найдется. С таким размахом ему бы во дворце жить, а не в городской квартире. И в самом деле, странно, что он живет в городе, а не в особняке, Нана права.

— Вы сказали, что ваша дочь из дому не выходит.

— Ну.

— А в школу как же?

— Никак. Она в школу не ходит. У нее домашний репетитор. Химия там всякая, физика, математика, английский. Остальное она сама осваивает, по учебникам. Экстерном будет сдавать. Ничего, мозгов хватает. Ну что, Павел Фролов, по рукам?

Он протянул мне широкую ладонь, и я ее пожал.

Ё-моё, во что я ввязываюсь?

* * *

Дома я первым делом позвонил одной из моих прежних «квартирных хозяек», которая славилась своей обширной многолетней практикой снижения веса. Я вообще люблю полнокровных девушек, чтобы бедра были, грудь, попа, и мне Светка ужасно нравилась со всеми своими килограммами. Но эти килограммы так же ужасно не нравились ей самой, и она с ними постоянно боролась. Вот ее-то телефонный номер я и набрал и попросил поделиться опытом и элементарными основами похудательных знаний.

— А тебе зачем? — удивилась Светка. — Ты вес набрал, что ли?

Мне не хотелось живописать ей в красках горестные перипетии своей жизни, поэтому я соврал:

— Это не для меня, а для моей подруги. Я вспомнил, что у тебя это здорово получалось.

— Ну да, — она довольно усмехнулась, — жаль, ты меня сейчас не видишь, у меня уже сорок шестой размер.

А был, насколько я помню, пятьдесят второй. Какая роскошная была герла! Сейчас, в сорок шестом размере, я бы на нее даже не посмотрел.

— Молодец, — неискренне похвалил я Светочку. — Так что ты мне посоветуешь? Я уже и тетрадку приготовил, и ручку, буду записывать.

— Значит, так, — деловито начала она. — Какой у нее рост?

Фу-ты, черт, откуда я знаю-то? Я ее в глаза не видел, эту Богдану Руденко. Но, судя по габаритам папаши, она не должна быть высокой.

— Примерно сто шестьдесят пять, — брякнул я наугад. — А что, это имеет значение?

— Ну конечно. А вес какой?

Еще не легче! Ну и остолоп же я, чего я затеялся с этим разговором сегодня? Не мог до завтра подождать, что ли? Завтра я познакомлюсь с девочкой и буду знать точные ответы на все Светкины вопросы. Но мне, честное слово, в голову не пришло, что она будет об этом спрашивать. Надо выкручиваться.

— Свет, она же женщина, она от меня эти цифры скрывает. Просто комплексует ужасно, что у нее лишний вес.

— Понятно, — снова усмехнулась Света. — Но сколько этого лишнего веса? Ну хотя бы примерно. Десять килограммов, двадцать, тридцать. Или, может, сто?

А черт его знает, может, и сто. Если девчонка даже в школу не ходит, потому что стесняется сама себя, значит, там проблема — ого-го! Я напряг свои скудные знания анатомии и физиологии и быстро прикинул, что в пятнадцать лет при росте сто шестьдесят пять сантиметров девочка должна, чтобы хорошо выглядеть, весить килограммов пятьдесят — пятьдесят пять; если она будет весить восемьдесят, она будет выглядеть толстушкой, но не до такой степени, чтобы стесняться ходить в школу. А коль в школу она не ходит, значит, вес перевалил, скорее всего, за девяносто. Стало быть, лишних получается килограммов сорок. Или даже пятьдесят.

— Сорок, — произнес я не очень, впрочем, уверенно. — Или около того.

— Ладно, записывай. Сначала расскажу про питание, потом про упражнения, потом поделюсь некоторыми своими ноу-хау. Кстати, твоя нынешняя пассия винегретик любит? Или селедочку под шубой?

— Конечно, — тут же ответил я.

А какой же русский человек не любит винегрет? Самая что ни есть наша национальная еда.

— Исключить категорически, — отрезала Светка и дальше начала рассказывать такое, что у меня волосы на голове зашевелились от ужаса. Она диктовала перечень разрешенных продуктов и способы их приготовления, а я записывал и удивлялся: как это вообще можно есть? Проще умереть от голода, чем давиться всем этим. Один шпинат чего стоит, я, например, на него даже смотреть не могу, не то что принимать внутрь.

Когда дело дошло до Светкиных ноу-хау, моя бывшая подружка снова меня огорошила неожиданным вопросом:

— Она подкусывает?

— Кого? — не понял я.

— Ну, я имею в виду — заедает?

— Что заедает?

— Да все, что угодно: волнение, стрессы, мелкие неприятности, долгое ожидание. Она хватается за бутербродики или конфетки, когда места себе не находит?

— Это да, что есть, то есть.

Тут я не колебался ни минуты. Руденко же сам сказал, что дочка разъелась.

— Курить бросала?

Это в пятнадцать-то лет, да при таком папаше? Наверняка даже и не начинала.

— Нет, она никогда не курила.

— Мой тебе совет: купи ей пазлы, пусть складывает. Это мое собственное изобретение в борьбе с обжорством. Я тебе клянусь, это занятие так засасывает, что забываешь обо всем, ну буквально обо всем, даже о том, что по телику твой любимый сериал идет. Оторваться невозможно, ни о каких бутербродах и конфетах даже речь не идет. Вот попробуй, сам увидишь. Она у тебя перед телевизором подолгу сидит?

Если б я знал! Но, наверное, подолгу, чем ей еще заниматься, если она никуда из дому не выходит?

— Да.

— Вот видишь, ее надо обязательно оторвать от экрана.

— А зачем?

— Господи, Паша, какой же ты тупой! Когда сидишь на диване и таращишься в ящик, то милое же дело чайку попить с чем-нибудь. В одной руке бутерброд, в другой чашка, глаза в телевизор уставила — и вперед. А когда пазлы складываешь, обе руки заняты. Да, чуть не забыла: картинка должна быть большая, так что покупай трехтысячники.

— А какая разница? — глупо спросил я. — Что один на три тысячи, что три по тысяче.

— Ну ты точно тупой, — горестно вздохнула Светлана. — И как я с тобой целый год прожила — не понимаю. Трехтысячник отличается от тысячника тем, что он большой. Размер в два раза больше, а самих пазлов — в три. То есть картинку ты складываешь на одном столе, а пазлы лежат на другом, на один стол все не умещается, а если у тебя огромный стол, например теннисный, и на нем все умещается, то рукой не достать и глазами не видно. Все время приходится вставать, чтобы набрать подходящие по цвету фишки или найти то, что надо. Встал, сходил за фишками, принес, сел, приложил, подумал, опять встал, и так до бесконечности. Потом, по мере заполнения картинки, из положения сидя становится плохо видна верхняя часть, и все время нужно вставать, чтобы разглядеть, что там наверху. Опять же: сел — встал, сел — встал. Казалось бы, ерундовая нагрузка, а все равно нагрузка на мыщцы, все равно движения, и это ведь не пять минут, а пять часов, шесть, а то и больше. Я, например, в выходные дни часов по двенадцать-четырнадцать пазлы складываю. И жрать, между прочим, совершенно не хочется, я о еде вообще в это время напрочь забываю. Для меня суббота — святой день, только кефир и пазлы. И вес уходит преотлично.

Светка дала мне еще несколько мудрых советов психологического плана, но я понимал, что некоторые из них пролетали, как говорится, мимо денег. Например, я должен регулярно, то есть по нескольку раз в день, говорить своей мнимой подруге о том, какая она красивая и как я ее хочу. Тем самым я якобы буду снимать у нее страх оказаться непривлекательной, а любые страхи, как известно, способствуют набору лишнего веса. Интересно, как это будет выглядеть, если я начну рассказывать пятнадцатилетней ученице, что она жутко красивая и я ее жуть как хочу? Наверное, минут через пять-семь меня выгонят без выходного пособия. А то и под суд отдадут за растление несовершеннолетней.

Закончив ликбез у Светланы, я открыл в тетрадке чистую страницу и принялся составлять перечень физических нагрузок и необходимых для этого тренажеров. Хотелось к завтрашней встрече оказаться во всеоружии и произвести впечатление человека если и не очень опытного, то хотя бы знающего.

Последнее, что я сделал в тот день, — сообщил хозяйке квартиры, что самое позднее через месяц я освобожу жилплощадь, потому что нашел работу и смогу снимать жилье, так что она может начать подыскивать покупателя. Сообщение было принято с благодарностью и нескрываемой радостью, и я лег спать с ощущением, что жизнь наконец-то начала налаживаться. О своей шпионской миссии я ухитрился очень удачно забыть, чтобы не портить хорошее настроение. У меня вообще мозги удобно устроены, они никогда лишней секунды не думают о неприятном, зато с удовольствием воспринимают все позитивное. Отсюда и все мои беды.

* * *

Я безнадежно опаздывал и клял себя последними словами за то, что не догадался, а точнее сказать — поленился выехать из дому пораньше, чтобы иметь запас времени на петляние по старомосковским переулкам в поисках нужного адреса. А ведь мой новый шеф предупредил — никаких опозданий! И надо ж так, первое же мое появление в его доме начнется именно с опоздания. Вот дурак-то я, поискать еще таких.

Наконец указанный в бумажке дом обнаружился, причем в каком-то весьма странном месте: имея официальный номер 37, он спрятался в глубине между номерами 29 и 31, и я раз двадцать как минимум мимо него проскочил, пока не нашел. Видок у домика был чудной, вековой давности покосившиеся оконные переплеты чередовались с дорогими стеклопакетами, и я сообразил, что это, скорее всего, частично расселенные коммуналки.

Так и оказалось. Я поднялся на третий этаж и увидел вместо четырех дверей, как на первых двух этажах, всего одну, массивную, стальную, на которой бронзово переливался единственный номер квартиры. Стало быть, богатенький дядя Михаил Руденко купил под собственные нужды целый этаж. Ну и неудивительно, что у него до хренища комнат и найдется конура для ночевки бедолаги-тренера. Спрашивается в задачке: зачем ему весь этот геморрой, когда можно было за куда меньшие деньги построить домик за городом? Может, он принципиально городской житель, которого на открытых просторах охватывает паника? А что, такое бывает, сам видел.

На мой звонок долго никто не открывал, и я сперва испугался, что разгневанный хозяин не стал меня ждать и демонстративно ушел, но потом подумал, что расстояния в этой квартиренке, наверное, очень большие. Пока до входной двери дотащишься...

На всякий случай я позвонил еще раз, и почти сразу дверь распахнулась. На пороге стояла очаровательная девушка без единого лишнего килограмма. Во всяком случае, на мой вкус она была даже худовата. Хотя я, повторяю, люблю полнокровные тела, а у Михаила Олеговича представления о женской, а тем более — девичьей красоте могут быть несколько иными. Даже, я бы сказал, иными радикально. Ну что ж, больному легче. И тут же в моей дурацкой голове замелькали привлекательные картинки моих занятий с этой очаровашкой.

— Здравствуй, — я улыбнулся как можно дружелюбнее, — ты Дана? Я твой тренер, меня зовут Павел.

— Еще чего, — фыркнула очаровашка. — Зачем мне тренер? У меня и так все в полном шоколаде. Разве не видно?

Она сделала шаг назад и пируэт, чтобы я мог со всех сторон разглядеть и оценить ее стройную фигурку. Вот это уже интересно. Девочка считает, что у нее все в полном порядке, а из дому выходить стесняется и даже школу не посещает. Это почему бы? Кто тут кого дурит?

— Ты в отличной форме, — осторожно сказал я, входя в прихожую и затворяя за собой дверь. — Но твой папа, кажется, считает, что тебе надо чуть-чуть подкачаться. Во всяком случае, он меня для этого нанял на работу. Ну что, будем знакомиться?

В рамках процедуры знакомства я протянул руку и посмотрел в лицо девушке. Да, молоденькая, свеженькая, но ей никак не пятнадцать. И что бы вы мне ни рассказывали про акселерацию, я голову готов был дать на отсечение, что она старше, причем прилично старше.

Очаровашка жеманным жестом протянула изящную кисть и пропела:

— Юля.

Я оторопел. Какая еще Юля? Старшая сестра? Но Руденко говорил, что у него, кроме Даны, есть еще сын, который сейчас учится в Англии, а про вторую дочь никакого базара не было. Подруга? Да, скорее всего.

Наверное, рожа у меня в тот момент была очень выразительная, потому что девушка расхохоталась.

— А ты подумал, что я — Данка, да? Да ты что, в своем уме? Разве я похожа на бегемотиху?

Очень мило. И главное — доброжелательно.

— Ты — подруга Даны?

— Еще чего, — снова фыркнула Юля. — У Данки вообще подруг нет. Кому она нужна-то, корова безрогая? Я ее сестра. Не родная, — уточнила она, — двоюродная. Моя мама и дядя Миша, Данкин отец, — родные брат и сестра. Ладно, чего ты стоишь? Пошли, я тебя к Данке отведу.

Путь был неблизким. По дороге я оглядывался, пытаясь разобраться в планировке и хоть как-то сориентироваться, но у меня почти ничего не получилось. Впрочем, топография никогда не была моей сильной стороной. Но одно я успел понять: деньжищ сюда вгрохано — ой-ей-ей сколько. Не ампир, конечно, но все, от плинтусов до светильников, — дорогое и хорошего качества.

Перед одной из многочисленных дверей мы остановились, Юля подергала за ручку и громко произнесла:

— Данка, открывай давай, к тебе твой физкультурник пришел.

Н-да, сестренку мы не любим и тактичностью не отличаемся. За дверью послышались тяжелые шаги, мягко чмокнул поворачиваемый в замке ключ, и я увидел наконец свою будущую подопечную. Картина, надо сказать прямо, была устрашающая. Я такие фигуры видел в группах американских туристов, среди которых довольно часто попадаются разжиревшие на гамбургерах и чипсах девочки-подростки. А еще я смотрел симпатичный фильм, тоже, кстати, американский, под названием «Любовь зла», и сейчас передо мной стояло нечто вроде главной героини этой комедии. Ну, в общем, кто кино смотрел, тот меня поймет, а кто не видел, пусть поверит на слово.

— Здравствуй, Дана, — негромко произнес я. — Можно войти?

Она молча отступила в сторону, освобождая мне дорогу, и я сразу же закрыл за собой дверь. Мне почему-то казалось, что стройная Юля не должна присутствовать при нашей встрече.

Я осмотрелся. Комната просторная, светлая, но не похоже, что Дана здесь спит. Два стола — письменный и компьютерный, стеллажи с книгами, музыкальный центр, телевизор, два мягких дивана и три кресла, одним словом, обстановка для занятий и отдыха, но не для ночевки. Наверное, у девочки есть еще отдельная спальня, а здесь она проводит время днем. И запирается при этом на ключ. Ну и нравы в этой семейке. Интересно, от кого она запирается? Похоже, кроме нее и Юли, в квартире сейчас никого нет, в противном случае меня непременно встретил бы кто-нибудь из взрослых представителей Руденко, все-таки посторонний человек, молодой мужчина первый раз приходит в дом, где нет никого, кроме двух беззащитных молоденьких девушек... Может, у меня провинциальные представления?

— Давай присядем, — предложил я. — Куда можно?

Дана по-прежнему молча показала на один из диванов и на кресла, мол, выбирай сам. Я выбрал кресло. Она села на диван, довольно-таки далеко от меня, не за километр, конечно, но и не рядышком, как садятся, когда собираются вести доверительную беседу. Молчит, садится подальше. Что это? Она меня боится? Не доверяет? Стесняется?

— Меня зовут Павел, твой папа пригласил меня, чтобы я занимался с тобой фитнесом. Он считает, что нужно что-то делать с твоим весом. А ты сама как считаешь? Нужно что-то делать?

Дана пожала плечами и отвела глаза в сторону. Впрочем, вру, ни в какую сторону она их не отводила, как не смотрела на меня — так и продолжала не смотреть. Странная девочка.

— Я спрашиваю потому, что если ты не согласна с Михаилом Олеговичем, если ты считаешь, что у тебя все в порядке и тренер тебе не нужен, то сейчас уйду и больше не появлюсь. Никто не собирается ничего тебе навязывать, никто не будет силой заставлять тебя заниматься.

Уж в этом-то я совсем не был уверен. Михаил

Руденко не производил впечатления человека, которому можно просто сказать: нет, не буду, — и вопрос снимался. Похоже, нанять тренера для растолстевшей дочери было его собственной идеей, которую он с Даной не обсуждал, а просто поставил ее перед фактом, нимало не сомневаясь в том, что его указание будет принято с радостью.

И снова молчание и отведенные в сторону глаза. Да что же это такое, а? Она вообще собирается со мной общаться хоть как-нибудь или нет? И что я в таком случае здесь делаю?

— Дана, — строго сказал я, — давай разделим проблему на две части. Есть вопрос занятий и есть вопрос личности тренера. Может быть, ты хочешь заниматься, но я тебе не нравлюсь? Так и скажи, я пойму, никаких обид, честное слово. Михаил Олегович найдет тебе другого тренера. Или ты все-таки не хочешь именно заниматься?

Ну наконец-то! Длинные, рассыпавшиеся по плечам волосы всколыхнулись, слегка повернулась голова, огромные зеленовато-серые глаза уставились на меня с немым вопросом и, как мне показалось, с тайной надеждой.

— Вы сможете сделать так, чтобы... — Она запнулась, и тут только до меня доперло, насколько болезненна для нее проблема. То есть настолько, что она даже вслух произнести не может. — ...чтобы мне помочь?

Голос тихий, дрожащий, но тембр очень приятный.

— Смогу, — уверенно ответил я, хотя меня, конечно же, одолевали сомнения. Наслушавшись накануне Светкиных указаний, я примерно представлял себе, что первые несколько килограммов уйдут легко и быстро, уж очень их много, и среди всего лишнего, что висит на Дане, изрядное количество составляет задержавшаяся вода, избавиться от которой будет совсем несложно. Если не знать, что дело в воде, может создаться вредная иллюзия быстрого похудания (или все-таки похудения?), и когда потом процесс притормаживается, начинаются разочарования. Кстати, та же Светка сказала мне, что на этом основаны очень многие «быстрые» диеты: они бессолевые, мочегонные, с человека просто-напросто сходит отек, а он, глупенький, думает, что сбросил вес, потому что избавился от жира, и страшно удивляется, когда через несколько дней килограммы возвращаются назад. Для того чтобы вывести лишнюю воду, нужно всего-навсего перестать есть соленое и сладкое и побольше пить, и через три-четыре дня весы покажут тебе нечто приятное, а вот чтобы заставить жир сгорать, надо прилагать поистине нечеловеческие усилия, на которые способна далеко не каждая женщина, и проявлять недюжинное терпение. Судя по одутловатому лицу, водички в Дане скопилось немало, и первые быстрые и эффектные результаты я, основываясь на полученных от Светланы знаниях, обеспечить смогу. А там посмотрим.

Девочка тяжело поднялась с дивана и двинулась к двери.

— Папа велел, чтобы вы посмотрели комнату, где будут тренажеры. И вашу комнату я вам тоже покажу. Вы составьте список, что нужно купить и как расставить. Папа придет в четыре, вы с ним все решите.

Она вышла из комнаты, не глядя на меня, уверенная, что я последую за ней. Кто сомневается в силе генов — пусть плюнет мне в глаза. Дана и разговаривает такими же короткими рублеными фразами, как ее папаша, и характер у нее, похоже, точно такой же. Чует мое сердце, несладко мне здесь придется. Но за такие деньги, какие мне были обещаны, я готов терпеть все, что угодно.

На этот раз наш путь вышел куда более коротким: помещение для фитнеса было выделено рядом с комнатой Даны, буквально через дверь. Размеры его меня более чем удовлетворили: и площади достаточно, и света, и воздуха. Я достал свою заветную тетрадочку, в которой уже записал несколько пришедших мне в голову бредней, сверился с составленным заранее списком и принялся набрасывать план расстановки тренажеров. Ничего сверхъестественного, все стандартно: дорожка, велоэргометр, комплексная доска, чтобы качать пресс, комплект женских гантелей, степпер, коврик для гимнастики, алюминиевый утяжеленный обруч, набор резиновых эспандеров, массажный стол, напольные весы с миникомпьютером, показывающие процент жира и воды. Перед дорожкой нужно поставить телевизор, чтобы не скучно было наматывать километры. Предусмотреть столик для музыкального центра и дисков. Еще один столик для массажных принадлежностей, всяких там полотенец, кремов и лосьонов. Да, и обязательно повесить на стену что-то типа доски для объявлений и приобрести несколько больших листов ватмана, длинную линейку и набор фломастеров разного цвета. Эта идея посетила меня рано утром, когда я, разминаясь, думал о своей предстоящей работе и о том, что я, как и мой отец, в конце концов превращаюсь из знаменитого бойца в обыкновенного учителя физкультуры. С отца мысль, вполне естественно, перескочила на маму, и я вспомнил, как она постоянно повторяла: планы, графики, наглядные пособия, дидактические материалы... Эти слова, так же как и зловещее слово «гороно», я слышал с самого раннего детства.

— Вот смотри, — я показал Дане, которая молча стояла рядом, ничего не говорила и вопросов не задавала, свой коряво выполненный план, — здесь будет дорожка и телевизор...

Она внимательно смотрела, слушала мои объяснения, но по ее лицу не было понятно, нравится ли ей то, что я предлагаю.

— А вот здесь будет висеть доска с графиками, — закончил я обзор экспозиции.

— С какими графиками?

— Мы будем ежедневно отмечать уровень нагрузки и твои параметры.

— Так нужно?

— Так нужно, — твердо сказал я.

Осмотр моей будущей комнаты тоже неожиданностей не принес. Обычная комната, два окна, четыре стены, никакой мебели. То есть совсем никакой. Пусто и голо. Чего попросить-то? В том смысле, чтобы не оказалось сверх меры нагло. Что-то такое папаша Руденко бормотал насчет возможности оставаться ночевать, стало быть, попросить спальное место будет уместно. Или нет? Перечень собственных нужд я на всякий случай составил по минимуму: диванчик, пара стульев, шкаф (нужно же куда-то складывать и вешать одежду, переодеваясь для занятий) и телевизор. Если мои новые хозяева имеют хоть каплю человеколюбия, остальное домыслят сами.

Я уже заканчивал свой скудный списочек, когда понял, что в квартире мы с девочками вовсе не одни. Послышались голоса, по меньшей мере три разных, и один из них — мужской, а ведь никаких звонков в дверь, кажется, не было. Или я не услышал?

— Дана, обедать! — донеслось звонкое и требовательное.

Дана молча сделала мне знак следовать за ней. Интересно, она всегда такая болтливая или только сегодня, по случаю первого знакомства?

— Мне кажется, звали только тебя, — осторожно заметил я, не трогаясь с места.

Очень не хотелось в первый же свой визит оказаться нежданным гостем, который хуже сами знаете кого.

— Папа сказал, чтобы вы с нами обедали и ждали его. Он скоро придет.

Скупо, но информативно. Может, зря я беспокоюсь насчет ее разговорчивости? Все необходимое она все-таки произносит, а иметь дело с неостановимой болтушкой как-то тоже не улыбается, не будешь потом знать, куда деваться.

Длинный путь по коридору закончился в просторной столовой, где, к моему немалому удивлению, обнаружилась целая толпа: помимо уже знакомой мне очаровашки Юленьки, за большим овальным столом сидела пожилая дама, женщина под полтинничек, выглядящая усталой и болезненной, рядом с ней крупная красивая ухоженная тетка с выражением надменной озабоченности на холеном лице, еще одна женщина лет вокруг тридцати, очень хорошенькая, парень примерно моего возраста, в очках и жутко серьезный, и энергично ерзающий пацаненок на вид лет четырех-пяти. Да, немаленькая семейка у этих Руденко... Или это все гости, званные к обеду? И кто здесь главный?

Я не без труда вспомнил мамины уроки хорошего воспитания, поздоровался и представился. Первой мне ответила Ухоженная:

— Садитесь, Павел, сейчас будем обедать. Нас много, вы нас всех, наверное, с первого раза не запомните, но это ничего, со временем привыкнете. Дану и Юлю вы уже знаете. Я — Лариса Анатольевна, жена Михаила Олеговича.

Стало быть, главариха здесь — она. Учтем. Я вежливо улыбнулся, повторив про себя имя и отчество. Можно перепутать и забыть кого угодно, только не ее, ведь у меня есть еще задание Наны, а с главой семьи общаться мне, по-видимому, придется мало и редко, так что основным источником информации должна стать именно хозяйка. Маловероятно, чтобы остальные присутствующие знали что-нибудь из того, что меня интересует. Если только этот парень в очках, наверное, он какой-нибудь секретарь или помощник. Его тоже надо запомнить, чтобы не переврать имя.

— Это — Валентина Олеговна, — Ухоженная кивнула на сидящую рядом Болезненную, — сестра моего мужа, Юлина мама. А это моя свекровь, Анна Алексеевна, мать Михаила Олеговича и Валентины Олеговны. Пока все понятно? Не запутались?

Она улыбнулась так широко и приветливо, что мне сразу полегчало. Может, она не такая надменная, как показалось вначале? А что? Нормальная тетка, понимает мои трудности. Пожалуй, с ней я общий язык найду. Быстренько повторим, пока из головы не выветрилось: Лариса Анатольевна — жена хозяина, Валентина — сестра, старушка Анна Алексеевна... или Александровна? Вот черт, уже забыл. Нет, кажется, все-таки Алексеевна, — мамаша главы семьи. Юля — племянница. Дана — дочка. Остались еще молодая красоточка, парень и пацан. Как бы в мозгах все удержать? Ладно, Фролов, не паникуй, прорвемся.

— Артем — домашний учитель Даны, — продолжала хозяйка.

Я моментально расстроился. Значит, на парня надежды никакой, он такой же наемный служащий, как и я, и ничего интересного не знает. Наверное, секретарь и помощник — та красоточка, которую пока не представили. Очкарик Артем встал и протянул мне руку, которую я с чувством пожал: как-никак родная душа, коллега, так сказать, по работе, пусть он ничего и не знает, но зато с ним можно дружить.

— Елена — моя дальняя родственница, она живет с нами, — Лариса Анатольевна сделала короткий жест в сторону красоточки, — а Костик ее сын.

Голос у Ларисы при этих словах стал каким-то странным, не то холодным, не то высокомерным, и я понял, что Елена — из разряда родственников не только дальних, но и бедных, которых привечают по долгу семейных отношений и терпят с трудом. Опять облом... Никакой она не секретарь и не помощник, просто член семьи, из милости допущенный к кормушке.

Прекрасная Елена робко и как-то затравленно

улыбнулась мне, подтвердив мои подозрения касательно ее статуса, а маленький Костик, подражая очкарику Артему, вскочил со стула и протянул в мою сторону тоненькую ручонку.

— Привет, — как можно добродушней произнес я, обхватывая пальцами его крошечную влажную ладошку.

Меня посадили рядом с Артемом, и я понял, что это отныне станет моим постоянным местом. Еще хотелось бы понять, меня наняли на службу «со столом» или сегодняшнее приглашение к семейному обеду вызвано исключительно необходимостью познакомиться? Надо будет у Артема спросить.

Распахнулась дверь, высокая худощавая женщина внесла большой поднос и ловко расставила на столе закуски. Лариса взяла в руки приборы, что было расценено всеми как сигнал к началу. Первые две минуты я с удовольствием жевал заливную осетрину, потом вспомнил вчерашнюю Светкину лекцию и свою задачу в этом доме и переключил все внимание на Дану, сидящую напротив, рядом с матерью. Что и говорить, покушать в семье Руденко любили и умели, об этом можно было судить даже по закускам, а ведь еще будут суп, второе и десерт. Господи, на Дану страшно было смотреть! Она мела все подряд: рыбу, салаты двух видов, тарталетки с каким-то паштетом, наверняка жирным и калорийным, причем огромными порциями, при этом глаза не поднимала, и лицо ее не выражало ни малейшего удовольствия. Просто, что называется, «метала в топку горючее». Зачем она столько ест, если это не приносит ей никакой радости? Столько «горючего» ее организму не требуется, если учесть тот образ жизни, который она ведет. Я скосил глаза на Юлину тарелку: девушка медленно и вяло клевала зелень и нарезанные кружочками свежие огурцы. Вот и умница. Надо будет улучить момент и поговорить с Ларисой Анатольевной насчет питания Даны, пусть ей готовят отдельно, что ли...

Отражение 1

ЮЛЯ

Ненавижу ее, ненавижу, ненавижу! Почему ей все, а мне — ничего? Почему этой толстозадой дуре повезло родиться у дяди Миши и тети Лары, а мне — у этой никчемной неудачницы? Господи, ведь даже развестись толком не смогла, ничего не взяла, не отсудила у папаши, не поделила, просто ушла — и все. Живем теперь в чужой семье на птичьих правах, каждой подачке радуемся. А эта дура Данка все имеет и ничем не пользуется, сидит в своей комнате и уроки зубрит, жиреет день ото дня и впадает в неврастению. Сколько возможностей пропадает! Могла бы с родителями в отпуск ездить, полмира уже объездила бы, а уж я сумела бы сделать так, чтобы она без меня обойтись не смогла, обожала бы и в глаза заглядывала, и дядя Миша обязательно брал бы меня тоже в эти поездки. Главное — начать, а дальше все само как-то втягивается, и на приемы, банкеты и тусовки всякие, куда дядю Мишу приглашают с семьей, меня бы тоже начали брать. А если так, то нельзя же привести с собой бедно одетую родственницу, не комильфо, и дядя Миша покупал бы мне дорогие тряпки и хоть какие-нибудь бронзюшки. А я уж остальное сама бы сделала... Во всяком случае, приличного мужа точно нашла бы. Так ведь нет! Данка-дура сидит сиднем, никуда не ходит, не ездит, нигде не бывает. Теперь вот спортсмена какого-то ей сосватали, чтобы жир согнать. Идиоты! Со мной бы кто-нибудь так носился...

А этот физкультурник — очень даже ничего, симпатичный, высокий. Надо будет попробовать с ним закрутить, все равно делать нечего, скучно, да и Данке назло, она ревнивая — жуть просто, терпеть не может, когда ее вещи берут, и ей наверняка не понравится, если ЕЕ тренер будет оказывать МНЕ знаки внимания. Ну и пусть, хоть какое-то развлечение. Конечно, домашний тренер — это не престижно, даже если я его окручу, толку с этого не будет ни грамма, тем более он хромает, не сильно, конечно, но все равно... На фиг мне хромой муж? Но, может быть, это временно? Дядя Миша вчера сказал, что этот Павел попал в аварию и что-то там повредил, поэтому временно ушел из большого спорта. Ну, как известно, нет ничего более постоянного, чем временное, вон мы с мамой тоже когда-то «только временно» поселились здесь, а что вышло? Уж сколько лет живем, и никаких перемен не предвидится.

Черт, как рыбы хочется! И тарталетку с паштетом из гусиной печени я бы с удовольствием слопала, но этот физкультурник так внимательно смотрит всем в тарелки, изучает, кто что ест, а мне надо произвести на него впечатление, так что буду давиться огурцами и деликатесов не замечать, будто их и нет вовсе. Нет, правда, очень этот спортсмен сексуальный, обязательно надо им заняться. В конце концов, пусть не замуж за него идти, но у него тоже наверняка есть своя тусовка, друзья какие-нибудь, он с ними в клубах встречается, всякие интересные места посещает, вот и будет меня с собой брать, а там все втянется... Вырваться отсюда, вырваться любой ценой!

Но лучше бы, конечно, просто оказаться на месте дуры Данки, она все равно своего места не ценит. Елы-палы, пятнадцать лет девке, я в ее возрасте уже трахалась вовсю, а она? Привели ей сперва домашнего учителя, теперь вот тренера, оба молодые мужики, один другого лучше, так хоть бы капля женственности проснулась! Нет ведь, сидит, глаза уткнула в тарелку и жрет, жрет, жрет, как свинья, даже вкуса не замечает. Как осетрины хочется... Ненавижу! Убила бы ее, честное слово. И мать свою, дуру-неудачницу, тоже за компанию замочила бы. И дядя Миша с тетей Ларой меня бы удочерили. А что им останется? У них не будет дочери, у меня — матери, тем более родная кровь. Хотя для удочерения я уже слишком взрослая, совершеннолетняя, но все равно, я осталась бы с ними и оказалась на месте Данки. Что и требовалось доказать.

А лучше всего было бы всех убить и остаться единственной наследницей. Ладно, Ленку с Костиком можно оставить, они — такая дальняя родня, что на наследство претендовать не могут, выпереть их к чертовой матери отсюда — и дело с концом. Бабку Аню тоже можно пожалеть, она старая, ей много не надо, затолкать ее в самую дальнюю комнату, давать корм три раза в день — и всего-то забот. А остальное тратить на себя, на себя, на себя! Хотя нет, есть же еще дядя Володя и тетя Муза, с ними придется делиться, они тоже наследники. Но они такие... им вообще ничего не надо, живут в обнимку со своей дурацкой наукой, деньгами вообще не интересуются. Дядя Володя... Вот это хай-класс! Просто не верится, что в этой уродской семейке водятся такие люди. Красивый — глаз не оторвать! Жалко, что он мой родной дядя, а то уж я знала бы, как поступить, и никакая серая моль тетя Муза мне не помешала бы. Да нас даже сравнивать нельзя, слепому понятно, что я — лучше. Хотя бы тем, что моложе. Интересно, дядя Володя хоть раз в жизни своей Музе изменил? Ни за что не поверю, чтобы таким красивым и умным мужиком бабы не интересовались, а сексуальный интерес, как хорошо известно, штука заразная, вроде гриппа, флюиды обязательно вызывают ответное волнение. Неужели он ни разу не поддался? Да быть не может! Я, например, всегда сразу чувствую, когда мной кто-нибудь интересуется, и начинаю волноваться. Меня чужой интерес будоражит, заводит.

Разговор за столом какой-то неинтересный, никак мне нашего физкультурника на себя не переключить, он о чем-то с Артемом потихоньку шепчется. Это плохо, сейчас Темка ему напоет невесть чего... Дурачок, влюблен в меня по уши, но безответно, на фиг он мне нужен-то, ботаник бессмысленный! Ну из вредности, чтобы Данке насолить, я с ним раз пять в его комнате закрывалась, подумаешь, от меня не убудет, зажмурилась и перетерпела, даже что-то там постаралась изобразить вроде экстаза, зато сколько удовольствия я получила, когда Данка все поняла! Так теперь Тема считает меня своей любовницей на веки вечные, прохода не дает, в глаза заглядывает и одолевает всякими скабрезными намеками, он вполне может, если почует в физкультурнике соперника, заранее сообщить ему, что, мол, девушка прочно занята и ручонки не протягивай. Вот этих превентивных сообщений мне как раз и не надо, это мне все планы порушит. Так, баба Аня, кажется, собирается вещать... О господи, как мне надело все!

Отражение 2

АННА АЛЕКСЕЕВНА

Сейчас сказать или попозже, когда Миша придет? Или, может, вообще не говорить, пока промолчать? Володенька прав, надо сделать так, как он говорит, но почему-то мне боязно... Вот ведь дожила до старости, никогда не боялась детей, всю жизнь ими командовала, а теперь вдруг робость одолевает. Ничего плохого сказать не собираюсь, а все равно почему-то побаиваюсь. Страшно жить в зависимости, все время думаешь, как бы угодить. Мишку не боюсь, он мне поперек слова не вымолвит, Валюшка тоже послушается, Леночка вообще не в счет, она здесь на птичьих правах, ее все это не касается, а вот Лариса... Ох, не люблю я ее, да что там не люблю — терпеть не могу. И вроде бы она Мишеньке хорошая жена, верная, ни в чем таком не замечена, и внуков мне чудесных родила, что Тарасика, что Даночку, но не лежит у меня к ней душа. Вот как с самого начала не лежала — так и не лежит. И, видно, не зря. Жена она, конечно, хорошая, о Мишеньке заботится, он у нее ухоженный, чистенький, сытый, а вот мать она плохая. Тарасика за границу отправила учиться, от себя оторвала и даже, кажется, не скучает по нему. Разве ж это мыслимое дело — семнадцатилетнего мальчика в Англию посылать, да одного, без присмотра, без родительской заботы, ласки, внимания! Чему он там научится?

Самостоятельности? Знаю я эту так называемую самостоятельность, заканчивается все тем, что родителей потом в грош не ставят, не слушаются, на все собственное мнение имеют, никаких авторитетов не признают. Дети становятся неуправляемыми, когда родители слишком рано перестают их контролировать, вот это я знаю точно, недаром столько лет проработала в системе народного образования. Даночку Лариска запустила, это ее вина, что девочка превратилась бог знает во что, Володенька давно уже говорил Ларисе и Мишеньке, что надо обратить на дочь внимание, что с ней не все в порядке, а они только отмахивались: дескать, учится на одни пятерки, учителя не нахвалятся, чего еще надо? А Дана все ела и ела, все кушала и кушала, и мы как-то все проморгали, ведь каждый день ее видим, вроде и не заметно было, что она поправляется, как на дрожжах. И в школе у нее все было хорошо, учителя любили, с одноклассниками дружила, они-то тоже ее каждый день видели, и в глаза особенно ничего не бросалось. А потом Лариске взбрело в голову перевести Даночку в гимназию, в какую-то модную, в которой дети из богатых семей учатся. Вот тогда все и началось... Три дня девочка походила в эту гимназию, будь она трижды неладна, наслушалась про себя всякого, насмешек и издевательств нахлебалась — и всё. Отказалась не то что в школу ходить — вообще из дому теперь не выходит. Никогда не могла понять, для чего все эти новомодные гимназии и колледжи придумали? Как раньше было хорошо: десятилетка для всех, все одинаковые, учатся по единой, утвержденной Министерством среднего и специального образования программе, и учебники у всех одинаковые, и система контроля единая. А теперь что? Непонятно, где учат, чему учат, кого учат и в каком объеме... Безобразие!

Спасибо Володеньке, он хоть как-то на Мишу с Ларисой повлиял, чтобы Даночкой начали заниматься. Тренера вон наняли, может, толк будет. А то заладили: хорошо, что девочка дома сидит, так безопасней, так спокойней, нечего ей по дискотекам шляться, сначала дискотеки, потом мальчики, потом ночные клубы, потом наркотики — дорожка проторенная, чуть отвлечешься, дашь слабину — и конец. А мое такое мнение как работника наробраза, что ребенок должен расти в коллективе и обязательно посещать учебное заведение, его знания и поведение должны контролироваться не только педагогами, но и сверстниками, только тогда из него вырастет настоящий человек. Но разве меня слушают? Нет, я не права, Мишенька и Володя ко мне, безусловно, прислушиваются, но делают по-своему. Нет, опять я не права, Володенька делает, как я говорю, а вот Миша совсем под Ларискино влияние попал, в рот ей заглядывает и поперек нее ничего не сделает. Так-то он добрый мальчик, послушный, меня всегда уважал и любил, а Лариска его совсем испортила. То ли дело Володюшкина жена, Муза, вот уж невестка так невестка — любой свекрови на радость. И ласковая, и спокойная, и меня уважает, и мужа своего любит, и мнение свое никому не навязывает, во всем за Володей следует. Жаль только, что бездетная, слабенькая она, болезненная, в чем только душа держится — непонятно, ну это уж как бог пошлет, он сам знает, кому сколько деток давать. У меня и без того трое внуков, Мишенькиных двое да Валюшкина Юлечка, мне достаточно. Если Володя с Музой без детей живут счастливо — так тому и быть. Хотя мне, конечно, не понять, как это можно быть счастливыми без детей, у нас с Олегом Семеновичем было четверо, я бы и больше родила, если бы не Ванечка. После Ванечки страшно стало. Теперь вот трое остались — старший Миша, средняя Валюшка и младший Володенька.

Ванечка... Так сказать сейчас или подождать другого момента? Нет, подожду, пока Миша придет. Его это тоже касается.

А мальчик этот, Павел, не очень-то воспитанный. Кто его нашел? Миша? Или Лариска выискала? Бог знает где, в какой-то подворотне, наверное. Как это можно — в первый раз прийти в дом не в костюме, без галстука? Что за манера являться в джинсах туда, где тебя еще не знают? И не представился толком, Лариска только и сказала, что Павлом зовут, ни фамилии не назвала, ни биографию его не рассказала. Ну, о ее хорошем, с позволенья сказать, воспитании всем и так известно, а мальчик-то что же? Кто его родители? Какое образование получил? Где и кем работал? Надо было бы ему вот сейчас взять да и рассказать нам всем, чтобы все знали, что за человек в дом вхож, а то, может, он вор, или бандит, или, что совсем страшно, растлитель малолетних. Что о нем известно? Ничего. А он, вместо того чтобы нам себя преподнести, сидит и шепчется с Артемом. Не дело это, дурной тон. Надо будет Мише сказать... Хотя нет, я, наверное, лучше Володеньке пожалуюсь, он на Мишу может повлиять. Надо же, как жизнь интересно поворачивается, Володенька у меня младший из оставшихся в живых детей, а поставил себя как старший, он ведь и в самом деле самый умный и самый добрый из всех троих. Кто бы мог подумать, что он таким станет? В детстве он... Ах, да что вспоминать! Когда он был маленьким, мы с Олегом Семеновичем, царствие ему небесное, были уверены, что толку из него не будет, не станет он настоящим человеком и вся его судьба пойдет наперекосяк. Нам казалось, что он черствый, бездушный, холодный. Уже одно то, как он себя повел в день смерти Ванечки... Даже вспоминать больно. Мы тогда подумали, что он вообще не человек. Да и потом тоже... Ан нет, выправился и по человеческим качествам всех обогнал, всех опередил, и Мишеньку, и Валюшку. И жену себе выбрал хорошую, не то что Миша. Про Валюшку я вообще молчу, у нее семейная жизнь совсем не задалась.

Все, решено, как только Миша сядет за стол — так и скажу. А сейчас всех предупрежу.

— Минуточку внимания! Когда придет мой сын, у меня будет для вас сообщение.

Отражение 3

АРТЕМ

Ну, Юлька, ну артистка! Уже вцепилась в новенького, в Пашу. Дурочка, мается от скуки и выискивает, на чем бы интригу слепить. Сидит с постной рожицей, ковыряется в тарелке с бледными овощами, дескать, она такая томная и интересная, питается одним воздухом и капелькой росы, хочет на Павла впечатление произвести. Я-то знаю, какой у нее аппетит! Руденковский, наследственный, в этой семейке обожают плотно и вкусно покушать. Юльке просто повезло, что у нее такой обмен, сколько ни ест — остается стройненькой и изящной, а так-то она наворачивает будьте-нате! Дане, бедолаге, не повезло, но это не ее вина, а Юлькина стройность — не ее заслуга. Так природа распорядилась. Дана вообще в этой семейке самая нормальная, у нее мозги на месте стоят, а у всех остальных они на сто восемьдесят градусов повернутые. Елена дрожит постоянно, как заячий хвост, и всем старается угодить, прямо до маразма доходит, Валентина попивает втихую и думает, что никто этого не замечает, Лариса Анатольевна строит из себя гранд-олигархиню и бесится оттого, что ее муж не обеспечивает ей тот образ жизни, какой она должна, по ее представлениям, вести. Михаил Олегович, конечно, мужик нормальный, ничего из себя не строит, денег до фига, а живет так, как будто у него малый бизнес, даже благотворительностью какой-то занимается, но это и настораживает. Когда у человека сто рублей, а он живет так, словно у него всего десятка, это вызывает, согласитесь, некоторые вопросы. Одним словом, с ним не все понятно. И братец его, Владимир Олегович, не простой типчик. С одной стороны, вроде все понятно с ним, ученый, социальная психология и все такое, и жена у него ученая крыска, тихая и безропотная, на первый взгляд — никаких подводных камней, а что-то в нем есть странное. Все в нем слишком: слишком добрый, слишком умный, слишком тонкий. Подозрений не вызывает — люди бывают всякие, в том числе и такие, но раздражает до невозможности. И жена у него странноватая, редко-редко сюда приходит, ну, может, раз в два-три месяца заглянет, да и то ненадолго, а ведь сам Владимир Олегович здесь каждый божий день бывает, даром, что ли, живет в соседнем доме. На первый взгляд может показаться, что Владимир Олегович любит мать, сестру и брата и каждый день навещает их, а у его жены Музы Станиславовны отношения с родней не сложились, не привечают ее здесь, вот она и старается лишний раз не мелькать. Что ж, бывает. Но ведь это совершенно точно не так. Старуха Анна Алексеевна Музу обожает, сколько я с Даной работаю — уже второй год пошел, — а слышу от старухи в адрес невестки только похвалы, причем абсолютно искренние. И Ларису Анатольевну Муза вроде бы устраивает: во всяком случае, худого слова о ней я здесь вообще ни от кого не слыхал. Да и на мой вкус, она тетка хорошая, доброжелательная, никакого ехидства в ней нет, никакого второго дна, хотя я, конечно, знаю ее совсем мало. Но все равно непонятно, почему она так редко сюда заходит. И еще одна странность: Владимир Олегович — мужик классный, стильный, я совершенно объективно оцениваю. Женщины должны его любить со страшной силой. А он выбрал Музу Станиславовну — ни рыбу ни мясо — и живет с ней уже много лет, причем не ради детей, как у многих случается. Тоже непонятно. Короче, не семья, а сплошные непонятки.

А Юлька — вообще особая статья. Зарится на дядюшкины капиталы, причем так явно, что только слепой не увидит. Но в этом доме, похоже, все слепые и есть, потому что, кроме меня, никто так не считает и Юлькины демонстративные проявления любви к дяде принимают за чистую монету. Ох, как ей хочется красивой жизни! И как она бесится оттого, что все это пролетает мимо кассы! Дядя Миша и тетя Лариса держат ее в строгости, карманных денег не дают, считают, что она уже взрослая и должна жить на собственном обеспечении, достаточно и того, что они дали ей с матерью бесплатную крышу над головой и кормят, а все остальное — будьте любезны самостоятельно. Уж как Юлька к дядюшке с тетушкой подлизывается, уж как ластится, все пытается им ближе родной стать, надеется, что они расщедрятся. Белыми нитками шито, но никто почему-то не понимает. Впрочем, не зря говорят, что со стороны виднее, а изнутри никогда ничего не разглядишь. А поскольку лишней копейки у нашей Юленьки нет, то по клубам и прочим интересным местам не больно-то походишь, вот она и скучает, а от скуки затевает всякие интрижки на дому, чтобы потом взрастить искусственные переживания и их со вкусом переживать. (Переживать переживания... Ай да я, а еще домашний репетитор. Жаль, моя школьная учительница литературы меня сейчас не слышит, вот она-то порадовалась бы за мой чудесный и богатый русский язык!) Короче, что Юленька наша — та еще штучка, я понял в первую же неделю своей работы у Руденко и страшно забоялся, что она учинит какую-нибудь каверзу и меня с треском выгонят отсюда, а работу терять мне совсем не с руки, платят щедро, где я еще столько заработаю? И решил я, что надо бы девочку приручить, чтобы она меня в свои интриги не впутывала. Дело это несложное, надо только собраться на два-три разочка, отработать с душой, с полной отдачей, а потом можно уже не напрягаться, просто постоянно делать вид, что жутко заинтересован, и давать понять, что ты бы с удовольствием и в любой момент, но обстановка не позволяет. Короче, принцип проверенный, он меня никогда не подводил. И сейчас не подвел. Уже почти год мне удается поддерживать в Юле уверенность, что я влюблен до потери пульса, и она вполне довольна, записав меня в список побед и повысив собственную самооценку. По крайней мере, за год я от нее не получил ни одной каверзы, что, собственно, и требовалось. Теперь она возьмется за Пашу, это сто пудов, она такую возможность поиграть не упустит ни за что, совсем от безделья измаялась, бедняжка, учится в каком-то платном вузе (на бюджетное отделение поступить у нее мозгов не хватило, но на образование добрый дядя Миша денег, само собой, дал), к учебе ни малейшего интереса не испытывает, занимается совсем мало, вот и натирает мозоли на мозгах в поисках внутриквартирных развлечений. А куда уж лучше развлечение, чем стравить в муках ревности старого любовника с новым? Заодно и понаблюдать, как будет страдать Дана, у которой есть такая забавная черта характера: она не любит, когда берут ее вещи, причем этот механизм распространяется и на ситуации, когда кто-то завладевает вниманием ее преподавателя. Поскольку я общаюсь с Даной ежедневно и давно, мне тут все понятно. Девочка искусственно вырвана из нормальной жизни, и она вынуждена строить свой собственный мир, но этот мир в силу объективных обстоятельств оказался очень узким, очень бедным, маленьким, и каждая его деталь, каждый элемент становится на вес золота, и расстаться с ним равносильно потере половины царства. Когда у тебя тридцать одноклассников, утрату внимания приятеля можно легко пережить, потому что вокруг есть множество других людей, есть другие возможности выстроить другие отношения. Когда у тебя нет никого, кроме членов семьи и одного учителя, то ты, совершенно естественно, хочешь, чтобы учитель этот занимался только тобой и на других людей не отвлекался. Я-то, дурак, понял это намного позже, а когда приручал Юльку — ничего этого не знал, потому и не мог предполагать, как Дана расстроится, когда просечет, что у нас с ее сестрой произошло. Теперь-то я уже такую глупость не сделаю, во-первых, мне Дану жалко, я к ней искренне привязался, она мне вроде младшей сестры стала, а во-вторых, я за свою работу держусь, и мне совсем не хочется, чтобы Богдана на меня пожаловалась и меня уволили. Нетушки, фигушки вам, не на того нарвались, мадемуазель Юлия. И Павла надо обязательно предупредить, чтобы он глупостей не наделал. Может, ему эта новая работа и не дорога, а мне нервную систему Даны жалко.

Я методично складываю в желудок деликатесные закуски и тихим шепотом ввожу новенького в курс дела, рассказываю, как здесь организовано домашнее обучение Даны. Павел слушает внимательно, с неподдельным интересом, даже вопросы задает, и мне начинает казаться, что в его лице я найду и понимание, и поддержку, и дружбу, что совсем не лишнее, когда весь рабочий день проводишь среди странных людей, которых не понимаешь.

— Значит, ты занимаешься с Даной с девяти до двух, — уточняет Павел, — а потом? Обедаешь и уходишь домой?

— Ну да, разбежался, — фыркаю я. — Ухожу в свою комнату и жду, когда придет время проверять домашнее задание. Мне тут конурку выделили. Тебе тоже выделят.

— А что, на следующий день нельзя проверить? — удивляется он. — В школе же сначала учителя домашнее задание спрашивают, потом новый материал дают. У вас что, не так?

— У нас не так. Если половину урока тратить на проверку домашнего задания, то времени на новый материал остается недостаточно. Сейчас объем знаний требуется гораздо больший, чем раньше, чтобы можно было успешно учиться в институте и осваивать профессию. Папа и мама Руденко хотят, чтобы Дана получила очень хорошую подготовку, понимаешь? Не какую-нибудь, а действительно очень хорошую. У нее отличные мозги, она усидчивая, с прекрасной памятью, так что гуманитарные науки осваивает самостоятельно, а вот все остальное — на мне. Физика, химия, математика, биология, и все в расширенном объеме, практически в институтском, плюс компьютерная грамотность, программирование и все такое. Ты пойми, у нас очень не любят, когда дети учатся дома и сдают предметы экстерном, поэтому к ним придираются со страшной силой. Одно дело, когда ребенок инвалид, прикован к коляске или к постели — тогда, конечно, все благородно идут навстречу и закрывают глаза на явные пробелы в знаниях, а когда, как им кажется, ребенок не посещает школу из блажи, только держись. Я же не могу допустить, чтобы моя ученица не сдала годовой зачет, поэтому даю ей намного больше, чем требуется по программе. Вот мы и занимаемся в два приема: утром новый материал, вечером повтор и гуманитарные предметы. Дана читает, я сижу рядом и контролирую, отвечаю на вопросы, если что-то непонятно, потом проверяю, как она запомнила и усвоила. Так что мы с тобой будем работать в две смены: с семи до девяти утра — твоя смена, потом с девяти до двух — моя, потом обед, с трех до семи опять моя очередь, а уж с семи до девяти вечера твоя. Усек?

— Усек, — кивает Павел. — А в котором часу Дана ложится спать?

— Вот уж не знаю, — я пожимаю плечами. — Иногда после наших занятий она смотрит телевизор и читает, иногда ходит к дяде с тетей, они в соседнем доме живут. Она выходит из дома, только чтобы к ним сходить, да и то ждет, когда стемнеет, потому что стесняется, боится, что на улице какая-нибудь сволочь дразнить начнет. Вообще-то я не знаю, как теперь будет. Пока тебя не было, Дана после обеда отдыхала, читала, телик смотрела до пяти, а с пяти до девяти я с ней занимался. Теперь все сдвинулось, так что трудно сказать...

— Слушай, а как получилось, что девчонку так разнесло? — интересуется спортсмен. — Тебе не рассказывали? Это же явно не за один месяц случилось, куда ж они все смотрели?

Я делюсь тем, что знаю. Насчет старой школы, новой гимназии и все такое. Павел слушает, кивает, постукивает пальцами по столу. Краем глаза я замечаю, что старуха слышит этот стук и неодобрительно поглядывает в нашу сторону. Она — поборница хороших манер, правда, насколько я успел понять, представление о хороших манерах у нее основано на представлении о правильном поведении школьников в присутствии учителей. Сидеть ровно, спина прямая, руки сложены на парте перед собой, не вертеться, не шептаться, не отвлекаться от процесса, будь то усвоение знаний или поедание обеда, быть вежливым, вставать, когда к тебе обращаются старшие, и так далее.

— Дана — хорошая девочка, добрая, умненькая, — заканчиваю я повествование и прошу: —

Ты уж постарайся сделать так, чтобы ей полегче жилось.

— Я постараюсь.

— Опыт-то у тебя есть?

— Нет, — признается Павел, и я мысленно аплодирую его честности. — Насчет спортивной подготовки я бы справился, это без вопросов, а что с таким весом делать — ума не приложу. Она же никаких нагрузок не выдержит, сердце просто не потянет, а без нагрузок вес не уйдет. Кстати, Артем, а кто тут главный по кухне?

— Лариса Анатольевна. Ну и Нина, конечно, домработница. То есть Нина покупает продукты и готовит, а что именно покупать и готовить и как именно готовить — решает Лариса. Ты на всякий случай имей в виду, что здесь подают все сытненькое и жирненькое, так что если у тебя проблемы с печенью или с желудком...

— Да нет, у меня все в порядке.

— Я только предупредил.

— Спасибо. Как ты думаешь, удобно поговорить с Ларисой Анатольевной насчет того, чтобы для Даны готовили отдельно? Проблему надо решать комплексно. С такой едой, как сейчас на столе, она никогда не похудеет, хоть я в лепешку расшибусь.

— Я думаю — удобно. Она же мать, в конце концов, и они с мужем пригласили тебя как раз для того, чтобы ты решал проблему. Ты же не для себя просишь, а для дела.

Я вижу, что Павел собирается задать очередной вопрос, но это ему не удается, потому что слышится властный голос старухи Анны Алексеевны:

— Минуточку внимания! У меня для вас сообщение...

Отражение 4

МИХАИЛ

К началу обеда я не успеваю, но меня это не особо трогает. Ненавижу эти семейные застолья, эти общие сборища. И дом свой ненавижу в том виде, в каком он существует. Мне всегда хотелось жить своей семьей, с Ларкой и детьми, и чтобы больше никого, а получилось так, что и Валентина с дочерью оказались у меня, и мать, и Лена с сыном. Не дом, а проходной двор, ей-крест. И у каждого свое мнение, свои желания, и все чего-то хотят, и всем что-то нужно. Надоели! Не понимаю, как я дал себя втянуть во все это... Спасибо, хоть Володька живет отдельно, но мать спит и видит, чтобы и он к нам переехал. Ее можно понять, она на пенсии, сидит дома, ей скучно, и чем больше народу в квартире, тем ей веселее, всегда кто-нибудь да есть, с кем можно словом перекинуться, и потом, когда все друг у друга на глазах — всегда есть что пообсуждать и кому косточки перемыть. Но мне-то на кой хрен вся эта бодяга?

Сегодня должен прийти новый тренер для Даны, я велел ему прибыть к двум часам, интересно, он вовремя пришел или опоздал? Если опоздал в первый же раз — сделаю внушение, после второго раза выгоню и буду искать другого. Неподчинения, разболтанности и недисциплинированности не потерплю. Ларке этот парень должен понравиться, я знаю, какие мужики ей по вкусу, и он как раз такой, но все равно выгоню, если что не по мне окажется, на Ларку не посмотрю. Плевать мне, что ей там нравится или не нравится. Блин, сегодня же суббота, откуда на Садовом такая пробка? Впрочем, это и к лучшему, пусть они закончат обедать и разойдутся, я потом один поем, так даже спокойнее. Пока в пробке стоим, перезвоню еще раз Давиду, он занимается поставкой оборудования для фитнес-клубов, я его еще вчера предупредил, что сегодня буду делать большую закупку, но надо на всякий случай проконтролировать, на месте ли он. Нечего в долгий ящик откладывать, Павел уже должен был все посмотреть, прикинуть и составить список, что надо купить для занятий с Даной, так что можно будет сразу же посылать к Давиду человека с машиной. Вечером все установят, и завтра Дана уже сможет заниматься. А чего тянуть? Раз решение принято — надо сразу и выполнять. Да, и мебельщику надо перезвонить, нужно же комнату для тренера обставлять. Если этот тренер Данке не понравится... Да и черт с ним, я решил, что ей надо заниматься, — значит, будет заниматься, не хватало мне еще зависать над тем, что нравится или не нравится моей дочери. Так я далеко не уеду. Хотя, положа руку на сердце, должен признаться, что мне спокойнее, когда Дана постоянно дома. Сейчас жизнь такая... Одним словом, опасная для подростков, того и гляди, втянется в плохую компанию, потом бед не оберешься. Но Володька, ни дна ему ни покрышки, всю голову продолбал мне и Ларке насчет того, что мы лишаем ребенка возможности нормальной социальной адаптации... короче, какую-то такую муть гнал, он же, блин, социальный психолог, словами ловко жонглирует, а мать, дура старая, уши развесит и всему верит. Нет, Володька, конечно, правильные вещи говорит, если объективно, и ужас весь в том, что возразить ему нечего, нет аргументов, до такой степени он правильный. А я неправильный, и не надо мне этой его правильности, но ведь как заявить вслух, что я несогласен? Получается, я дочери своей счастья не желаю. В общем, нет у меня против Володьки оружия, а мать всегда ему подпевает. Хоть она и дура, но я ее люблю и расстраивать не хочу, поэтому потакаю ее прихотям. Ничего бы этого не было, если б мы жили отдельно, пусть бы каждый в своей норке отсиживался и свою пайку сена жевал, так нет же, «семья должна быть вместе, плечо к плечу, надо быть родственным, надо помогать друг другу». Да кто ж спорит? Конечно, надо. Но и для себя жить надо. И своей собственной семьей жить надо, а не огромным кагалом. Но не хотеть жить с близкими родственниками — стыдно, и приличных аргументов, почему ты не хочешь жить вместе с родной сестрой или престарелой матерью, найти невозможно. Как было хорошо, когда мы все жили по отдельности! Я с Ларкой и детьми — сам по себе, мать — в хорошей квартире, у нее там после смерти отца даже роман какой-то сделался с дедком из ее же подъезда. Валя жила с мужем и дочкой. Володька — со своей молью Музой. И всем было отлично! Я собрался было дом строить за городом, уже участок присмотрел, переговоры о покупке начал, так тут Володька вылез со своей инициативой, чтобы мать жила с нами. Она, дескать, стареет, ей трудно одной и все такое. И потом, она так любит внуков, хочет почаще их видеть, а чем старше становится, тем труднее ей через весь город к нам приезжать. Что возразишь? Ничего. И вопросов нет, я готов был с удовольствием взять ее в загородный дом, так Володьке и сказал, погоди, мол, годик, я построюсь и мать к себе заберу. Он аж взвился! Как, говорит, построишься?! Куда ты мать забирать собрался? За город? В тьмутаракань? Что она там делать будет? Дом твой сторожить? У нее в Москве подруги, у нее дедок этот из подъезда, у нее два кладбища, на одном отец похоронен, на другом Ванечка, она туда регулярно ездит. Она в театр любит ходить, на концерты, и как ты себе представляешь: пожилая женщина целый день одна за городом, ни соседей, ни друзей, никого. А в отпуск если уехать? Как ее одну-то оставлять в глуши? Я и не нашел, что ответить. А он уже давай скорей мать накручивать, что нельзя ей за город вместе со мной переезжать, она там вообще концы отдаст. Ну, мать и подпевает, мол, сынок, ты моей смерти хочешь, я всю жизнь в Москве прожила, а ты собираешься меня от этой привычной жизни оторвать и в доме запереть. В общем, пришлось покупать целый этаж, делать ремонт и жить в городе. Ларка прямо бешеная ходила целый год, уж так ей хотелось, как настоящей жене крупного бизнесмена, иметь собственный дом за городом. До сих пор простить не может, что мы ради матери в Москве остались.

Потом с Леной... Тоже Володька выступать начал, а возразить нечего. Потом Валентина от мужа ушла, делить ничего с ним не стала, не бросишь же родную сестру с племянницей на улице. Вот и набралось народу на целый колхоз. И вроде все правильно, по-семейному, по-родственному, а душа не лежит. Не хочу. Ненавижу.

Какой козел придумал это правило, что люди должны любить своих родственников и стремиться быть с ними рядом? Вот этого козла ненавижу в первую очередь. Люди должны любить самих себя и тех, кого любят, а не тех, кого должны. И еще того козла ненавижу, который придумал, что любить — означает стремиться постоянно быть рядом и общаться. Или это был один и тот же козлина? Да, я люблю свою мать и сестру Валентину тоже люблю, но я не хочу с ними жить!!! Не хочу!!! И общаться с ними не хочу!!! Надоели все. Ненавижу.

Хочу покоя. Тишины хочу. Чтобы Ларка, Тарас и Дана дома сидели и не шлялись где ни попадя и чтобы голова у меня за них не болела. Чтобы я приходил вечером в тихую квартиру, где, кроме них, никого нет, чтобы мне молча улыбались, давая понять, что все в порядке, подавали еду и оставляли одного. Чтобы никто со мной не разговаривал, ничего не спрашивал и не морочил мне голову своими рассказами. Мне и на работе разговоров и рассказов хватает, дома я хочу помолчать и расслабиться, а не выполнять бесконечный и бессмысленный родственно-семейный долг. Хочу, чтобы Тарас вернулся из этой своей Англии, страшно мне за него, пусть дома учится. Как я не хотел его отпускать! Но Ларка всю печень выклевала: у приличных людей дети обязательно учатся в Англии, что о нас подумают, если наш сын... и так далее. Да черт бы с ней, с Ларкой, пусть свое мнение в собственную пышную задницу засунет, она мне не указ, но тут Володька подключился, правда, не сам, я думаю, его Тарас попросил со мной поговорить, очень уж ему хотелось учиться за границей. А против Володькиных аргументов мне слов не найти. Языковая среда, носители языка, приучение к самоконтролю и все такое. Задолбали все. Надоели. Проще сделать, чем объяснять, почему не хочется. Вот и получается, что в моем же доме все живут так, как хотят, один я живу не так, как мне хочется. И как так получается? Почему? Никак мне не удается понять этот механизм, который уродует мою жизнь.

Вот и приехал. Без пяти четыре. Ровно как обещал. Хоть бы они все уже разошлись из столовой, мы бы с Павлом вдвоем посидели и все обговорили.

Нет, не тут-то было. Слышу голоса и понимаю, что они все еще сидят за столом. Век бы их всех не видеть...

— Вот и Михаил Олегович, — торжественно произносит мать, и меня привычно передергивает. Откуда появилась у людей такая манера — называть супругов и детей по имени-отчеству, тем самым подчеркивая их значимость и весомость в глазах посторонних? Ясно же, что отец для мамы всегда был просто Олегом или даже Олеженькой, так нет, теперь она его иначе как Олегом Семеновичем не именует. И меня в присутствии посторонних зовет Михаилом Олеговичем, вероятно, чтобы у этих самых посторонних даже мысль в голове не зародилась, что я — простой смертный и для кого-то, хотя бы для собственной матери, могу быть просто Минькой. Бережет мое реноме. Да на хрен оно мне сдалось, реноме это, в рамках собственной квартиры да среди собственной родни?! Моя репутация — это мое дело и мои деньги, а как меня дома называют — никакого значения не имеет.

Я молча сажусь на свое место, рядом с Ларкой. Все в сборе, и новый тренер тоже здесь. Это хорошо, значит, не забыли его позвать к столу, не забыли, что я велел накормить его обедом. Попробовали бы только забыть или не выполнить мое указание...

— Нина! — истошно кричит Ларка, и я с трудом сдерживаюсь, чтобы не скрипнуть зубами: до чего ж у нее голос громкий! Зачем так орать, спрашивается? Подняла бы свою задницу, сделала пару шагов до двери, ведущей в кухню, да и сказала бы Нине, чтобы подавала, не переломилась бы. Откуда у нее эти замашки барыни? Ведь была девчонкой из простой семьи, нормальная была, сама все дома делала, когда молодыми были, и стирала, и убирала, и готовила. Ёкарный бабай, как Ларка моя готовила! Пальчики оближешь и проглотишь вместе с языком. Кажется, я за одно это в нее влюбился когда-то и женился. И куда все девалось?

Оглядываю стол. Все уже давно поели, вазочки с печеньем и конфетами наполовину пустые, чай и кофе тоже допит. И чего они, спрашивается, тут высиживают? Сейчас Нина принесет обед, я начну есть, а они будут мне в рот смотреть, что ли? Приятная перспектива. Издержки совместного родственного проживания. Ненавижу.

Надо как-то дать им понять, чтобы расходились и не мешали мне.

— Мама, почему ты не идешь отдыхать? — дипломатично спрашиваю я. Мать всегда после обеда ложится вздремнуть на час-полтора.

— Я ждала твоего прихода, чтобы сделать одно сообщение. Раз уж ты спросил, тогда я сразу скажу: мы должны почаще бывать на кладбище. Все, конечно, заняты, но по субботам и воскресеньям у всех есть время, и мы будем каждую субботу ездить к Ванечке, а по воскресеньям — к Олегу Семеновичу. Убирать могилу, менять цветы, мыть памятник. Ванечке и Олегу Семеновичу будет приятно, что мы помним о них и заботимся.

У меня дар речи пропал. Похоже, не у меня одного, потому что рожи у всех вытянулись. Спокойными оставались только Лена, Костик, Артем и Павел. Ну, Костик — понятное дело, ему по малолетству вообще непонятно, о чем речь, Лена понимает, но к ней это не относится, Ванечка и мой отец ей не родня, она их и не знала никогда, Артем тоже посторонний, как и Павел, а все остальные в шоке. Включая меня.

Что это мать удумала? С какой стати? Ваня умер двадцать пять лет назад, со смерти отца тоже изрядно времени прошло, почти десять лет. Ну ладно, я понимаю, когда на кладбище в первые девять дней ездят ежедневно, до сорокового дня — раз в неделю, в течение первого года раз в месяц, но потом-то что? Пять дней в неделю работать, выходные посвящать обслуживанию памяти умерших, и так до самой своей смерти? Зачем? Чего ради?

Но как возразить? Как можно сказать матери, что ты не хочешь ездить на кладбище к отцу и брату? Как язык повернется? Неужели сама додумалась? Или снова Володька постарался? Да нет, не может быть, чтобы это было его идеей, ведь ему тоже тогда придется ездить. Значит, сама придумала. Хотя он по выходным дням работает...

— Мама, — осторожно произношу я, — здесь все люди взрослые, работающие, занятые, и на выходные все планируют дела, которые не успевают сделать за рабочую неделю.

— Во-первых, твоя жена не работает, — мать мечет в Ларку испепеляющий взгляд, — но к ней это относится в меньшей степени, потому что ни Ванечка, ни Олег Семенович ей не родные. Ты, конечно, очень занят своим важным бизнесом, и я не настаиваю, чтобы ты должным образом чтил память об отце и брате, но имей в виду: я приняла решение и буду отныне ездить на кладбище каждую субботу и воскресенье. И будь любезен обеспечивать меня машиной и водителем. Мне не хотелось бы услышать в один прекрасный день, что машина сломана или водитель заболел. Я буду ездить с завтрашнего дня. А вы — как хотите.

Она поднимается из-за стола и гордо удаляется. А мы все остаемся, мягко говоря, в положении «раком». Ах, моя хитрая, поднаторевшая в аппаратных играх матушка! Специально приберегла свое сообщение для такого момента, когда рядом будут посторонние и я не смогу открыто высказываться, чтобы не завязывать семейную склоку. Разумеется, все промолчали, все ведь у нас хорошо воспитаны, никто не вякнул, не возмутился, даже не удивился открыто. Подавились, но проглотили. И что теперь со всем этим делать? Мать начинает демонстративно собираться на кладбище, а я? Ладно, допустим, у меня полно дел и я с утра уехал в офис. Но если я дома, если я просто хочу отдохнуть, поваляться на диване с газетой в руках или посмотреть по телевизору футбол или боевик какой-нибудь? Я могу сходить с мужиками в баню или съездить на рыбалку? Я, в конце концов, имею право побыть в выходной день дома со своей семьей, с женой и дочерью? Или не имею? Володьке проще, он с нами не живет и этих демонстративных сборов видеть не будет, а мне-то что делать? Каждый выходной смываться с утра пораньше из дому, как нашкодивший пацан, делая вид, что у меня много работы, срочные контракты и важные переговоры? Может, мне уже вообще переехать в офис и жить там постоянно, а домой приходить в гости раз в неделю на пару часов?

Или я — дурак, а мать права? Может, я чего-то в этой жизни не понимаю и могилы родственников действительно надо посещать каждую неделю на протяжении десятилетий? Может, я — моральный урод? Не может же быть, чтобы общепринятое этическое правило, с которым все согласны и которое всех устраивает, вынуждало человека калечить собственную жизнь. Получается, если соблюдение правила уродует чью-то жизнь, то либо правило неправильное, либо жизнь организована неверно. Опровергнуть правило я не могу. У меня нет аргументов. На кладбище надо бывать? Надо. Чтить память усопших надо? Надо. Мать уважать надо? Тоже надо. Перечить матери можно? Нельзя, что очевидно. Вот четыре правила — одно другого правильнее, а во что они превращают мою жизнь? В кусок дерьма.

Неужели все дело в том, что моя жизнь организована как-то не так?

Глава 2

ПАВЕЛ

Со следователем мне повезло. В том смысле, что она, конечно, тетка цепкая и занудная, как и положено следователю, но после двух дней изматывающих допросов поняла все-таки, что я к убийству не причастен и могу выступать только как свидетель, зато свидетель полноценный, наблюдавший жизнь семьи Руденко на протяжении двух лет практически ежедневно (выходные мне не полагались, и свободные дни выпадали только тогда, когда хозяин милостиво решал, что можно на один день сделать перерыв).

Поняв, что артиллерийским наскоком, то есть по горячим следам, преступление не раскрыть, она резко притормозила и принялась не спеша, с чувством и со вкусом разбираться в хитросплетениях внутрисемейной ситуации. Очень способствовало делу и то обстоятельство, что никто из Руденко не обивал пороги с требованиями как можно быстрее найти преступника и с обвинениями милиции и прокуратуры в бездействии. Ну, оно и понятно, если бы убийцей был человек посторонний — тогда другое дело, а так-то все понимали, что отравитель — кто-то из них. И что с этим делать? Как себя вести? Требовать скорейшего выявления и наказания убийцы, который наверняка (других вариантов нет) окажется твоим родным, близким и любимым? Или уговаривать следователя не надрываться и спустить все на тормозах, тем самым навлекая на себя особо серьезные подозрения? Могу себе представить, как мучится каждый из них. Нет, не так: почти каждый. Потому что кто-то один — убийца — совсем даже не мучится нравственным выбором. Он мучится страхом разоблачения. Но все равно ведь мучится...

Следователь Галина Сергеевна Парфенюк по возрасту годилась мне в матери. Я предполагал, что на самом деле она, конечно, несколько моложе, но выглядела на все пятьдесят пять, и когда усвоила, что я никак не могу быть подозреваемым, то и вести себя со мной начала как мамка: поила чаем с домашними бутербродами и пирожками собственного сочинения, заботливо спрашивала, почему у меня усталые глаза, и, открывая форточку, беспокоилась, как бы меня не продуло. А форточку, а то и окно целиком она открывала беспрестанно, объяснив мне, что у нее дыхательная недостаточность и ей все время не хватает воздуха.

— Итак, Пашенька, мы остановились на том, что в первый момент семья Руденко показалась тебе большой и дружной. Сколько времени длился этот первый момент? День, два?

— Примерно неделю.

— А потом что произошло? Ты начал сомневаться в том, что она такая уж дружная?

— Понимаете, Галина Сергеевна, все не так гладко, как вы говорите. Например, я в первый же день понял, что Юля не любит Дану, но мне это показалось... ну, как бы нормальным. Одна — красивая и бедная, другая — некрасивая и богатая, прямо как в романе. Нелюбовь одной девочки к другой выглядит совершенно естественно, особенно если учесть молодость и глупость. Ревность, зависть и так далее. И для меня эта нелюбовь не была свидетельством того, что в семье не все в порядке. А вот спустя примерно неделю или, может, дней десять...

* * *

Мой первый рабочий день пришелся на воскресенье. Можете себе представить мой восторг: в воскресенье к семи утра переться на работу. Да я сроду по выходным дням так рано из дому не выходил! Хотя если не кривить душой, то за последние месяцы у меня все дни были выходными.

Я отвык так рано вставать. Зато получил удовольствие от езды по пустым дорогам. Нормальные люди еще спят, а я, как дурак... Да ладно, за такие-то деньги!

Дверь мне открыл сам хозяин, Михаил Олегович, и, судя по его виду, встал он уже давно. Не спится, няня? Или он по жизни «жаворонок»?

— Молодец, — хмуро поприветствовал он меня, — без опозданий явился. Завтракал?

Я решил не ломаться и сказал правду:

— Нет, не успел. Отвык так рано вставать, а опаздывать не хотелось.

— Это правильно, — он одобрительно кивнул. — Дана уже встала, у нее только что будильник прозвенел, я слышал, а мы с тобой кофе выпьем, пока она умывается. Это только на первый раз, я велю ей, чтобы будильник на без четверти семь ставила и к твоему приходу была готова.

Я проследовал за ним в уже знакомую столовую, где по всем правилам дорогих отелей был сервирован вполне европейский завтрак и даже стояли три прозрачных кувшина со свежевыжатыми соками, судя по цвету, апельсиновым, морковным и свекольным. Но соки эти были единственным диетическим продуктом на столе, все прочее оказалось, как и предупреждал меня накануне Артем, жирненьким и сытненьким. Хорошо, что у меня нет проблем с весом, я позволил себе намазать мягкий пышный белый хлебушек высококалорийным паштетом, который мне еще вчера так понравился.

— Все, что ты наметил, я купил, — начал Михаил Олегович, — установили по твоему плану. Комнату твою оборудовали, сейчас пойдешь переодеваться — посмотришь. Если что еще надо — скажи мне, не стесняйся. Вот тебе талмуд, — он со смачным стуком, от которого я вздрогнул, положил на стол передо мной толстую книгу в дорогом кожаном переплете, вроде ежедневника, — будешь составлять план на каждый день и записывать результаты. Что сделано, что не сделано и почему. Буду проверять.

Ё-моё, а я-то был уверен, что насчет учета и контроля он просто так брякнул. Ну да ладно. Я покорно взял «талмуд» и сунул в объемистую сумку, в которой принес спортивную форму и кое-какие вещи, диски и кассеты.

— Теперь насчет готовки для Даны, — продолжал Руденко. — То, что ты мне вчера говорил, я передал Нине, нашей домработнице. Как отзанимаешься с Даной — Нина к тебе подойдет, и ты ей все подробно расскажешь. По воскресеньям занятий с Артемом нет, так что сейчас вы позанимаетесь до девяти часов, а вечерние занятия можно провести пораньше. Считай, что по воскресеньям у тебя рабочий день заканчивается раньше.

— Значит, у Артема по воскресеньям выходной? — наивно уточнил я.

— Да. А у тебя — нет, — отрезал хозяин. — По воскресеньям Дана занимается самоподготовкой по гуманитарным предметам, так что у нее тоже выходных нет. Если тебе так спокойней.

Да уж, конечно. Покой нам только снится. Чувствую, нахлебаюсь я в этом доме...

Из коридора послышались легкие быстрые шаги, и в столовую впорхнула Юля в чем-то кружевном и полупрозрачном.

— Ой! — Она ловко сделала вид, что не ожидала увидеть постороннего мужчину, то есть меня. — Извините, что я в таком виде, я думала, что никого нет... Дядя Миша, я сок выпить...

Руденко молча кивнул и всем своим, надо признать, весьма выразительным лицом дал понять, чтобы племянница быстренько пила свой сок и выматывалась. Я с деловым видом накладывал на очередной кусок хлеба ломтики нежно-розовой ветчины и на девушку не смотрел. Причем никаких усилий для того, чтобы не смотреть, не прикладывал. Спасибо Артему, предупредил заранее, а то я вполне мог бы и повестись, развесив глаза на юные прелести.

Как вы думаете, сколько времени нужно, чтобы выпить стакан сока объемом в двести пятьдесят миллилитров? Лично я делаю это залпом, особенно по утрам, после сна. Я успел сжевать бутерброд и допить кофе, сверху бросил в желудок кусочек мягкого сыра, а Юля все стояла и цедила из стакана апельсиновый сок. Хозяин взглянул на часы и поднялся.

— Хватит рассиживаться, надо делать дело. Пошли.

Юля стояла так, что пройти мимо нее, не коснувшись, было просто невозможно. Но я все-таки спортсмен, хоть и хромой в данный момент. Мне удалось выскользнуть.

— Как рано у вас встают по воскресеньям, — невинно заметил я, двигаясь вслед за Михаилом Олеговичем по длинному коридору.

— Только я, — ответил он, не оборачиваясь. — Теперь вот и Дана будет рано вставать. Остальные дрыхнут.

— А как же ваша племянница?

— Не знаю, что на нее нашло. Обычно тоже спит до полудня. Думаю, это она перед тобой голой задницей решила повертеть.

Он внезапно остановился, обернулся и в упор посмотрел на меня.

— Не вздумай, — тихо и очень четко произнес он.

— Ни за что, — так же четко пообещал я.

И был вполне искренен. Что я, враг самому себе? А ты, дядя Миша, не так прост, как кажется. Все знаешь, все понимаешь, все сечешь. Надо с тобой быть поаккуратней. Интересно, из каких соображений ты мне запрещаешь отвечать на заигрывания твоей племянницы и крутить с ней роман? Считаешь, что ей еще рано думать «о мальчиках»? Как же ты Артема-то проглядел? Или не проглядел? Про Артема знаешь и не хочешь, чтобы в твоем доме разыгрывались африканские страсти ревности и соперничества? А может, ты все-таки не настолько толстокожий и понимаешь, как на это отреагирует твоя дочь?

Моя комната меня порадовала. Помимо того, что я указал в списке, я увидел много другого, приятного и полезного. Например, шторы, о которых я, как и большинство мужиков, конечно же, не подумал, два кресла, небольшой рабочий столик с компьютером. Отдельно на стуле лежали одеяло, подушка, два комплекта новенького, в упаковках, постельного белья и несколько махровых полотенец, тоже новых, с еще не срезанными этикетками. То есть складывается такое впечатление, что ко мне тут отнеслись с полным уважением. Приятно.

— Вы мне даже компьютер поставили, — я не смог скрыть изумления.

— Ты же мужик, — Руденко пожал плечами. — Небось увлекаешься стрелялками всякими.

Вот тут он попал в точку. Играть в «Первую мировую» я мог ночи напролет и имел очень неплохой рейтинг: был двадцать шестым среди трех тысяч участников. До аварии играл регулярно, вызывая раздраженное недоумение у своей дамы сердца, а после аварии в той квартире компьютера уже не оказалось, он переехал вместе с хозяйкой в загородный коттедж к счастливому жениху, так что после выхода из больницы я оказался напрочь лишен любимого развлечения.

— Ну как? Еще что-нибудь нужно? — спросил он.

— Спасибо большое. Кажется, все есть. Даже больше, чем я просил.

— Ладно, пошли, покажу тебе гостевую ванную, можешь пользоваться. Потом переоденешься и пойдешь в «тренажерку», Дана тебя уже ждет.

Интересно, откуда он знает? Он же не проверял, где сейчас его дочь.

Ровно через три минуты я, одетый в спортивный костюм, открыл дверь вчера еще совершенно пустой «тренажерки». Сегодня в ней было все необходимое строго по списку, даже доска и листы ватмана. Дана оплывшей кучей сидела на стуле, опустив голову. Накануне я видел ее одетой в просторный балахон, сегодня же на ней были лосины и майка, и я смог объективно оценить поле предстоящей деятельности. Поле это показалось мне поистине необъятным.

— Доброе утро, — поздоровался я с улыбкой.

Она молча кивнула. То есть за ночь разговорчивей моя подопечная явно не стала.

— Ты готова?

Снова молчаливый кивок. Я постарался вспомнить все, чему меня учили отец и все мои тренеры. Я-то сам не великий педагог, в психологии не силен, так что придется опираться на чужой опыт. Мой первый тренер, бывший сиделец-каратист, часто повторял: «Никогда не заставляй человека делать то, чего он боится. Сначала постарайся сделать так, чтобы он перестал бояться. Нельзя ломать спортсмена «через страх», нужно обучать его «без страха».

Я взял ватман и стал присобачивать его к доске. Дана молча смотрела, потом встала и принялась помогать. Укрепив лист, я достал длинную линейку и пластиковый футляр с фломастерами.

— Держи линейку вот так, — я показал, как именно, — а я буду чертить оси.

Мне показалось, что Дана немного расслабилась. Ну, понятно, девочка со страхом ждала, что я с первой же секунды заставлю ее выполнять какие-нибудь упражнения, с которыми она, само собой, не справится, и далее последуют комментарии на тему ее ловкости и выносливости. Не тут-то было, Богдана Михайловна, меня голыми руками не возьмешь. До упражнений нам с тобой еще пахать и пахать. Сегодня мы будем делать только то, что ты давно умеешь или не умеешь, но без затруднений справишься.

За первым листом последовал второй, на котором мы так же, совместными усилиями, начертили несколько осей координат. И вот что странно: она добросовестно помогала мне, но не задала ни одного вопроса. А еще мне будут рассказывать про так называемое девичье любопытство! Неужели ей совсем не интересно, зачем все это? Или привычка молчать сильнее желания спросить? Ладно, я не гордый, сам объясню.

— Смотри, Дана, вот на этом листе мы будем отмечать давление и частоту пульса до нагрузки и после нее. А вот на этом — сами нагрузки. Для того чтобы получить результат, к которому ты стремишься, — я умышленно не произносил никаких слов ни про вес, ни про похудение, — нужны существенные нагрузки, но твое сердце их сразу не выдержит, и его надо готовить к этим нагрузкам, тренировать. То есть в первую очередь мы будем заниматься твоим сердцем и дыханием. Понятна идея?

Она кивнула.

— Твой пульс при нагрузках не должен превышать ста двадцати ударов в минуту, — продолжал я теоретическую часть. Вообще-то по-хорошему можно было бы и до ста сорока доводить, но, учитывая вес Даны, я боялся рисковать. — Поэтому в первое время мы будем давать только такие нагрузки, при которых твой пульс не будет зашкаливать за указанную отметку. И вот на этом листе станем отмечать, сколько и чего ты успеваешь сделать, пока пульс не больше ста двадцати.

Первое наше занятие превратилось в лекцию, и Дана заметно успокоилась. Слушать преподавателя и запоминать — занятие для нее привычное, она всегда была хорошей ученицей. Сперва я с умным видом вещал про аэробные и анаэробные нагрузки, потом, пересказывая полученную от моей подруги Светланы информацию, плавно перешел к проблеме обмена веществ в организме и правильному питанию.

— С сегодняшнего дня ты заведешь тетрадку, в которую будешь записывать все, что съела и выпила в течение дня. По часам и минутам. До крошки и до капли. Даже если ты просто выпила стакан воды или сока, записывай: сколько, чего и в какое точно время.

У нее в глазах бился немой вопрос, и я никак не мог понять, о чем ей так хочется спросить. Вроде бы я все объяснил. Неужели остались какие-то неясности?

— Вопросы есть? — дежурно спросил я, закончив лекцию.

Дана разомкнула плотно сжатые губы.

— А вес?

— Что — вес?

— На каком графике мы будем отмечать вес?

Так вот что тебя беспокоит, деточка! Ну, об этом я вчера весь вечер думал, так что ты меня врасплох не застанешь. Не на того нарвались, дорогие мои. Насчет девушки Юли я уже все понял.

— Вес мы на графиках отмечать не будем вообще, — спокойно заявил я. — Твой вес — это наше с тобой интимное дело, и никто в него посвящаться не должен. Параметры веса и объемов я буду ежедневно заносить в свой блокнот, если хочешь — можешь записывать их в свою тетрадку, и знать цифры будем только мы с тобой и твои родители, если им это интересно. Никто посторонний, зайдя в эту комнату и увидев наши графики, ничего знать не будет. Он даже в пульсе и давлении не разберется, потому что мы оси подписывать не станем, мы с тобой просто запомним, где у нас что, а всем остальным это знать не обязательно. Медицинская тайна врача и пациента. Ты как хочешь, а я с твоими родственниками ничего обсуждать не намерен. Если твои папа или мама спросят — им скажу, это обязательно, а больше никому ни слова. Согласна?

На ее лице отразилось такое облегчение, что я мысленно себя похвалил. Хоть я и не специалист в области психологии, но, видимо, и не совсем дурак.

— Уже без десяти девять, — сказала Дана. — А мы еще не начинали заниматься.

Ну вот, слава тебе·господи! Что и требовалось доказать. Длинная фраза, к тому же явно выраженное желание начать уже наконец что-то делать. Страх прошел, появилась готовность работать. Ура, товарищи!

— Заниматься будем после обеда, а сейчас давай-ка произведем первые замеры и все запишем. И не забудь про тетрадку, начинай сегодня же. Чем быстрее мы с тобой нащупаем корень проблемы, тем быстрее с ней справимся. Да, и еще одно: ваша домработница Нина будет готовить тебе отдельно, я ее проинструктирую. Не уверен, что тебе понравится, вряд ли эта еда окажется очень вкусной, но ты уж, пожалуйста, не нарушай, иначе толку не будет. Ты сейчас пойдешь завтракать?

— Да.

— Дана, я уже видел, чем у вас кормят на завтрак. Ты не возражаешь, если я посижу рядом с тобой в столовой и дам тебе несколько советов?

— Конечно.

— Ну, вставай на весы.

Она слегка побледнела. Тут до меня стало доходить: она вообще не знает, сколько весит, и безумно боится той цифры, которую сейчас увидит на дисплее.

— Ты когда взвешивалась в последний раз? — спросил я как можно равнодушней, словно это и не имело ни малейшего значения.

— Не помню, — ответила она, чуть помедлив.

Врет, подумал я, помнит. Прекрасно помнит, что это было, наверное, года два назад, а то и все три. Она начала полнеть и сама не заметила, а когда все стало катастрофично, уже не взвешивалась из страха увидеть ужасные цифры.

— А у вас дома весы есть? Или только вот эти, которые вчера купили?

— Только эти.

Ну точно, так и есть. Елки-палки, как бы она у меня тут в обморок не грохнулась, увидев свой точный вес. Не предлагать же ей выпить валокординчику перед тем, как встать на весы. Ладно, как меня учил когда-то отец: лучшее лекарство —

правильная реакция окружающих. То есть моя. Ну, Фролов, вперед и с песнями.

— Какой у тебя рост?

— Метр пятьдесят пять.

Дана стояла как вкопанная. Не тащить же мне ее за руку к весам! Я поднял измерительный прибор и поднес к самым ее ногам, нажал кнопку, ввел возраст и рост.

— Вставай, только носочки сними, на эти весы надо вставать босиком.

Она послушно сняла носки, встала на платформу и закрыла глаза. Лицо у нее было, наверное, такое, какое бывает перед расстрелом. Девяносто пять килограммов четыреста граммов. Круто для пятнадцати-то лет и для такого невеликого росточка.

— Ну что ж, все очень прилично, — весело произнес я. — Сейчас запишем.

Я быстро занес в «талмуд» вес, проценты жира и воды и прочие показатели, которые, если честно, вызывали у меня священный ужас, но показывать свои эмоции было нельзя. В конце концов, страшно только сегодня, а завтра, когда вес станет чуть-чуть меньше, ужас уступит место удовлетворению. Я уже говорил, что первые сдвиги обеспечить легче легкого, главное — правильно к ним относиться. Они должны дать человеку ощущение небезнадежности и тем самым выполнить позитивную роль стимула к дальнейшим усилиям.

Дана сошла с платформы, так и не открыв глаза. Смелая девочка, смотрит врагу прямо в лицо. Дисплей погас.

— Ты не будешь записывать? — спросил я, закрывая свой «талмуд».

— Нет.

— Тебе не интересно, сколько ты весишь?

— Нет.

Все ясно. Я был прав. Комплекс оказался куда глубже, чем я думал.

Завтракала Дана в пустой столовой, девять утра для семьи Руденко в воскресенье — слишком раннее время. Странно, что Юля не прискакала составить нам компанию. Из всего, что находилось на огромном овальном столе, скомпоновать правильный завтрак для девочки с лишним весом оказалось не так-то просто. Пришлось отодвинуть подальше корзинку с аппетитным мягким хлебом и блюдо с плюшками и пирожками и рекомендовать Дане ограничиться яйцом всмятку, ломтиком сыра и чаем без сахара.

— Так будет всегда? — спросила она очень серьезно, и по ее тону я не понял, она просто уточняла или выражала неудовольствие.

— Нет, завтраки будут каждый день разные, но в любом случае без белого хлеба, булочек и пирожков.

— А паштет?

— Нельзя, он очень жирный и калорийный.

— А если без хлеба?

— Все равно нельзя.

— А черный хлеб можно?

— Ради бога. Но только с овощами. Никаких бутербродов с колбасой или ветчиной. Положи на хлеб ломтик огурчика, сверху ломтик помидорчика, сверху зелень и ешь на здоровье сколько хочешь.

— А просто колбасу можно?

— Нежелательно. Лучше ветчину или буженину. И тоже с огурчиком или помидором и зеленью. Я же тебе объяснял про обмен, про расщепление жиров, про клеточные процессы. Забыла?

— Нет. А можно кофе вместо чая?

— Конечно, пожалуйста. Только без сахара. Если тебе горько, можешь добавить немного обезжиренного молока. Ты любишь кофе?

— У меня давление низкое, я без кофе все время спать хочу.

Низкое давление — это хорошо, это очень даже преотлично! В смысле нагрузок и пульса. Но спать ты, дорогая моя, хочешь оттого, что твое сердце не справляется с той тяжестью, которую вынуждены таскать твои бедные ноги, и быстро устает, а вовсе не потому, что у тебя низкое давление.

— Давай я за тобой поухаживаю, — великодушно предложил я и налил Дане кофе из красивого кофейника-термоса. — Скажи-ка мне, ты как предпочитаешь: есть вкусно, но очень мало или не очень вкусно, зато много?

После некоторого молчания она ответила:

— Мне все равно. Я не знаю.

Это как раз можно понять. Откуда она может знать, если никогда не пробовала есть мало или невкусную еду? Только вкусно и много.

— Ладно, попробуем оба варианта, и ты сама выберешь. Начнем с невкусного, зато в неограниченных количествах, а если тебе станет совсем невмоготу, перейдем к вкусному, но по чуть-чуть. Идет?

Она пожала плечами.

— Как скажете.

Кофе без сахара Дана пила с отвращением, которое даже не пыталась скрыть, но вслух не произнесла ни слова. Я попросил ее за обедом постараться соблюдать те правила питания, которые я пытался вдолбить ей утром.

— Даже если я буду обедать вместе с вами, я не стану в присутствии всех делать тебе замечания и руководить. Но я очень хочу надеяться, что ты этим не воспользуешься.

— Вы же сказали, что Нина будет готовить мне отдельно.

— Да, но с завтрашнего дня. Сегодня она уже не успеет приготовить для тебя обед и ужин. И не забывай пить воду, в течение дня тебе нужно выпить не меньше полутора литров, лучше даже два.

Дана молча кивнула и ушла к себе «заниматься самоподготовкой по гуманитарным предметам», а я остался ждать домработницу Нину, которой было велено выслушать мои указания и сделать все в соответствии с ними. В общем, на тот момент я полагал, что сделал все, чтобы понравиться Дане и, главным образом, ее родителям, потому как работа моя зависит, конечно, и от девочки тоже, но все-таки в основном от ее папани. Я был сумасшедше вежлив и старался выглядеть компетентным, хотя мало кто догадывается, каких усилий мне это стоило. Я рос хоть и в учительской семье, но жил жизнью нормального дворового парня, занимающегося исключительно мужским видом спорта, и был, как и все мои приятели, драчуном, мелким хулиганом и любителем матерных анекдотов. Конечно, мама с папой пытались привить мне правила хорошего тона и интеллигентную речь, но безуспешно, в том смысле, что я все это выучил и при необходимости мог придурнуться «приличным мальчиком», но образом жизни и поведения вся эта наука так и не стала.

Домработница Нина показалась мне точной копией Даны, только постарше и устройненной раз в десять: неразговорчивая, неулыбчивая, она молча слушала мои, с позволенья сказать, указания и записывала в толстую тетрадку, не задавая ни единого вопроса. В той среде, в которой я вращался до аварии, домработницы как-то не водились, и все мои представления об этой категории домашнего персонала основывались на про-

смотренных фильмах, где уютные пожилые те-
течки в непременных фартуках старались посыт-
нее накормить своих питомцев, ухаживали за ними, будто за собственными детьми, были в курсе
всех семейных, а то и служебных дел, давали по-
лезные советы и вечно ворчали на нерадивых
хозяев, если те, к примеру, плохо кушали или не
могли найти галстук от парадного костюма. Но
не такова, судя по всему, была наша Ниночка. То
ли она не страдала излишним любопытством и
любовью к семье, в которой работала, то ли господа Руденко так дело поставили, что никто и
пикнуть не смел. Я больше склонялся ко второму
объяснению, потому что полагал любопытство
таким же естественным женским свойством, как
стремление к красоте. Как не бывает женщин, которые не хотят быть красивыми, так и не бывает
женщин нелюбопытных.

Образовавшийся перерыв я провел в «своей»
комнате за компьютером, просмотрел почту и
написал наконец письма всем, кому задолжал.
После того как меня лишили компа, я периодически наведывался в интернет-кафе, но в целях
экономии времени отвечал только в самых неот-
ложных случаях, а ведь за время пребывания в
больнице сами понимаете сколько всего скопилось в моем почтовом ящике. Хорошо, что я заранее не знал о беспредельной доброте моих новых хозяев, иначе уже сегодня притащил бы сюда диски с моими игрушками и предался бы

любимому занятию, а так от скуки, глядишь, и с почтой разобрался. При наличии возможности пострелять у меня бы точно не хватило силы воли отвечать на письма.

Обед прошел спокойно и быстро, за столом нас было всего трое: Дана, Юля и я. Все взрослые члены семьи куда-то подевались. Может, они обедают позже?

— Лена повела Костика в цирк, — пояснила Юля, — а все остальные поехали на кладбище к дедушке и Ване.

Да-да-да, что-то такое вчера говорилось... А я и в голову не взял. К дедушке, значит. Ну, одна дедушкина внучка из дому не выходит, это понятно, а другая-то почему дома осталась? Не уважает, что ли?

— А ты почему не поехала? — спросил я.

— Дядя Миша сказал, чтобы я осталась Дану караулить. — Юля недобро усмехнулась, искоса посмотрела на меня и добавила: — И тебя тоже. Новый человек в доме, мало ли что.

Мне стало противно. Неужели я похож на вора или насильника? И потом, Нина-то здесь.

Дана вела себя более чем прилично, ни разу не сделав даже попытки положить себе в тарелку что-нибудь слишком жирное или калорийное. Однако от Юлиного внимания это не укрылось, и все полчаса, которые мы провели за столом, она не переставала отпускать ехидные реплики в адрес севшей на строгую диету сестры. Я не вмешивался: слишком мало времени я провел пока в этой семье, чтобы сметь делать замечания, но, глядя на уткнувшуюся в тарелку Дану и видя, как дрожат нож и вилка в ее руках, я начал искренне жалеть девочку. Ей, бедолаге, и без того тяжело жить, ощущая себя уродом, зачем же масло в огонь подливать и открыто издеваться?

В конце концов я не выдержал.

— Куда ты пьешь столько воды? Ты уже целую бутылку выхлебала. Ты же лопнешь, деточка, — не унималась Юля, цитируя текст известной рекламы.

— А ты налей и отойди, — вмешался я, пользуясь словами из того же самого рекламного ролика.

Последнее слово — «отойди» — я подчеркнул интонационно. Конечно, это было грубо, но Юля поняла, метнула в мою сторону негодующий взгляд и замолчала.

К вечернему занятию с Даной я приступил, имея в голове некоторый план. Мой собственный опыт занятий спортом подсказывал, что на первом этапе самое опасное — ощущение, что у тебя ничего не получается. Тогда опускаются руки и пропадает запал, и человек быстро бросает заниматься. Не любой человек, конечно, есть такие целеустремленные личности, которых трудности только подстегивают, но их меньшинство, и Дана к ним явно не относится, в противном случае она не сдалась бы так быстро на милость победителя и не осела бы дома.

Измерив давление и пульс, я записал показатели в «талмуд».

— Мы с тобой начнем заниматься тай-чи, — бодро заявил я. — Становись. Сначала поучимся правильно дышать.

На самом деле то, что я придумал, было эклектичной смесью гимнастики ушу, тай-чи и йоги, причем я выбирал самые легкие для исполнения упражнения. У Даны сегодня обязательно должно все получаться.

Через очень короткое время я заметил, что майка ее намокла от пота. Отлично! То, что надо.

— Устала?

Она отрицательно помотала головой.

— Сделаем перерыв? — предложил я.

Дана молча кивнула и вышла из комнаты. Я ошалело смотрел на закрывшуюся дверь и не понимал, что это означает. И только когда она вернулась буквально через пару минут, до меня дошло: она бегала в туалет. Ну конечно, вода, которую я велел ей пить. Господи, вот дурашка, терпела, вместо того чтобы сказать. Хотя что это я? Забыл себя в пятнадцать лет? Да я и в двадцать пять стеснялся сказать симпатичной девушке, что мне нужно отойти в туалет, все придумывал какие-нибудь приличные предлоги вроде того, что «мне нужно позвонить, а здесь шумно», или терпел до помрачения в глазах. Ладно, не будем испытывать почем зря девичью застенчивость, надо просто объявлять перерыв каждые полчаса и делать вид, что так и надо.

Интересно, о чем думал папаня Михаил Олегович, когда выделял для занятий физподготовкой по два часа утром и вечером? Он что, всерьез полагал, что его дочь выдержит четыре часа нагрузок в течение суток и каждый день? Бред полный. Ну, полчаса мы подышали, еще полчаса поделали упражнения, я снова измерил Дане давление и пульс и понял, что больше заниматься нельзя. На что убить еще целый час? Есть, правда, массаж, его можно растянуть минут на сорок. Снова лекцию ей читать? Вроде я уже все необходимое рассказал...

Выход мне подсказала сама Дана. Глядя, как я накрываю полотенцами массажный стол, она сказала:

— Я вся мокрая от пота. Мне нужно принять душ.

— Конечно, — обрадовался я. — Иди, я подожду.

Ну вот, минут десять уйдет на душ сейчас, потом еще столько же на душ после массажа, чтобы смыть масло, потом мы будем отмечать на графиках результаты и показатели. Глядишь, и рассосется как-нибудь.

Дана вернулась из душа и в очередной раз повергла меня в изумление, заперев дверь изнутри. Я решил, что она, следуя своей странной привычке запираться, сделала это чисто автоматически, подошел к двери и, ничего не говоря, повернул ключ, отпирая ее. Дескать, просто молча исправил случайную ошибку. Однако девочка, тоже молча, вернулась к двери и снова ее закрыла. Это что еще такое?

— Почему ты запираешься? — спросил я удивленно.

— Не хочу, чтобы меня видели раздетой, — твердо ответила Дана, не глядя на меня. — Вдруг кто-нибудь войдет?

— Дана, ты взрослая девушка и должна понимать: это неприлично, когда мужчина и девушка запираются в комнате. Это может вызвать нежелательные мысли у твоих родных. Что они подумают, если обнаружат, что дверь заперта? Да меня выгонят через пять секунд! Тебе это в голову не приходило?

— А если кто-нибудь войдет? — упрямо повторила она.

— Как войдет, так и выйдет, — строго произнес я. — Никто не увидит тебя раздетой, кроме меня. Я тебе обещаю. Я сегодня же попрошу твоего отца купить и поставить сюда ширму, и все проблемы будут решены.

Дана тяжело вздохнула и принялась стягивать майку и лосины. Вот интересно устроены женщины, да? Передо мной она спокойненько готова раздеваться до трусов, то есть не стесняется ни капельки, но не дай бог ее увидит раздетой кто-нибудь из близких родственников. Ну вы можете мне объяснить эти причуды девичьего сознания? По моим представлениям, все должно

быть наоборот, и я с полным пониманием отнес-
ся бы к тому, что девушка стесняется незнакомо-
го молодого мужчину, к тому же, как утверждают
некоторые, довольно симпатичного. Но нет, молодой мужчина всего лишь представитель домашнего персонала, то есть вещь, предназначен-
ная для полезного употребления, вроде пылесоса
или кофемолки, а члены семьи — люди. Человеки
то есть. Я обиделся.

И обиду свою жевал все сорок минут, отведенные нормативами на полный массаж тела. Тело,
надо заметить, сплошь состояло из жировой про-
слойки, и добраться до мышц оказалось не так-то
просто. Вспомнив все, чему меня когда-то научи-
ли, я аккуратно вставил элементы лимфодрена-
жа, чтобы стимулировать выход жидкости и
уменьшение отека. Похоже, мне это удалось, потому что стоило мне закончить массаж — и Дана
вскочила со стола как ошпаренная и ринулась к
двери, на ходу натягивая майку. Про лосины она
благополучно забыла. Я посмотрел на часы: до
окончания моего рабочего времени оставалось
пятнадцать минут.

Не успел я подумать и оценить, хорошо это
или плохо, как дверь распахнулась, и вошел папаня собственной персоной. Лицо его выражало
неудовольствие и подозрение.

— Почему Дана ушла? — строго спросил он. —
Время для занятий еще не закончилось.

— В туалет побежала, — бесхитростно объяснил я.

Он что, под дверью караулил? Выяснял, не попробую ли я манкировать своими обязанностями? Ну и ну. Кажется, я круто попал.

— Потом она будет принимать душ после массажа. Надо масло смыть, — пустился я в объяснения, чтобы успокоить хозяина. — Понимаете, у Даны нет привычки к массажу, и ей на первых порах может быть больно, если делать на креме. Поэтому я даю побольше масла, чтобы ей было не так чувствительно.

Выражение недовольства не сходило с лица Михаила Олеговича, и я начал впаривать ему насчет ширмы и кулера, который хорошо бы поставить сюда, в «тренажерку», чтобы Дана могла пить воду во время занятий. Конечно, можно просто каждый раз приносить сюда бутылки с водой... В общем, я забивал эфир, чтобы не висело тяжелое молчание. Кажется, чисто интуитивно я выбрал верную тактику, потому что хозяин в конце концов включился в беседу и вроде бы помягчал.

— Ладно, ширма будет, кулер тоже, — коротко резюмировал он и протянул мне конверт. — Держи. Это аванс. Здесь половина за месяц.

Ну вот, больному легче. Может, он и ничего мужик, этот Руденко, входит в положение, понимает, что не от хорошей жизни я согласился на такую работу, а раз жизнь не очень хорошая, то и денег у меня — кот наплакал.

— Ну а как она вообще? — спросил папаня. — Справляется?

— Вполне, — бодро ответил я. — Конечно, мы начали с минимальных нагрузок, я должен понаблюдать сперва, как у нее давление, пульс и все такое. Но Дана — молодец, все выполняет, не жалуется, не хнычет, что устала. Хотя она, наверное, здорово устала с непривычки-то. Она у вас, похоже, даже ходить разучилась.

— Да, она такая, — неопределенно заявил он, и я не понял, к чему относились его слова: к тому, что его дочь все терпит и не жалуется, или к тому, что она ходить разучилась. Но уточнять не стал, чтобы не нарываться.

Вернулась Дана, порозовевшая после горячего душа, и мы на глазах у изумленного папани принялись наносить на листы первые показатели. Я все ждал, что Михаил Олегович спросит, что это такое и зачем нужно, и готовился блеснуть педагогическими навыками, но он так ничего и не спросил.

Мой первый рабочий день закончился. Черт возьми, каким же он оказался длинным! Да я сроду столько не работал. Да, тренировался сам и тренировал других, да, участвовал в соревнованиях, выступал в платных боях в закрытых клубах, но никогда мой рабочий день не начинался так рано, чтобы закончиться так поздно. А ведь сегодня воскресенье, то есть мы закончили заниматься раньше, в будние дни я буду освобождаться еще позже. А когда же жить-то? Когда ходить в клубы, знакомиться с девушками и проводить с ними время, когда встречаться с друзьями? Когда кино смотреть? Ну ладно, допустим, кино я могу и здесь посмотреть, телевизор со всеми приставками в моей конуре есть, но все остальное-то когда? И так каждый день без выходных. Ну и вляпался же я! И о чем я только думал, когда соглашался? Ведь Руденко при первой же встрече обрисовал мне все требования к моей работе, я еще в тот момент мог отказаться, но мне тогда казалось, что все это вполне приемлемо. Честно признаться, я просто не обратил на это внимания, не подумал и не попытался представить, как такой график будет выглядеть в реальной жизни. Мне нужны были деньги, и я думал только о них. А вот теперь, получив в руки конверт с половиной месячной зарплаты, я перестал думать о деньгах и принялся думать о радостях, вытекающих из наличия денег, и тут же наткнулся на полное отсутствие времени для этих самых радостей. Его нет уже сегодня, не будет завтра и не появится до тех пор, пока Дана не похудеет и мой контракт не закончится.

Ничего, думал я, выруливая на своей чудесной машинке из кривых переулков на Садовое кольцо, до утра еще далеко, и вполне можно завалиться куда-нибудь, пообщаться со знакомыми ребятами, снять какую-нибудь очаровашку и приятно протусоваться до середины ночи. А завтра снова вставать в шесть часов... Ну, не высплюсь — да и хрен с ним.

В самый разгар будоражащих воображение размышлений о том, в какой клуб завалиться, позвонила Нана Ким. Услышав в трубке ее голос, я вздрогнул: ее поручение оказалось благополучно и накрепко забытым. За весь день я ухитрился ни разу о нем не вспомнить.

— Ты где? — спросила она требовательно.

— Да вот, с работы еду, — вяло отчитался я.

— От Руденко?

— Ну да.

— Что-нибудь удалось узнать?

— Пока ничего. Первый день, сама понимаешь. Никто со мной не откровенничает, я для них чужой.

Мне казалось, я говорю более чем убедительно, но Нана, по-видимому, считала иначе.

— Ладно, тогда хотя бы впечатлениями поделишься. Что там за семья, что за люди, чем дышат, как живут.

Я засопротивлялся, отговариваясь тем, что устал и хочу лечь пораньше, завтра вставать в рань несусветную... Но Нана Ким была не из тех, кого можно взять голыми руками.

— Все устали, — равнодушно отпарировала она, — и всем рано вставать, потому что все работают. Я сама к тебе подъеду, чтобы ты время на дорогу не тратил. Говори адрес.

Пришлось расстаться с мечтами о тусовке с приятелями и очаровашками. Кого другого я бы, само собой, послал подальше, но не Нану. Все-таки работой я был обязан именно ей. Работой не криминальной, что немаловажно, и вообще непыльной, зато оплачиваемой сверхщедро. А режим — что ж, режим тяжелый, без выходных и отпусков, но ведь за это и платят.

По дороге я заскочил в супермаркет, где всегда была отменная кулинария, и накупил себе дорогой еды, не глядя на ценники и впервые за последние месяцы чувствуя себя Крезом.

— Ну ты и разошелся! — усмехнулась Нана, оглядывая стол, когда я предложил ей поужинать со мной. — Не экономишь.

— А, — я беззаботно махнул рукой, — однова живем. При такой работе всего-то радостей остается, что вкусно пожрать вечером. Больше ни на что все равно времени нет. Налетай.

Она «налетела». «Налет» в исполнении Наны Ким выглядел душераздирающе: на большой тарелке грустно жались друг к другу два крохотных кусочка красной рыбки и один ломтик сыра. Смотреть на это без слез было невозможно. Однако Нана ухитрилась как-то растянуть эту утлую еду на все время моего рассказа.

— К дедушке, значит, на кладбище, — задумчиво повторила она. — Он что, недавно умер?

Я пожал плечами и положил себе изрядную горку салата с крабами.

— Почём я знаю.

— А Ванечка — это кто?

— Понятия не имею.

— Ну хорошо, а эта родственница хозяйки, мамочка с мальчиком, она откуда? Почему оказалась у них в квартире? Какова степень родства?

— Да откуда я знаю! — взорвался я. — Я же тебе объясняю: я новый человек, никто мне ничего не рассказывает.

— Так ты бы спросил, — заметила Нана чуть удивленно, словно не могла взять в толк, какая связь между тем, что я новый человек в семье, и тем, что мне ничего не рассказывают. Моей вспышки она словно бы и не заметила.

— Ну неудобно мне, неужели не понятно? Только появился — и уже с расспросами лезу.

Она помолчала, посасывая крошечный кусочек сыра и с интересом разглядывая меня, как будто видела впервые.

— Сколько времени ты делал девочке массаж? — внезапно спросила она.

— Сорок минут, — буркнул я сердито, — как положено.

— И что, все сорок минут молчал? Ни о чем с ней не разговаривал?

— Ни о чем.

— Почему?

— Да ты бы сама попробовала с ней поговорить! Из нее слова не вытянешь. Молчит, как воды в рот набрала, только кивает, если согласна, или мотает головой, если не согласна. Вот и все наши разговоры.

— Слушай, Фролов, ты действительно идиот или только делаешь вид? — Нана обворожительно улыбнулась и отщипнула одну ягодку от пышной виноградной грозди.

— Я действительно идиот, и я тебя честно предупреждал, что сыщик из меня — как из дерьма пуля.

— Да я не об этом. Я о девочке, о Дане. У нее очень серьезные проблемы.

— Тоже мне, открыла Америку! — фыркнул я.

— Ты не дослушал. У нее очень серьезные проблемы, настолько серьезные, что она наотрез отказывается их обсуждать, потому что ей невыносимо не только говорить о них — даже думать о них ей больно. Она стесняется сама себя и стесняется своих проблем, поэтому молчит, когда речь идет о ней самой. А если разговаривать с ней о чем-то другом? Вот тот второй, Артем, да? Он разве говорил тебе, что с Даной трудно общаться, что она с ним не разговаривает?

— Нет, — удивленно ответил я.

В самом деле, Артем ни о чем таком не упоминал, наоборот, рассказывал мне, что она хорошая девчонка, очень толковая и добрая и что он искренне к ней привязался. Разве можно привязаться к неразговорчивой буке?

— Правильно, — кивнула Нана. — Потому что он разговаривает с ней о чем угодно, только не о ней самой и не о ее проблемах. О математике, физике, истории, литературе, филологии — обо всем, что не имеет лично к ней отношения и что можно обсуждать без всяких опасений, что разговор вывернет на болезненную для нее тему. Если бы ты пошевелил мозгами и задал ей пару вопросов о ее родственниках, она бы прекрасно тебе ответила, потому что это не опасно.

— Да ну, — хмыкнул я недоверчиво, — много ты понимаешь. Ты ж не видела ее и вообще там не была. Между прочим, у этой Даны с головой не все в порядке, можешь мне поверить, так что все твои умные рекомендации пролетают мимо кассы, они рассчитаны на нормальных девчонок, а она точно ненормальная.

— Это с чего ж ты взял? — Нана приподняла густые темные брови.

— А с того, Нана Константиновна, что она, например, стесняется своих родственников, а меня, постороннего, молодого и красивого, не стесняется совсем. Ну ни капельки. Готова лежать передо мной с голой грудью и в одних, с позволенья заметить, трусах и при этом страшно беспокоится, что кто-нибудь из родни зайдет и увидит ее голой. Ну и как тебе такой заворот?

— Да никак, — она пожала плечами, — все вполне укладывается в схему. Ее родные наверняка постоянно шпыняют ее тем, что она толстая, жирная, неуклюжая, неповоротливая и так далее. Думаешь, ей приятно такое слышать каждый день? Вот она и защищается. А от тебя защищаться не надо, ты, если я правильно поняла твой рассказ, не позволил себе ни одного нетактичного замечания относительно ее внешности. Ведь не позволил?

— Вроде нет. Во всяком случае, я старался.

— Молодец. Видишь, она даже на весы вставала с закрытыми глазами и не захотела услышать страшную для нее цифру, а ты вовремя сообразил и не стал нагнетать, ничего вслух не сказал. И дальше так действуй. Завтра, например, если вес уменьшится хоть на сто граммов, изобрази бурную радость по этому поводу и делай акцент именно на том, что ушли целых сто граммов — ура! А абсолютные цифры по-прежнему не называй. Это был правильный тактический ход. Просто удивительно, как ты сам-то додумался до такого. Иногда тебя, Фролов, посещают светлые идеи.

— То есть ты меня, надо полагать, похвалила, — уточнил я на всякий случай. — То идиотом обзываешь, то хвалишь.

— Кнут и пряник, Пашенька. Идеальный способ управления такими балбесами, как ты.

— Ладно, раз ты такая умная, тогда посоветуй, как себя вести, если завтра вес не уменьшится или даже увеличится.

— Во-первых, ты всегда сможешь соврать. Дана же не смотрит на весы, так что ты ничем не рискуешь. Если главное — простимулировать ее к правильному образу жизни, то и ложь не грех.

Во-вторых, можно найти сто пятьдесят объяснений тому, что это не только нормально, но даже и очень хорошо: дескать, нетренированному организму тяжело от новой нагрузки, сердце не справляется и задерживается вода, то есть возникает отек. Запомни, Паша, мы, бабы, трудностей не любим, зато мы очень любим положительные эмоции. Если от занятий с тобой у Даны будут сплошные положительные эмоции, она все выдержит и все выполнит. Обманывай, говори комплименты, нагло льсти — все, что угодно, только чтобы она верила в то, что она не безнадежна и у нее все получится.

— Думаешь? — засомневался я.

— А ты попробуй — увидишь. И еще одно: заканчивай свои стрелялки в свободное время.

— А что прикажешь делать? Канта с Гегелем читать, повышать свой культурный уровень? — съехидничал я.

— У тебя есть старушка Анна Алексеевна, вот ею и займись.

Я чуть не поперхнулся.

— То есть ты хочешь сказать, что я должен выпытывать интересующую тебя информацию у стариков и детей?

— Старики и дети — самые лучшие источники, — безмятежно улыбнулась Нана. — Они не умеют хранить секреты, ни свои, ни чужие. Дети от недостатка ума и хитрости, а старики — от недостатка общения. Они так рады, когда с ними вообще хоть кто-то разговаривает, что готовы выложить что угодно и о ком угодно. И давай, Пашенька, не тяни, проявляй инициативу, чем быстрее ты выяснишь то, что меня интересует, тем скорее я от тебя отстану. Вот тебе задание на завтра: узнать, когда умер дедушка, кто такой Ванечка и откуда взялась мамочка с мальчиком. Это минимум. Завтра вечером позвоню.

— Ну ты вообще... — Я просто-таки задохнулся от возмущения. — Ты что, будешь стоять у меня над душой, как надсмотрщик с плетью? Собираешься каждый день давать задания и проверять уроки, как в школе?

— А с тобой только так и нужно, иначе ты моментально выбиваешься из графика.

Она ласково щелкнула меня по носу и пошла к двери. Я не мог на нее сердиться. Во-первых, На-на Ким была красивой женщиной, которая мне когда-то очень нравилась, а во-вторых, она была, к сожалению, права. Со мной только так и нужно, иначе я моментально срываюсь с рельсов и пускаюсь во все тяжкие. Знаю за собой такой грех. Однако почему-то оказалось, что знаю об этом не только я один, но еще и Нана. Родители не в счет.

* * *

Второй трудовой день начался именно так, как обещал мне Михаил Олегович: когда ровно в семь утра я позвонил в дверь, мне открыла Дана, уже умытая, с собранными в пучок волосами, одетая в майку и лосины. Это жаль, я ведь опять не успел дома позавтракать и, честно говоря, сильно рассчитывал на чашку кофе с какой-нибудь едой, как накануне. Не тут-то было. Надо будет поиметь в виду, что господин Руденко слов на ветер не бросает и в точности выполняет все, что говорит. Такая обязательность в моем кругу как-то не была принята, все мы любили побалаболить, наобещать семь бочек арестантов и через пять минут напрочь забывали сказанное. Это казалось мне нормальным, и я искренне полагал, что все люди ведут себя именно так и никак иначе. Выяснилось, что я ошибся.

Вчера, перед тем как уснуть, я думал над словами Наны и все прикидывал, какие бы такие комплименты наговорить Дане, чтобы они не выглядели, во-первых, двусмысленными и неприличными, а во-вторых, не оказались слишком уж явной ложью, потому как Дана, если верить моему товарищу по несчастью Артему, вовсе не глупа. И придумал! Не зря же мама в детстве меня учила, что наши недостатки — это продолжение наших достоинств. Значит, можно с не меньшей твердостью полагать, что и наши достоинства прямо вытекают из наших недостатков. Дана — толстая, неуклюжая, заросшая жиром девушка, которая не выходит из дома и очень мало двигается. Значит — что? Правильно, движения у нее медленные, на резкие и быстрые просто нет сил. Вот из этого и будем исходить.

Первым делом я велел ей раздеться и встать на весы. Как и ожидалось, Дана снова закрыла глаза и даже слегка побледнела. Или мне показалось?

Но я зря беспокоился. Все-таки моя бывшая подруга Светка не пожадничала, когда делилась со мной знаниями и опытом, а я оказался способным учеником. Выпитая Даной за весь вчерашний день вода плюс лимфодренаж сделали свое черное дело, и дисплей весов показывал прекрасную, восхитительную цифру — 94,2. То есть минус килограмм и двести граммов за сутки. Конечно, я-то понимал, что это никакое не похудение и в ушедших тысяче двухстах граммах нет ни капли жира, одна вода, но для начала — очень даже здорово. В конце концов, вода — это тоже объем, а какая разница, сколько человек весит? Важно, как он выглядит. Если женщина на вид стройная, никому ведь и в голову не придет поинтересоваться, а сколько, собственно говоря, в ней килограммов, а если она выглядит коровой, то, сколько бы она ни утверждала, что весы ничего лишнего не показывают, она все равно останется коровой.

Так что у меня были все основания изобразить бурный восторг и начать хвалить свою подопечную. Слов я не жалел, и хотя лексический запас у меня не очень-то, даром что мама — словесница, но я выжал из себя все, что помнил. Дана расцвела прямо на глазах.

— Вы думаете, у меня получится? — спросила она робко.

— Да наверняка! Сто пудов! Теперь проверим домашнее задание, посмотрим, что ты записала в свой дневник питания. Ты ведь вела дневник, как я велел? — строго спросил я.

— Да. Я все записала.

— Честно записывала? Ничего не пропускала?

— Ничего. Показать?

— Покажи, — кивнул я, но вдруг спохватился: — Нет, давай попозже. Сейчас измерим давление и пульс и начнем заниматься, а во время перерыва поговорим о твоем питании. Нам обязательно нужно будет делать перерывы, чтобы тебя не перегрузить.

Мы снова начали делать упражнения из изобретенной мною смеси восточных гимнастик. Теперь я, в свете вчерашних ночных размышлений, внимательно приглядывался к девочке, к тому, как она выполняет медленные, плавные движения руками, ногами, корпусом, и поражался сам себе: как же это я, дурак слепой, не заметил? Да, она действительно медленная, двигается тяжело (что вполне объяснимо), но при этом Дана потрясающе пластична. Вероятно, от природы. Каждый ее жест, даже самый нелепый и неуклюжий, вызывал у меня ассоциацию с густым тягучим медом. Ай да Дана, ай да молодец! Вот за что я буду ее хвалить, вот на чем стану играть. И никто, никакая самая ехидная сволочь, не посмеет заявить, что я вру и злоупотребляю грубой лестью.

Обстоятельный и ничего не забывающий папаня позаботился и о кулере, который стоял в углу «тренажерки». Интересно, когда он успел? Ведь разговор у нас с ним состоялся вчера вечером, а вчера было, если память мне не изменяет, воскресенье. Оборотистый мужик этот Руденко, если ему очень надо — он и ночью дело сделает. Каждые двадцать минут я наливал стакан воды и протягивал Дане, которая послушно его выпивала. Помня о своем вчерашнем «проколе», я не забывал и о «технических» перерывах, чтобы стеснительная девочка могла сбегать в туалет.

— Как мышцы после вчерашнего? — спросил я перед началом занятия. — Болят?

— Да.

— Сильно?

Она пожала плечами и повторила:

— Болят. Так надо?

— В общем, да. Мы с тобой делаем массаж, чтобы они меньше болели, но полностью снять боль, конечно, невозможно. Это скоро пройдет.

Заговорив о массаже, я вспомнил и о ширме, оглянулся и мысленно поаплодировал Михаилу Олеговичу: ширма наличествовала. Аккуратненькая, расписанная в стиле барокко, она была сложена и прислонена к стене рядом с массажным столом. Если вы думаете, что я разбираюсь в этих стилях и могу отличить барокко от... что там еще было-то — рококо, что ли, или ампир?.. то вы сильно ошибаетесь. Я в этом деле ни бум-бум. Просто однажды мы с одной из подружек ходили по магазинам выбирать мебель для ее квартиры после ремонта и увидели в одном из салонов точно такую же ширму, про которую продавец-консультант с важным видом знатока заявил, что это «стиль барокко», а я запомнил.

Закончив с упражнениями, мы приступили к проверке домашнего задания. Я открыл заполненный Даной дневник и обмер: чай и пирожок с мясом, чай и два овсяных печенья, кофе и булочка, бутерброд с ветчиной и стакан сладкого сока, еще один бутерброд с (о ужас!) котлетой и еще одна чашка кофе. С сахаром! Причем последняя «поедка», если верить добросовестно сделанным записям, имела место в двенадцатом часу ночи. У меня волосы на голове зашевелились! И это после того, как вчера я битых два часа втолковывал ей про белки, жиры и углеводы, про расщепление и усвоение, про калории, режим питания, двенадцатичасовой перерыв между вечерним и утренним приемом пищи и прочую муть, а также про отдельную еду, которую ей будет готовить домработница Нина. Я что, впустую воздух сотрясал? Или девочка с головой не дружит?

— Это что такое? — вопросил я страшным голосом, тыча пальцем в дневник.

— Это то, что вы велели сделать, — покорно и коротко ответила Дана. — Я все записывала, как было, ничего не пропускала.

— Очень хорошо, — я тут же вспомнил все, чему меня учила Светка, и сменил тон, — давай разберем по пунктам. В котором часу мы с тобой вчера обедали? Здесь написано — в два часа. Правильно?

— Да.

— А в три часа ты выпила чай и съела пирожок с мясом. Зачем? Ты проголодалась?

— Нет, — она пожала плечами, — я так привыкла. Я всегда пью чай или кофе и что-нибудь кушаю, когда занимаюсь. А что, это нельзя?

— Это мы с тобой потом решим. Теперь дальше: чай и овсяное печенье без четверти четыре, через сорок пять минут после чая с пирожком. Зачем?

— Я же говорю: я так привыкла. Я до пяти часов занималась и все время что-нибудь ела. Я всегда ем, когда занимаюсь или просто читаю.

— А вечером? До двенадцати ночи? Тоже читала?

— Телик смотрела, читала, учила.

— То есть ты не была голодна? — дотошно выспрашивал я.

— Нет, просто хотелось вкусного. То, что Нина приготовила мне на ужин, было невкусно. Это, наверное, не страшно, я же все равно похудела на целый килограмм, правда? Если худеть на килограмм в день, через два месяца я буду в порядке. Разве нет?

Сейчас, разбежалась. Скажи спасибо, если ты, дорогая моя, будешь худеть на два килограмма в месяц. Я имею в виду настоящее сжигание жира, а не сгон отека. Ну и что мне теперь делать? Я возлагал такие надежды на этот «водяной» килограмм в плане психологического стимулирования, а теперь придется объяснять Дане правду, и все мои расчеты отправятся псу под хвост. Умная Нана Ким, ты же такая прозорливая, что ж ты мне не подсказала вчера вечером, как себя вести в подобной ситуации?

Я вертелся, как уж на сковородке, пытаясь не врать и в то же время не разочаровывать девочку. Мол, объемы тела определяются объемами воды и жира, и вода уходит быстрее, а жир сгорает долго и крошечными порциями, поэтому она, конечно, уже похудела на целый килограмм, и это здорово, просто отлично, но не надо думать, что так будет всегда. Вода сойдет, а жир останется, и если она не будет соблюдать режим питания, он никуда не денется. И все в таком роде. Кроме того, «неправильная» еда обладает неприятным свойством задерживать воду, так что если нарушать, то и вода перестанет уходить.

За разговорами время быстро подошло к девяти, когда я должен был уступить Дану умнику-очкарику Артему. Интересно, а куда в этом графике должен втискиваться завтрак Даны? Мне-то по барабану, пусть бы она вообще не ела никогда и ничего, дело быстрее пошло бы, но очень хотелось есть, и с ней за компанию сесть за стол — выглядело бы вполне нормальным, а что получится, если я заявлюсь в столовую или на кухню один? На меня посмотрят как на ненормального, который решил покормиться на халяву. Не хотелось бы.

— Без пятнадцати девять, — заметил я, взглянув на часы и сделав озабоченное лицо. — Давай будем заканчивать, тебе надо до занятий с Артемом еще душ принять и позавтракать.

— Я успею, — спокойно ответила Дана, — Нина подаст завтрак в мою комнату, когда мы начнем заниматься. Артем тоже вместе со мной поест.

«А я? — хотелось завыть мне. — Я что, не человек? Вы подумали обо всех, кроме меня».

Дана словно прочитала мои мысли.

— А вам завтрак накрыт в столовой, папа велел, чтобы Нина вам подавала ровно в девять.

Ё-моё, ну и нравы. Куда я попал? Здесь что, все живут по жесткому расписанию? Но папаня Михаил Олегович начинает нравиться мне все больше и больше.

Сегодня я завтракал в обществе бабушки Анны Алексеевны. Вспомнив наказ Наны Ким, я решил воспользоваться ситуацией, хотя видит бог, как мне этого не хотелось. На месте старушки я бы предпочел увидеть хорошенькую мамочку мальчика Костика или, на худой конец, очаровашку

Юлечку. Но, видно, не судьба. Юля, поди, учится где-нибудь и в девять утра уже сидит в институтской аудитории, а мамочка (имя ее вылетело из головы еще позавчера, даже обед закончиться не успел), наверное, умчалась на работу. Или она не работает и живет на иждивении богатого мужа своей дальней родственницы?

— Как вы себя сегодня чувствуете? — вежливо начал я светскую беседу. — По телевизору предупреждали, что сегодня какие-то ужасные магнитные бури и метеозависимые люди могут испытывать недомогание.

Я врал как сивый мерин. Ничего подобного я ни вчера, ни сегодня по телевизору не слышал, но надо же было как-то начинать. Бабушка на мое вранье купилась и с удовольствием и ненужными подробностями пустилась в рассказы о давлении и остеохондрозе.

— Ну да, — понимающе кивал я, уплетая за обе щеки пышный омлет с ветчиной, сыром и помидорами, — давление — это такая коварная штука, реагирует на любую мелочь, не говоря уж о серьезных стрессах. А вы ведь вчера на кладбище ездили, переживали, наверное, плакали, вот оно и скакнуло.

Вероятно, я был не особенно ловок, но мне же нужно было узнать насчет дедушки, Нана вечером спросит.

— Почему я должна была плакать? — надменно спросила бабушка Анна Алексеевна.

— Но ведь такая утрата... — беспомощно пробормотал я, предчувствуя неладное. Кажется, я ляпнул что-то не то. Но что именно?

— Павел... Впрочем, я буду называть вас просто Пашей, вы еще так молоды... Так вот, Паша, мой муж Олег Семенович скончался больше десяти лет назад. Разумеется, это была большая утрата для нас всех, но поверьте мне, десять лет — срок достаточный, чтобы уже не плакать на могиле.

Десять лет! Даже больше. Елки-палки, или я чего-то не понимаю в этой жизни, или я глухой и тупой одновременно, но ведь я отчетливо слышал позавчера, как старушка объявила, что собирается отныне ездить на кладбище к Олегу Семеновичу и еще какому-то Ванечке каждую неделю по выходным. Это где же вы такое видели? Ну, я понимаю — в первый год после смерти, я даже понимаю, когда в первые сорок дней на кладбище ездят ежедневно, это нормально, но через десять лет? Как-то чересчур, на мой взгляд.

Я изначально планировал после вопроса об Олеге Семеновиче плавно перейти, в рамках кладбищенской темы, к вопросу о том, кто такой Ванечка, но теперь прикусил язык из опасений вляпаться в еще большую неловкость. Как говорится, провести прием не удалось. Ладно, во время массажа после вечерней серии спрошу у Даны.

Из судорожных размышлений о том, как бы продолжить разговор, выплыть мне помогла сама Анна Алексеевна, начав расспросы: откуда я ро дом, из какой семьи, чем занимаются мои родители, какое я получил образование и так далее. Мне полегчало: своей семьей я могу гордиться при любых раскладах, потому как родители-учителя не могут скомпрометировать никого и ни при каких обстоятельствах. Правда, вопрос о моем образовании довольно скользкий, оно, проще говоря, закончилось в одиннадцатом классе средней школы, и чтобы его не затрагивать, я уделил побольше внимания маме с папой. Тетке, много лет проработавшей в страшном роно, должна понравиться такая сыновняя любовь и уважение к профессии родителей.

В общем и целом я угадал, и цепкий взгляд старушки по мере моего повествования становился все более благосклонным. Потом она спросила, почему я хромаю, и, выслушав мою горестную песнь, прониклась ко мне поистине родственной жалостью. А я сделал очередной вывод о том, что папаня Михаил Олегович с ней не очень-то делится информацией. Жена его, судя по всему, про аварию знает, и Дана с Юлей тоже в курсе, а вот мамашу свою старенькую он разговорами обошел, и никто из осведомленных членов семьи ничего ей не сказал. То есть бабку игнорируют. Неужели Нана и здесь оказалась права?

Тут меня посетила гениальная мысль о том, как зайти с другой стороны и попасть в нужное место, то есть в вопрос о мамочке с мальчиком.

— Анна Алексеевна, вы, наверное, знаете, какой у меня график работы, — начал я. — Два раза в день я занимаюсь с Даной, но с девяти утра до семи часов вечера у меня перерыв, и мне хотелось бы делать что-нибудь полезное, а не валять дурака. Как вы думаете, может быть, имеет смысл поговорить с мамой Костика? Я мог бы заниматься с мальчиком, приобщать его к спорту. А то сами знаете, какие сейчас нравы в школе, ребята постарше малышей задирают, бьют, отбирают у них деньги, дорогую одежду, хорошие вещи. Если мальчик будет физически развит и сумеет дать отпор хулиганам, это будет не вредно. Как вы считаете?

Анна Алексеевна недовольно поджала губы, и я понял, что опять вляпался. Да, черт возьми, есть в этой семейке тема, которую можно затрагивать без ущерба для здоровья, или нет?

— Костик ходит в детский сад, днем его все равно нет дома, — сухо ответила старуха. — Кроме того, я полагаю вашу инициативу излишней. О детях должны заботиться их собственные родители, а не посторонние люди. Ваше рабочее время оплачивает мой сын, и предполагается, что в остальное время вы предоставлены сами себе и отдыхаете или занимаетесь своими делами. Кто, по вашему мнению, должен оплачивать ваши занятия с мальчиком? Не хочу ничего плохого сказать о Елене...

Ну да, конечно, Елена. Теперь я вспомнил.

— ...но когда она принимала решение рожать

ребенка, ей следовало подумать о том, кто будет его содержать, а не бросаться сломя голову в сомнительную авантюру и не садиться на шею Ларисе Анатольевне, которой Лена приходится седьмой водой на киселе. В конечном счете она села на шею не моей невестке, а моему сыну, потому что Лариса Анатольевна не работает. Я не считаю это правильным.

Н-да, опять я попал. Что делать-то? По-хорошему, надо бы начать поддакивать и всячески развивать тему, мол, Анна Алексеевна совершенно права, и так далее. Но развивать что-то не хотелось. То ли я был не совсем согласен с бабушкой Даны и Юли, то ли что-то в ее рассуждениях и тоне мне не понравилось — с ходу разобраться не удалось, но я растерялся, так что и эту тему пришлось свернуть.

Вот таким образом уже во второй день своей работы у Руденко я понял, что большая семья совсем не обязательно означает «дружная», даже если они в выходной день собираются все вместе за обеденным столом. Юля не любит Дану, а Анна Алексеевна почему-то не жалует красавицу Елену. Ну, кто на очереди? Какие тут еще есть подводные течения?

Я уже почти допил свой кофе и собирался убраться из столовой, когда появилась мать Юли (ее имя я тоже запомнить не сумел, но спасибо хоть вообще вспомнил, кто она такая). Сегодня она выглядела еще хуже, чем в тот день, позавчера, когда я увидел ее впервые. Наверное, она чем-то больна. Вот и на работу не ходит, уже половина десятого, а она дома...

Хмуро поздоровавшись со мной, она сразу переключилась на бабушку, словно меня тут и вовсе не было. Мне нравится такая манера, сразу начинаешь чувствовать себя полноценным человеком, которого если и не уважают, то хотя бы замечают его присутствие. В первый момент я собрался было оставить недопитую чашку и уйти, чтобы не мешать приватной беседе, но потом передумал, засунул самолюбие подальше и подлил себе кофейку. Посижу, послушаю. Должен же я, в конце концов, выполнить задание Наны. Она права (как всегда): чем быстрее сделаю — тем скорее она отстанет.

— Лара так расстроена, — говорила Юлина мама. Как же ее зовут-то? Как-то Олеговна, коль она родная сестра хозяина. Но вот как? — Опять Миша дурит, не хочет ехать в Никольское, на открытие.

— Не хочет? — удивилась Анна Алексеевна. — А почему?

— Говорит, всех приглашают с семьями, то есть с женами и с детьми. Он не хочет ехать с Ларой, говорит, что уже сто раз ездил на такие мероприятия, и все без конца спрашивают, где его дочь да почему не приехала. Он же раньше всегда ее привозил, и все знают, что у него есть дочь. Однажды он не выдержал и сказал, что, мол, она уехала учиться за границу, вслед за Тарасом, так какая-то гадина узнала, что это неправда, и всем растрепала, и Мишу потом все знакомые шпыняли. А что ему делать? Правду говорить не хочет, и я его понимаю. Ссылаться на то, что Дана болеет, тоже как-то нехорошо, говорят, нельзя врать про болезни, можно накликать. И потом, когда все с детьми, а он только с женой, возникают вопросы: мол, что, у Руденко детей нет, что ли? В общем, ему надоели все эти разговоры, и он решил в Никольское не ездить.

— Ну и хорошо, — одобрительно кивнула старуха, — и нечего им там делать, в Никольском этом. Если есть свободный день, пусть лучше дома отдохнет, на кладбище со мной съездит.

Опять кладбище! Что за странный пунктик у этой семейки?

— Я тоже так думаю, — поддакнула Юлина мама Олеговна, — но Лара очень переживает. Ей так скучно сидеть дома, хочется куда-нибудь выехать, развлечься, она же ничего не видит, нигде не бывает.

— Ну конечно, — фыркнула Анна Алексеевна, — нигде она не бывает! Что ты мне рассказываешь! Да она из салонов не вылезает, то прическу делает, то маникюр, то массаж какой-то с водорослями, то кофе пьет с подругами. Ее и дома-то никогда нет. Что-то ты крутишь, Валентина. Давай выкладывай, в чем дело.

Правильно, Валентина. Валентина Олеговна. Теперь вспомнил.

— Мамуля, мне, честно говоря, плевать на Ларку, пусть она хоть с ума сойдет от скуки, но мне Мишеньку жалко. Он так много работает, совсем не отдыхает, так ведь и надорваться недолго. А прием в Никольском — это замечательный отдых, там такая природа дивная, воздух просто волшебный, он бы там хоть немного восстановился. И потом, такие приемы деловым людям обязательно надо посещать, там завязываются и поддерживаются нужные и важные знакомства, без которых бизнес не может идти успешно. Даже я это понимаю, и Миша понимает тем более. Надо как-то уговорить его поехать.

Эвона как! Плевать ей на Ларку, на Ларису Анатольевну то есть. При этом я готов был голову дать на отсечение, что Валентина Олеговна собиралась сказать: «Пусть она сдохнет от скуки», но в последний момент все-таки вспомнила о присутствии в столовой постороннего, то есть меня, и быстро изменила набор и порядок слов в предложении. Еще одно подводное течение открылось.

— Да как же его можно уговорить, если он без детей не хочет ехать, — возразила бабушка. — У тебя что-то на уме? Говори, не тяни.

— Да я вот подумала... может, пусть он Юлечку с собой возьмет? Смотри, мамуля, какой хороший вариант: они приезжают втроем, полноценная семья, и ни у кого никаких вопросов. Кто знал Дану, тому можно сказать, что Юля — племянница, но большинство-то Дану никогда не видело, и все будут думать, что Михаил Руденко приехал с семьей. В конце концов, так оно и есть, мы же все — одна семья, правда? Мы и живем вместе.

— Возможно, возможно, — старуха пожевала губами. — Надо с Мишенькой поговорить, предложить ему. В конце концов, мы все здесь живем на его деньги и должны делать все, чтобы его бизнес шел успешно и деньги не кончились.

— Так как, мамуля, ты скажешь Мише? — радостно встрепенулась Валентина.

— А почему бы тебе самой с ним не поговорить? А лучше всего поговори с Ларой, если она так заинтересована в этой поездке, то сможет его убедить.

— Вот еще. Ларка меня слушать не станет. Ты же знаешь, как она ко мне относится. А Миша к тебе прислушивается, он очень уважает твое мнение.

Замечательно. Стало быть, у Ларисы Анатольевны и Валентины Олеговны неприязнь взаимная. Ну, господа скорпионы, кто следующий? Какие еще приятные открытия ждут меня в расчудесной семье Руденко?

— Ну, Валюша, ничего не поделаешь, придется нам с тобой терпеть. — Анна Алексеевна кинула в мою сторону настороженный взгляд, проверяя, не слишком ли внимательно я слушаю их разговор, но я и ухом не повел, вовремя сделав вид, что углубился в лежащий на барной стойке журнал и читаю нечто неизмеримо важное и интересное. — Не мы с тобой выбирали, на ком Мишенька женился. Хорошо, я сама ему скажу.

О! Еще одна новость. Свекровь недолюбливает невестку и не одобряет выбор сына. Интересно, она всегда этот выбор не одобряла или только в последнее время? Наверное, для меня величайшим открытием будет известие о том, что в этом доме кто-то к кому-то искренне хорошо относится.

Но меня, ясное дело, обидело, что они так вот запросто обсуждают свои интимные семейные дела в моем присутствии. То есть, с одной стороны, это мне, конечно, на руку, ведь надо же разобраться, что тут к чему и кто чем дышит, и поручение Наны выполнить, да и самому полезно, мне же здесь работать, трудиться в поте лица, так сказать. Но, с другой стороны, что я — вещь неодушевленная, домашнее животное, которое ничего не понимает и которого можно не стесняться? Вот и Дана меня не стесняется, и эти тетки — одна другой старше, мамаша с дочкой.

Дамы заговорили о каких-то людях, имена которых для меня ничего не значили, и я скрылся в своей конуре. На сегодня я запланировал (в свете полученного накануне аванса) полазить по Интернету, изучая предложения по аренде квартир. Надо же искать себе новое жилище, поскольку я пообещал освободить квартиру в течение месяца.

Из соображений раннего начала рабочего дня

я поначалу попытался поискать что-нибудь поближе к улице, где жили Руденко. Лишние полчаса сна никому не помешают, да и престижно жить в центре. По крайней мере, девушки, с которыми я буду знакомиться (а я обязательно буду это делать, иначе и быть не может), не смогут наморщить носик и презрительно фыркнуть, когда я буду приглашать их к себе. А приглашать я непременно буду, потому как я здоровый молодой мужик со здоровыми инстинктами. Предложений оказалось — море. Но и цены были офигительными. Даже при моей зарплате, которая в этот момент уже не показалась мне такой уж огромной. Чем дальше от центра Москвы, тем, естественно, аренда дешевле, но, опять же, чем дальше от центра, тем раньше придется вставать. Что выбрать — сон или деньги? С подобным выбором я столкнулся впервые в жизни и очень удивился, когда обнаружил, как трудно мне его сделать. В конце концов я решил не суетиться и поискать еще, а потом, вооружившись знаниями, обратиться в риелторскую фирму. У них есть свои базы данных, может, там что-нибудь и найдется.

Особое внимание привлекла одна квартирка на соседней улице, дорогая до жути, но уж больно дом был хорош: с охраняемой внутренней территорией, обнесенной кованой оградой, за которой виднелись ухоженные газоны и цветники, с подземной парковкой и прочими прелестями. Я натыкался на этот дом раз пять по меньшей мере как раз пару дней назад, когда плутал по переулкам, пытаясь впервые найти адрес Руденко. И поскольку до окончания моего законного перерыва времени еще было достаточно, не удержался от соблазна и вышел прогуляться. Понятное дело, прогуляться не куда-нибудь, а до того самого дома. Постоять, посмотреть на него, поговорить с охранниками, как там и что, помечтать... Ну помечтать-то можно? Я ж не говорю: «купить», мне только посмотреть, потрогать, понюхать, примериться.

Сказано — сделано. Попросив Нину запереть за мной дверь и предупредив, что обедать я буду вместе с Даной (во избежание всяческих кулинарных вольностей), я отправился на соседнюю улицу.

А дом и вправду был чудо как хорош! Прямо королевский дворец! Может, плюнуть на все да и пожить в этом дворце, пока есть возможность? Угрохать на арендную плату всю зарплату, питаться у Руденко, все равно ведь работать без выходных, так что с голоду не помру, шмотки можно пока не покупать, я экипирован вполне прилично, правда, все, что у меня есть, через полгода выйдет из моды окончательно и бесповоротно, и если не обновлять гардероб, то в каком-нибудь пафосном месте и показаться-то будет нельзя — засмеют. И девушки-очаровашки не захотят со мной знакомиться. И машину содержать будет не на что, на бензин не хватит, не говоря уж о мойке и сервисе. Нет, не потянуть мне квартиру в этом доме.

А коварное воображение уже рисовало, рисовало вовсю сладостные картины жизни во дворце... Вот я прихожу с дамой, вот усаживаю ее на огромный диван в гостиной, разжигаю камин, готовлю напитки за элегантной барной стойкой, веду ее в спальню, показываю роскошную просторную ванную, отделанную итальянской плиткой... Мечты казались тем более реальными, что в Интернете были размещены фотографии интерьеров этой предлагаемой к аренде квартиры, так что воображение мое буйное опиралось все-таки на факты, а не на домыслы.

— О чем мечтаем? — послышался у меня за плечом мужской голос.

Я очнулся и сердито повернулся, собираясь вякнуть что-нибудь грубое и недвусмысленное, но, к собственному удивлению, увидел перед собой парня примерно моих лет или чуть старше в милицейской форме с погонами капитана. Ну конечно, тут же сообразил я, богатый дом, привлекательный для воров-домушников, и перед ним стоит спортивного вида парень и что-то долго и пристально рассматривает. Чего он высматривает, чего вынюхивает? Подозрения бравого милиционера вполне можно понять.

Я решил быть честным. Ну, по большому-то счету мне скрывать и нечего.

— Да вот мечтаю, как было бы классно снять

квартиру в этом доме. Здесь сдается одна, я в Интернете прочитал. Пришел разведать, как тут и чего.

— Ну, — капитан насмешливо глянул на меня, — и как? Дом производит хорошее впечатление или так, не особенно?

— Дом — зашибись. Только, боюсь, я цену не потяну. Больно дорого.

— А что, зарплата не позволяет?

— Позволяет. Ровно на съем квартиры. Больше ни на что не хватит, даже на туалетную бумагу. Сам понимаешь, жить в таких хоромах и ходить с грязной задницей как-то не по кайфу.

— Это точно, — согласился капитан. — Придется тебе поискать что-нибудь подешевле. Тебе что, прибило конкретно в этом районе хату снимать?

— Хотелось бы.

— А что так?

— Да я тут работаю недалеко, на соседней улице, у меня рабочий день с семи утра, так что сам понимаешь, хочется время хотя бы на дороге сэкономить. Слушай, ты не местный случайно? — вдруг спохватился я. — Может, ты в курсе, где тут кто что сдает, только по умеренным ценам?

— И где ж ты на соседней улице с семи утра работаешь? — продолжал допрашивать меня капитан все так же насмешливо. — В магазине грузчиком?

Я не обижался. Я его понимал. У меня в Москве было множество знакомых, и от доброй половины я в те или иные времена слышал истории о том, как обворовали их квартиры, при этом все они, свято презиравшие всю милицию, вместе взятую, причитали: и куда участковый смотрел, и как он вообще работает, я в жизни его в глаза не видел. Если этот симпатяга в погонах окажется участковым, то я, кажется, получаю наглядное представление о том, как же именно он работает. Вот так. Наверное, это правильно.

— Не, — я помотал головой и кивнул на палку, на которую опирался, — куда мне в грузчики? Врачи пока не разрешают. Вот через годик-другой, пожалуй, смогу. А пока — нет.

— Вижу, — улыбнулся тот. — Так где же ты нашел себе такую стремную работенку, чтобы аж ник в семь утра заступать? На соседней-то улице, а?

— Домашним тренером подвизаюсь. В одной богатой семье.

— Да? — Он недоверчиво приподнял брови. — И в какой же?

— Тебе фамилию назвать?

— Да уж назови, не откажи в любезности.

— Ну, Руденко. И что?

— Ничего, — он пожал плечами, — нормально. Документы у тебя в порядке?

Н-ну, не совсем. То есть паспорт у меня есть, это обязательно, только регистрация в нем сомнительная. Нет, все без глупостей, она чистая, меня одна бабулька по протекции знакомых у себя зарегистрировала. За денежки, разумеется. Но бабулька эта мне никто. Самое печальное, что она уже в таком глубоком склерозе, что плохо помнит, кого регистрирует у себя, и начни какой-нибудь добросовестный мент проверять — вполне может брякнуть, что знать меня не знает и рожу мою впервые видит. И кому я потом что докажу?

Я молча протянул бдительному капитану свой паспорт и затаился в ожидании неминуемой расправы.

— У кого зарегистрирован? — спросил он, листая мой документ.

— У бабки.

Я практически не соврал. Она же бабка, правда? Не девушка же в семьдесят-то девять лет.

— У родной?

— У семиюродной, — я вымученно улыбнулся. — Слушай, я что, похож на вора-домушника? Чего ты до меня доперся, капитан?

— Работа такая, — он вздохнул, почему-то печально. — Не возражаешь, если я позвоню, уточню кое-что?

Ну вот, приехали. Сейчас он будет звонить в милицию по месту моей липовой регистрации, и черт его угадает, что ему там напоют. Капитан меж тем вытащил из планшета здоровенный блокнот, что-то в нем поискал, нашел нужный номер и начал нажимать кнопки своего мобильника.

— Добрый день, — начал он, — капитан Дорошин беспокоит, ваш участковый. С кем я говорю? Лариса Анатольевна? Очень приятно.

А уж мне-то как приятно! Только-только начал работать — и уже насчет меня милиция интересуется. Что обо мне подумают Руденко? Небось уволят уже сегодня к вечеру. За что мне такая невезуха?

— Лариса Анатольевна, у вас, говорят, домашнего персонала прибавилось. Да вот, дошли слухи... Работаем, Лариса Анатольевна, стараемся, ваш покой оберегаем. И кто такой? Тренер для дочери? Ну да, ну да, я в курсе... И что, он каждый день будет приходить? К семи утра? Да, Лариса Анатольевна, у вас не забалуешь. Вы мне на всякий случай скажите его имя и фамилию, я у себя помечу. Как? Да-да, записываю.

Ничего он не записывал, только в паспорт мой многострадальный смотрел и улыбался, тихо так и немного грустно. В те мгновения я уже почти любил этого грустного капитана. Узнал все, что ему надо, и меня не подставил. С пониманием человек, не то что некоторые.

— Держи, — капитан Дорошин протянул мне паспорт. — Не обижайся.

— Да я не обижаюсь, — я примирительно улыбнулся. — Слушай, а насчет квартиры я ведь серьезно. Мне бы поближе к месту работы что-нибудь найти, а то уж больно вставать рано. Не посодействуешь?

— Вряд ли, — он покачал головой. — Здесь самый центр, жилье очень дорогое. А то, что подешевле, — первые этажи в домах под снос, квартиры, в которых алкаши жили. Тебя ведь такое не устроит, правда?

— Правда, — согласился я.

Жить хотелось прилично, особенно в рассуждении грядущих визитов многочисленных очаровашек.

— И еще одно, — капитан проводил глазами мой паспорт, который я старательно засовывал во внутренний карман ветровки, — не забудь, что бабкина регистрация у тебя через месяц заканчивается. Ты поговори с Михаилом Олеговичем, он мужик нормальный, пойдет навстречу. Их домработница Нина тоже у них зарегистрирована. Правда, она у них и живет, но, я думаю, он тебе не откажет.

Вот это осведомленность! В жизни не слыхал, чтобы участковые так работали.

— А ты что, знаком с Руденко?

— Ну как сказать... Все, что мне нужно, я про них знаю. Да в общем, смешно это... Когда Михаил Олегович купил целый этаж, он же там огромный ремонт затеял, с перепланировкой, вот и посыпались бесконечные жалобы от других жильцов: то воду перекрывают, то электричество отрубают, то сверлят и долбят целыми днями. Что ни день — звонок участковому, соседи вызывают, ругаются, приходилось на месте разбираться. Так и познакомились. И потом, семья состоятельная, попадает в группу риска, сам понимаешь.

Распрощавшись с печальным участковым, я

вернулся к месту службы, как раз время обедать подошло.

На сей раз трапезу я делил с Даной и Артемом. Вообще-то я собирался поговорить с мсье Дефоржем наедине, без Даны, но потом решил не деликатничать: дело-то общее, и в результатах Дана должна быть заинтересована не меньше меня.

— Слушайте, ребята, — начал я без обиняков, — можно как-то устроить, чтобы Дана во время ваших занятий не перекусывала?

Очкарик бросил на меня понимающий взгляд и тонко улыбнулся, но девочка тут же ринулась грудью защищать любимого гувернера.

— Но Артем у нас завтракает, так всегда было, с самого начала. Не понимаю, почему вам это мешает. Завидно стало, да?

Ну вот, а я-то уж и поверил, дурак, что Дана действительно умная девочка. Разговоры на уровне детского сада. Завидно! Чему завидовать-то? Тому, что он может вставать не так рано, как я? Тьфу! Противно, ей-богу.

— Я тоже у вас завтракаю, — возразил я, стараясь, чтобы мое разочарование в Дане оказалось не очень заметным. — Но это не выливается в блюдо с плюшками, которое приносят на мое рабочее место и с которого ты, Дана, постоянно таскаешь то, что тебе нельзя. Ничего другого я в виду не имею.

Девочка надулась и уткнулась в свою тарелку, на которой добросовестная Нина подала ей нечто скучное и не очень привлекательно выглядящее. Артем тихонько фыркнул и кивнул мне:

— Ладно, Паш, я все понял. Скажу Нине, чтобы приносила умеренную пайку, только для меня одного. На подносе ничего лишнего не останется.

— А я? — Дана подняла голову и возмущенно посмотрела на нас. — Я же тоже завтракаю вместе с Артемом, когда мы начинаем заниматься. Мне что, голодной ходить?

— А ты завтракай до начала занятий, в столовой, как положено, — отпарировал Артем.

— Но я не успеваю! Папа велел, чтобы мы с Павлом занимались с семи до девяти, а в девять начинаются наши уроки. Когда мне завтракать?

— Ну хорошо, оставим все как есть, — сдался я. — Нина подает вам завтрак, но не один на двоих, а два разных. И Дана ест только то, что разрешено, а насчет порции Артема надо ее предупредить. В общем, ребята, мне по барабану, как вы решите вопрос со своей утренней едой, но условие жесткое: после завтрака в комнате, где вы занимаетесь, никакой пищи оставаться не должно. Ни крошки. Ни корочки. Только вода. Имей в виду, Артем, если я узнаю, что ты тайком оставляешь сладкие куски и подкармливаешь Дану, я пожалуюсь Михаилу Олеговичу. Он платит мне зарплату, и немаленькую, чтобы я добился результата. Не думаю, что ему понравится, если выяснится, что он пускает бабки на ветер, потому что ты, видишь ли, жалеешь свою ученицу. Ну, усекли, каким может оказаться результат?

По натуре я не шантажист, но мое драчливое детство научило меня, что, если сразу по-хорошему договориться не удается, приходится прибегать к угрозам.

— Хорош пыхтеть, — Артем миролюбиво похлопал меня по плечу, — все всё поняли. Мы же все поняли, да, Дана?

Та молча кивнула, продолжая с кислой миной жевать свое диетическое варево. Но мне этого показалось мало, и я продолжил пытку.

— Сколько и чего Дана съела, пока вы занимались сегодня? — спросил я Артема.

Он пожал плечами: дескать, не считал и не смотрел. Я перевел взгляд на Дану.

— Ты все записала?

Снова молчаливый кивок.

— Ну и что ты там записала? Сколько пирожков и плюшек?

— Шесть, — выдавила она.

— И как ты считаешь, это нормально? — строгим голосом вопросил я, изображая крутого педагога.

— Ну... я сама не замечаю, как это получается... Я привыкла. Артем рассказывает, объясняет, а я...

— Все ясно, Васька слушает да ест, — сделал я печальный вывод. — Ты что, на слух науку воспринимаешь?

— А как еще? — Дана изумленно уставилась на меня. — На вкус ее воспринимать, что ли?

Нет, ничего, чувство юмора у нее есть, и реакция хорошая. Может, она и не так глупа, как мне показалось несколько минут назад. Просто она еще маленькая.

— Конспектировать надо, умники! Не слушать и жевать, а записывать за учителем.

В той школе, где я когда-то учился, нас заставляли вести конспекты по всем предметам и говорили, что навыки конспектирования нам потом очень пригодятся в институтах. Не знаю, может, кому и пригодились, я-то в институте не учился, провалился на первой попытке и загремел в армию, а после службы отправился завоевывать столицу. Однако же, судя по реакции Даны, в нынешних школах детей конспектировать не учили.

— А зачем записывать? — не поняла она. — У меня память хорошая, я все запоминаю, а потом по учебникам повторяю.

Артем оказался более сообразительным, он сразу просек мой гениальный замысел отвлечения девочки от привычки жевать вкусненькое.

— Павел прав, — он скроил серьезную мину, — нам с тобой пора начинать заниматься по-взрослому, как полагается.

Хорошо. На первую половину дня я себе плацдарм обеспечил. Теперь бы еще исхитриться как-нибудь устроить, чтобы Дана не перекусывала во время «самоподготовки». Ладно, подумаю, что можно сделать. Самое простое — поговорить с ее матерью, чтобы та запретила домработнице Нине давать девочке еду в неположенное время. Но мне отчего-то ужасно не хотелось втягивать Ларису Анатольевну в решение собственных педагогических задач. Не лежала у меня душа к этой холеной надменной бабенке. А давать указания Нине, как я уже успел понять, имела право только она. Ну и еще папаня, который нравился мне куда больше, чем его супружница. С ним, что ли, поговорить?

После обеда Дана ушла к себе «самоподготавливаться», а Артем предложил посидеть у него в комнате, посмотреть какой-то новый фильм. Я с удовольствием согласился.

Комната у него была точно такая же, как у меня, в том смысле, что такого же размера и с таким же количеством окон, но было видно, что Артем работает здесь давно. Кроме купленной хозяевами мебели, я увидел огромное количество личных вещей, книг, дисков, разбросанной повсюду одежды и прочих предметов, которые по мере необходимости приносятся из дома, но впоследствии не уносятся назад, а остаются на рабочем месте навсегда.

— Ты чего такой взвинченный? — спросил Артем, включая аппаратуру и вставляя диск.

Я удивился. С чего он решил? Вроде я нормально себя ощущаю.

— Да нет, я в порядке. Почему ты спросил?

— Вижу. — Он неопределенно хмыкнул. — На Дану набросился, аки коршун. Ты бы слышал, каким тоном ты с ней разговаривал! Девочка просто опешила. Тебя что, кто-то из здешних обидел? Не обращай внимания, они вообще такие... хамоватые. Я уже привык, а по первости тоже обижался.

— Да нет же, — горячо возразил я, — никто меня не обижал. Говорю же, я в порядке. Тебе показалось.

— Ладно, извини. Все, садись, будем смотреть.

Пока шли титры, я мысленно прокручивал этот странный разговор и вдруг понял, что Артем не ошибся. Я действительно взвинчен и зол. Сначала эти две курицы, бабка и Юлина мамаша, какая-то Олеговна, обсуждали при мне свои семейные дела, как будто я был вещью, предметом домашнего обихода, а потом еще эти обломные переживания по поводу слишком дорогих квартир в центре, на аренду которых мне не хватит денег, и грустное понимание того, что я не так уж богат, как думал вначале...

Но фильм начался и оказался настолько увлекательным, что про свои утренние огорчения я быстро забыл. После фильма мы еще немного потрепались ни о чем, и я стал проникаться к очкарику искренней симпатией.

— Слушай, откуда ты столько всего знаешь, что можешь преподавать практически все школьные дисциплины? — решился я задать вопрос, который терзал меня вот уже двое суток.

Терзания мои объяснялись тем, что я в принципе слыхал о существовании на этой земле энциклопедически образованных людей, но, во-первых, никогда их не видел собственными глазами, а во-вторых, был свято уверен, что они не от мира сего и это должно быть очень заметно. Например, они рассеянные, чудаковатые, имеют множество странных привычек и уж совершенно точно не обращают внимания на противоположный пол. Короче, они какие-то не такие. Артем же был «совершенно такой», разговаривал нормально, никаких чудачеств не демонстрировал и, если не врет, конечно, вполне исправно выполнял сексуальную функцию (я имею в виду очаровашку Юленьку).

— Долго болел, — усмехнулся он. — Много времени было для чтения. Семья у нас была бедная, новые книги покупать не могли, приходилось обходиться тем, что есть. У меня прадед был большим ученым, собрал огромную библиотеку, но книги в ней были, сам понимаешь, не художественные. Прадеда репрессировали, он в лагере умер, а библиотека осталась, вот я ее всю и прошерстил, да не по одному разу. Как научился в четыре года читать, так и читал всю жизнь.

— Ты что, правда болел? — участливо спросил я. — Или так, для красного словца ляпнул?

— Правда. У меня с иммунитетом какие-то проблемы были, еще с рождения, два-три дня в школу похожу — потом три недели болею.

— А сейчас?

— Ну, сейчас совсем другое дело, сейчас иммуномодуляторов навалом, медицина семимильными шагами развивается, так что я уже лет пять проблем не знаю.

— Артем, а зачем тебе эта работа? — бестактно задал я следующий вопрос, который тоже меня волновал.

— А тебе?

— Ну, со мной все понятно, мне надо просто пересидеть период восстановления и как-то зарабатывать. А ты-то зачем за это взялся?

— А куда мне деваться? — Он развел руками и обезоруживающе улыбнулся. — Кому сегодня нужны такие, как я? Образованные не нужны, нужны хваткие и оборотистые, такие, которые могут делать бизнес. А я не могу. У меня мозги не так устроены.

Этого я не понял, но уточнять не стал. Я так считаю, что если мозги есть — то они есть и могут все, хоть наукой заниматься, хоть бизнесом. А у Артема они, несомненно, были.

Мне показалось, что сейчас самое время позадавать интересующие меня вопросы о семье Руденко, это выглядело бы вполне уместным, но Артем посмотрел на часы и куда-то заторопился. Я мысленно выругал себя за бездарно растраченное время: вместо того чтобы боевик смотреть, мог бы затеять нужный разговор и уже сейчас знал бы все то, что должен вечером доложить Нане Ким. А теперь придется затевать беседы с Даной во время массажа, как советовала Нана. Как же их затевать, эти беседы, если я ухитрился во время обеда испортить девчонке настроение и она теперь на меня дуется? И я выругал себя еще раз.

До вечернего сеанса похудения я еще поторчал в сети, обдумывая варианты нового жилья, и даже успел немножко пострелять в любимой войнушке. Стрелял я в наушниках, выключив динамики, чтобы треск выстрелов не проникал за пределы комнаты, и так увлекся, что чуть было не пропустил время начала занятий. Выключая компьютер, я почувствовал, что проголодался, но на ужин времени уже не оставалось, пора было идти в «тренажерку».

Мои опасения насчет Даны не оправдались, и вместо надутой кислой рожицы я увидел спокойное и даже почему-то улыбающееся личико девочки.

— Как настроение? — бодро спросил я.

— Отличное! — отрапортовала она.

И тут я задал совершенно дурацкий вопрос:

— Почему?

Как будто для хорошего настроения нужны причины! Для плохого да, они нужны, а хорошее настроение — вещь совершенно естественная.

— Папа похвалил нас и сказал, что мы молодцы.

— Почему? — тупо повторил я.

— Он посмотрел наши записи и мои дневники, ему понравилось.

Да, детка, немного же тебе надо, чтобы быть счастливой. Всего лишь папина похвала. Неужели и я в пятнадцать лет был таким? Что-то не припомню.

Мы снова подышали, потом поделали упражнения, потом я отпустил Дану в душ и приготовился к массажу, ширмочку расставил, полотенца постелил, все честь по чести. Приступив к массажу, я приступил и к расспросам.

— Дана, а кто такой Ванечка?

— Ванечка? — переспросила она. — Какой?

— Ну, твоя бабушка говорила, что собирается каждую неделю ездить на кладбище к дедушке и Ванечке.

— А, это ее младший сын, он умер совсем маленьким, лет десять ему было, что ли, или девять.

Еще не легче! Бабкин муж умер, как она сама заявила, десять лет назад, а когда же умер этот Ванечка? Тридцать лет назад, пятьдесят, сто?

— То есть это было очень давно, — осторожно уточнил я.

— Ну да.

— А отчего он умер? Несчастный случай?

— Нет, просто умер. Он был даун, а дауны долго не живут.

— И ты его совсем не помнишь?

— Да вы что! Когда Ванечка умер, папа с мамой даже еще знакомы не были.

Н-да, давненько дело было... Странновато выходит. Ну да ладно, разбираться — не мое дело, мое дело — собирать информацию, а разбираться с ней Нана будет.

— И вчера вся ваша семья ездила на кладбище, — утвердительно заявил я.

— Ну да.

— А Костик и его мама не ездили, они в цирк ходили.

— Ну да, — снова подтвердила Дана.

У нее что, проблемы со словарным запасом? Я стараюсь изо всех сил, выводя разговор на молодую мамочку с мальчиком, а кроме «ну да», ничего в ответ не получаю.

— Что же они на кладбище не поехали?

— Так они Ванечку не знали и дедушку не знали. Они вообще не из нашей семьи.

— А из чьей же?

— Ну, тетя Лена — мамина дальняя родственница, совсем дальняя, просто так получилось, что она приехала в Москву и осталась совсем одна с ребенком, вот мама и взяла ее к нам жить. Вообще-то мама ее почти не помнит, они в разных городах жили и раньше даже не встречались, просто слышали друг о друге.

Вот это благотворительность! Иные люди и близких-то родственников к себе жить не берут, а тут вообще малознакомая дальняя родня. Может, зря я пытаюсь катить бочку на Ларису Анатольевну, и не такая уж она надменная, как мне кажется, а очень даже добрая и сострадательная тетечка. Нет, ни хрена я в людях не разбираюсь!

— Значит, тетя Лена не замужем? — продолжил я допрос.

— Я же говорю — нет.

Ну, положим, ничего такого Дана не сказала, она говорила только, что Лена осталась одна с ребенком, так это когда было? Может, пару месяцев назад, а может, и все пять лет прошло, за это время много чего могло произойти.

— А где отец Костика?

— Да понятия не имею! Какая мне разница?

— И давно тетя Лена у вас живет?

— Давно. Она еще беременная была, когда к нам приехала.

Вот теперь мне все стало понятно. Беременная была... Ах ты ж елки-палки! То есть старорежимные родители из маленького добропорядочного городка выгнали из дома бесстыжую дочь, пригулявшую ребеночка невесть от кого, и она кинулась за помощью к Ларисе Анатольевне. Мое воображение тут же дорисовало картину вполне житейскими деталями: отцом ребенка был некий москвич, оказавшийся в том городке проездом или по делам, соблазнил красивую девушку, наобещал ей кучу всего, оставил свой телефончик (адресок? Нет, вряд ли, скорее только номер телефона, причем мобильного, который легко сменить и скрыться) и отбыл. Когда последствия неосмотрительного поведения обнаружились и строгие родители отказали дочери-блуднице от крова и пищи, та ринулась в Москву искать возлюбленного, а того и след простыл, то есть номер телефона оказался недействующим. Глубоко беременная девушка Лена стала звонить всем родственникам подряд, прося помощи или хотя бы совета, и кто-то ей подсказал, что в Москве давно уже счастливо и богато живет Лариса, дочка дяди Толи, сына дедушки Богдана. Вот так все и вышло. Теперь все срослось.

Я похвалил себя за хорошую память и внимание к деталям. Ведь сам Михаил Олегович мне при первой встрече сказал, что его жена родом с Украины и что дочь она назвала Богданой в честь деда. А что? Может, я и не совсем потерян для сыщицкого дела? Во всяком случае, в этот момент я чувствовал себя Эркюлем Пуаро, никак не меньше.

Успех меня окрылил, и я решил пойти чуть дальше намеченного плана.

— Дана, ты, наверное, любишь поэзию?

— Я? — Она даже приподнялась, опершись на локти, и уставилась на меня в немом изумлении. — С чего это?

— А что, разве не любишь?

— Да ну, полный отстой.

— Странно, — лицемерно заявил я.

— А чего странного? Кто ее сейчас любит? Стихи — это прошлый век, несовременно.

Согласен. Но согласен в принципе. А папаня-то как же? Спонсирует издание поэтических сборников. Почему?

— Наверное, твой папа очень огорчается, что ты равнодушна к поэзии, — закинул я пробный камень.

— Да вы что! У нас в семье никто этим не увлекается. Нет, я, конечно, читаю то, что нужно по литературе, даже наизусть учу, потому что на экзамене спросят. Но муть страшная! Как только экзамен сдам, сразу все забуду. А вы что, стихи любите?

— Нет, — честно признался я. — А вот твой отец, как мне кажется, их любит, просто ты об этом не знаешь.

— Да нет же! Ну с чего вы взяли-то?

— А как же поэтические сборники, которые издаются на его деньги? Твой папа занимается благотворительностью, дает деньги на издание молодых поэтов. Разве ты не знаешь?

— Ах, это... Знаю, конечно. Но это так, блажь. Богатые люди обязательно должны заниматься какой-нибудь благотворительностью, это модно. Какая разница, на что выбрасывать деньги, на больницы или на стихи? Так уж лучше на стихи.

— Почему это? — пришла моя очередь удивляться.

— Потому что если дать деньги больнице или детскому дому, их все равно украдут. Все воруют. Ни больным, ни детям ничего не достанется. И проверить нельзя, такие документы покажут, что вроде все выйдет по-честному. А книжка — она и есть книжка, ее можно потрогать, она в магазине продается, и калькуляцию на издательские расходы проверить легче, чем на лекарства. Даже если и обманут, книжка-то все равно есть, и поэт доволен, и те, кто эту муру читает. То есть хоть кому-то какая-то реальная польза выходит.

Я ушам своим не поверил. И это говорит пятнадцатилетняя девочка!

— Ты в этом так хорошо разбираешься?

— Нет, это папа так объяснял.

Да, все бы хорошо было в этих объяснениях, если бы Нана Ким не сказала мне, что Михаил Руденко свою благотворительность не афиширует и имя его в выходных данных поэтических сборников ни в каком виде не фигурирует. Модно! Модно — это когда все знают о твоей благотворительной деятельности. А когда не знают — это что? Милое чудачество миллионера? Но на милого чудака папаня был похож примерно так же, как я — на золотую рыбку.

Закончив свой рабочий день и изнывая от голода, я решил закатиться в какой-нибудь клуб поужинать, потусоваться, повидаться со знакомыми, с которыми не встречался уже очень давно. После больницы я в целях экономии резко оскудевших средств нигде не бывал, отсиживался дома и занимался поисками работы. Теперь, получив аванс, я мог себе позволить хороший ресторан в хорошем клубе. Правда, на мне висел «доклад»

Нане, но я вырубил телефон, подумав, что никакой офигительной срочности в ее деле нет. Перебьется, подождет до завтра.

Деньги жгли карман, и мне не терпелось вернуться в ту красивую веселую жизнь, из которой меня так безжалостно вырвал сначала обдолбанный водитель, врезавшийся на перекрестке в мою машину, потом моя возлюбленная, лишившая меня возможности экономить на оплате дорогого московского жилья. Я направился в клуб, который мне очень нравился в тот последний период до аварии, когда я еще был здоров, популярен и при деньгах.

Очень быстро выяснилось, что я совершил очередную ошибку. Точнее сказать, я снова наступил на те же грабли, на которые наступал всю жизнь, пребывая в уверенности, что «так будет всегда» и ничего не изменится. Все, как оказалось, меняется, и очень даже быстро. Клуб оказался закрыт, причем не временно, на сегодняшний вечер, а прочно и навсегда. То есть пал смертью храбрых в борьбе то ли с конкурентами, то ли с правоохранительной системой, то ли с налоговиками.

Ну, клубов в Москве много, и минут через двадцать я уже парковался перед другим, с которым у меня были связаны не менее симпатичные воспоминания. Но и здесь перемены меня огорчили: ни одного знакомого лица. Как-то за полгода я успел подзабыть, что мода на тусовочные места возникает быстро и так же быстро исчезает. Заведение перестает быть, как принято выражаться, пафосным, и постоянная туса перемещается в новую модную точку. И почему я не потрудился хотя бы созвониться со своими приятелями, чтобы выяснить, где они собираются проводить сегодняшний вечер? Ответ у меня был, даже два ответа. Во-первых, почти все они за полгода сменили номера телефонов. В этой среде смена телефонного номера — штука не просто обычная, а даже практически еженедельная. Ну, народ такой. Сегодня ему кажется, что ты ему нужен и интересен, и он готов пить с тобой до утра и до следующего вечера, обменивается телефонами и строит планы проворачивания совместных крутых дел, а через три дня понимает, что никаких дел с тобой иметь не хочет (или не может), и ты ему вовсе не нужен, и вообще он тебе должен энную сумму, которую не с чего будет отдавать, и проще всего сменить номер и слинять по-тихому в другое место. Такие случайные ненужные знакомства возникают пачками, по десять штук на дню, и к концу недели необходимость в смене номера становится чрезвычайно острой. Так что искать старых приятелей по телефону спустя полгода — затея совершенно дурацкая. Только несколько человек из числа моих московских знакомых отличались здоровой избирательностью в контактах и вытекающей отсюда нормальной стабильностью, но это были совсем не те люди, с которыми я мог бы сегодня поужинать. Что я мог сказать владельцу подпольного тотализатора, если сам не выступаю? Или зачем я, хромой и ограниченный в движениях, нужен хозяину клуба, в котором проводятся закрытые платные бои? Нет, им я пока на фиг не нужен, а мне, в свою очередь, нужен был легкий треп в приятной непринужденной обстановке и перспектива будоражащего знакомства с какой-нибудь очаровашкой. Не подумайте, что я такой вот легковесный и все мои знакомые — сплошь порхающие мотыльки. У меня есть два друга, близких, задушевных. Честнее сказать — были. То есть до какого-то момента я был уверен, что они есть, но, увы, оказалось, что не есть, а были. В течение первых двух месяцев они исправно навещали меня в больнице, потом их визиты стали все реже, а после прекратились совсем. Эти ребята — такие же спортсмены-бойцы, как я, мы все были, как говорится, «в одной конюшне», но жизнь, как я теперь понял, есть жизнь, и она продолжается для всех, даже если для тебя она по каким-то причинам остановилась. Одним словом, как ни печально, но на сегодняшний день близких друзей в Москве у меня не оказалось. Придет время — и я обзаведусь новыми, а пока буду искать просто приятелей для веселой тусовки.

Не обнаружив никого из них во втором клубе, я собрался было уже поехать куда-нибудь еще, но вдруг понял, что смертельно хочу есть и если немедленно не сяду за стол, то просто-напросто склею ласты. Пришлось остаться. Правда, еще теплилась надежда на знакомство с милой девушкой, но настроение у меня быстро испортилось, и я, поглощая свой ужин, даже забывал поглядывать по сторонам в поисках подходящих кандидатур. Да, клуб перестал быть модным, и это было очень заметно. Публика совсем не та, и кухня стала хуже, и официанты разболтаннее, и даже те девушки, которых я все-таки успел углядеть, имели вид дешевых, подсевших на наркотики потаскушек. Все не то, все не так... Черт знает что! Бездарно убитый вечер, бездарно потраченные бабки. За эти деньги я мог бы неделю шикарно жрать у себя дома продукты из ближайшего супермаркета.

Вконец расстроенный, я вернулся домой около часа ночи, со злостью думая о том, что спать мне осталось всего пять часов. Неужели моя новая работа никак не согласуется с привычной и милой мне развеселой тусовочной жизнью? Нет, с этим я никогда не смирюсь. Я что-нибудь придумаю, как-нибудь подстроюсь. Я не сдамся! Москва, ночная жизнь, красивые девушки, дорогие шмотки и дорогие напитки — ради этого я задницу рвал, к этому стремился, я все это имел и не собираюсь с этим расставаться.

Засыпая, я снова вспомнил утренний разговор бабки Анны Алексеевны с дочерью Олеговной, и утихнувшая было обида опять подняла голову. Нет, ну вы только подумайте! Что я им, вещь неодушевленная? Сволочи...

Отражение 1

АННА АЛЕКСЕЕВНА

Умница, Валечка, девочка моя! Как вовремя, как кстати она завела в столовой этот разговор про прием в Никольском! И — молодчинка моя! — как хорошо все повернула, попросила меня саму поговорить с Мишенькой. Валечка у меня такая простодушная, наивная, она, конечно же, даже не подумала, что делает правильно, просто сделала — и все, но так замечательно получилось! Пусть этот новенький тренер знает, кто в семье главный, кто здесь делает погоду. Главная — я. Я мать, я самая старшая, и Михаил прислушивается только ко мне, а уж никак не к Ларке. А то этот тренер совсем климата не чувствует. Надо же, завел со мной разговор о давлении и о погоде! Как будто я древняя старуха, выпавшая из жизни, и со мной нельзя разговаривать ни о чем серьезном. Нет бы посоветоваться со мной насчет Даночки, спросить мое мнение, попросить методической помощи, все-таки я в педагогике столько лет работала. Так нет, пожалуйста вам, давление! Никакого понимания у этих молодых. Погода... Вот теперь пусть знает, кто в доме погоду делает. Я, Анна Алексеевна Руденко. И больше никто.

Порадовала меня Валечка еще и тем, что выказала такую заботу о Мишеньке. Она права, он очень устает, ему обязательно нужно отдыхать и для бизнеса полезно ездить на такие приемы. Конечно, надо, чтобы он поехал. И если он не хочет ехать неполной семьей, ничего не будет плохого, если они с Ларой возьмут с собой Юлечку. Я так Мише и сказала. А он и не думал возражать, согласился сразу. Конечно, он всегда меня слушается, я и не сомневалась, что он согласится. Даже поблагодарил за хорошую идею. Ларке, конечно, не больно-то понравилось, но что она против меня может? Да ничего! Как я скажу, так и будет. И потом, что Лариса может иметь против Юлечки? Опять же ничего. Она к Юлечке хорошо относится, любит ее, и в Никольское на прием она наверняка мечтает поехать и расстраивается, что Миша отказывается от поездки, так что должна до потолка прыгать от радости, когда он согласился, просто ей неприятно, что такая хорошая мысль не ей в голову пришла, а мне, вот и весь вопрос. Ничего, пусть утрется, мать всегда для своего сына быстрее и лучше все придумает, чем жена, на то она и мать, все-таки родная кровь, да и жизненный опыт со счетов не скинешь.

Молодец, Валечка, молодец, доченька, хоть и не всегда ты меня радовала, но сегодня я с чистой совестью ставлю тебе пять с плюсом.

Отражение 2

ВАЛЕНТИНА

Как же легко управлять матерью! И всю жизнь было легко. Немного лести, немного вранья, немного самоуничижения — и готово дело. Конечно, насчет Мишки я все наврала, он такой толстокожий, что ему и в голову не придет обращать внимание, кто там что скажет, если он на семейный прием явится без дочери. Они с Лариской уже почти два года без нее всюду появляются — и ничего. Кому какое дело? И на прием в Никольское он собирался ехать, я сама слышала, как он по телефону кому-то говорил. Но мать ведь глупая и доверчивая, она у Мишки ничего перепроверять не будет, просто скажет ему, что если прием семейный и Дана не едет, то можно взять Юльку. Наверняка все сойдет. Всю жизнь сходило и теперь получится. Мать — дура доверчивая, хоть и проработала много лет на руководящей должности, ее обмануть — раз плюнуть, ей даже в голову не приходит, что ее дети могут ей врать. Ну как же, она ведь на пару с отцом так правильно нас воспитывала, растила из нас настоящих строителей коммунизма, да и они с папой такие были правильные, что просто мысль невозможно допустить: дети обманывают родителей. Другие дети — да, конечно, и других родителей, но только не мы и только не их с отцом. В общем, не знаю, как Мишка с Володькой, а я всю жизнь этим пользовалась и имела свою выгоду. Мать мне слепо верит, никогда меня не перепроверяла, что бы я ни несла.

Мне главное — Юльку пристроить, а там уж и я за ней как-нибудь вытянусь. Мишка, придурок, меня устраивать на работу в свою фирму отказывается, говорит, что у меня образование неподходящее, а в другие фирмы не возьмут — возраст. Женщине после сорока очень трудно найти новую работу с хорошей зарплатой, а с плохой зарплатой мне не надо. Если бы я была хотя бы экономистом или юристом — тогда да, тогда и в моем возрасте еще был бы шанс, а так... Кому в солидной фирме нужен воспитатель в дошкольном учреждении? Когда я школу окончила, мать была шишкой в своем гороно, вот и подобрала мне институт, куда я бы гарантированно поступила. И что мне теперь делать с таким образованием? Ладно, что обо мне говорить, моя жизнь кончилась, теперь главное — Юлечка. Ее надо хорошо пристроить, в богатую семью, тогда у нее будут деньги, а значит, будут они и у меня. Мишка, идиот, как будто не понимает ничего, содержит меня на всем готовом, но больше — ни копейки. Я же женщина, я, может, тоже хочу, как Ларка, в косметические салоны ходить, у дорогих парикмахеров прическу делать, массажистов посещать. Одеваться хочу красиво, в рестораны ходить. И все это у меня было. А теперь ничего нет, кроме положения жалкой приживалки.

А все Володька, сукин сын, подонок, негодяй, Мишке голову заморочил и матери тоже. И ведь не возразишь ничего. Да, было, завела любовника. Так что, мой муж святым был, что ли? Не изменял мне? Наверняка изменял, просто я его конкретно не поймала ни разу. Но я такой задачи и не ставила. Я ему доверяла. А потом... ну, в общем, я голову совсем потеряла и осторожность тоже. Моя семейка все узнала. Мать, конечно, в истерике: как это так, завести любовника, изменить мужу, это аморально, это ужасно. Пришлось сказать, что это Любовь. Такая, настоящая, с большой буквы, какая только раз в жизни бывает. Вот Любовь — и все тут. Володька, конечно, головой покачал и говорит: ну, раз такая Любовь невозможная, тогда простительно, тогда, Валентина, собирай вещи, уходи от мужа и соединяйся со своей Любовью. Мать поддакивает. Про настоящую Любовь она почему-то понимает, а про безумный секс, от которого голова мутится, — нет. Да это и понятно. Куда ей про секс понимать? Старуха. Всю жизнь с нашим отцом прожила, четверых детей родила и искренне полагает, что постель предназначена исключительно для детопроизводства, а никак не для радости. А я с этим мужиком жить вообще не собиралась. Что он? Голь перекатная, ни кола ни двора, только роскошное тело, буйный темперамент и отточенная техника. Он-то как раз хотел с меня поиметь, все-таки муж у меня был состоятельный. Да я бы этого жиголо озолотила, и никто бы ничего не узнал, и трахалась бы я с ним, пока не надоест.

А Володька, гаденыш, со своей идейной правильностью всех накручивает: раз Валечка наша мужа по собственной воле разлюбила, раз уж случилась с ней такая Большая Любовь, то пусть уходит, в чем пришла, не судится с ним и имущества не делит, потому как он ни в чем перед ней не провинился, а совсем даже наоборот, она перед мужем страшно виновата и должна эту вину искупить своим бескорыстием. И опять мать поддакивает. Володька у нее — свет в окошке, самый любимый из всех нас. Я говорю: если не судиться, если ничего не делить, то где я жить буду? И на что? На какие деньги? И снова Володька выступил: у тебя, говорит, родная семья есть и твой родной брат Михаил — богатый человек, квартира у него огромная, целый этаж, неужели же он тебя на улице оставит? И опять мать головой кивает и во всем соглашается. Конечно, говорит, будешь жить у Мишеньки, будем жить все вместе, большой семьей. А Мишке-то и деваться некуда, разве он против матери попрет? И против Володьки-святоши?

Я уж и забыла, когда в последний раз работала. Сначала все ничего было, потом встал вопрос о деньгах, Володька говорит: иди работать, чего ты дома сидишь? И занятие будет, и деньги. Только разве это деньги? Смешно! Это ему, Володьке, государственная зарплата может деньгами казаться, он привык так жить, никогда по-другому и не жил, но я-то жила! Мне такая зарплата — один раз в магазин сходить. Стала на Мишку наседать, мол, устрой меня к себе в фирму на хорошую зарплату или к кому-нибудь из своих друзей, и снова Володька, сволочуга, влез: ты что, говорит, Валюша, в какое положение ты брата ставишь, ты же не специалист, ты вынуждаешь его просить других людей об одолжении, которое им поперек горла потом встанет, потому что — признайся себе честно — от тебя в этих фирмах толку никакого не будет. И к себе он тебя взять не может, потому что он — генеральный директор, он обязан беречь свою репутацию в глазах подчиненных, а какая же может быть репутация, если вся фирма будет говорить, что директор пристроил свою сестру на денежную должность, на которой эта самая сестра ничего толкового не делает. Некрасиво выйдет. И снова мать соглашается. И Мишка соглашается.

И в результате я сижу дома, живу и ем бесплатно и больше ничего не имею. Попросить у Мишки денег язык не поворачивается, ведь я же действительно не работаю, хотя могла бы, пусть и на копеечной зарплате. Могла бы, чего уж там.

Но не хочу. И не буду. Лучше я Юлечку пристрою как следует, уж она-то мне всегда денег даст.

А чтобы пристроить Юлечку, надо ее вывозить, чтобы она могла знакомиться. Сначала прием в Никольском, там очень перспективные молодые люди приедут со своими родителями. Потом еще что-нибудь. Главное — начать. Главное — сделать первый шаг, чтобы Мишка с Ларой поняли, что если Дана с ними не ездит, то может ездить моя Юля. А там уж все завертится.

Нет, решительно день сегодня задался. Надо по этому поводу принять чуть-чуть.

Отражение 3

ЮЛЯ

Ну вот, дело почти сделано. Я правильно построила разговор с мамой, прикинулась овцой, поныла, даже всплакнула немножко — и она тут же ринулась в бой, настропалила бабку, чтобы та поговорила с дядей Мишей. К вечеру вопрос был решен: я еду с ним и тетей Ларой на прием по случаю открытия загородного клуба в Никольском. Йесс!!!

До приема еще две недели, и надо успеть провернуть одно дельце: дядя Миша должен понять, что мне не в чем ехать, и повезти меня по магазинам, чтобы я приоделась. Нет, мне в самом деле ехать не в чем, тряпки у меня барахляные, дешевка, хоть и модненькие, но не фирма. Дядя Миша меня одевает по своему разумению, то есть мне есть в чем ходить в институт, и зимой я не мерзну, но одежду он мне покупает в самых затрапезных местах. А обставляет все так, как будто везет меня по меньшей мере лично к Кензо или Живанши: Юлька, собирайся, завтра с утра едем тебя одевать! Можно подумать... Купит на три копейки, а понтов — на миллион долларов. Нет, с поездкой в Никольское такое дело не проканает. Нужно только решить, кто будет пробивать тему: мне самой заняться или снова маму на таран запускать. Вообще-то у матери неплохо получилось, но где гарантия, что и во второй раз все получится? Тупая неудачница, на нее надежды никакой, все дело провалить может. Думает, я не знаю, что она втихаря, когда никто не видит, залезает в столовой в барный шкаф и гасит горючку. Да даже если бы я и не видела, у меня обоняние — как у собаки, я бы все равно учуяла. Она уже совсем допилась, в сорок один год выглядит на все пятьдесят, морда вся жеваная, глаза вечно красные. Странно, что никто больше пока не заметил. Слепые тут все, что ли? А на пьющих людей полагаться нельзя. Придется брать дело в свои руки.

А если Данку использовать? А что, это плодотворная мысль. Подать все так, что она сама и виновата. Дескать, если бы она не была такой толстой бегемотихой и не боялась выходить из дома, то сама и поехала бы на этот чертов прием, а теперь мне вместо нее отдуваться, а мне и не хочется совсем, у меня вообще на этот день другие планы, куда более важные. Данка скушает и не подавится, она мне в рот смотрит и всему верит, как же, я все-таки старшая сестра. Точно! Надо ей сцену закатить, что мне придется ехать, а надеть нечего, и буду я в этом Никольском позориться и родителей ее позорить своим нищенским одеянием, а все из-за нее, по ее вине.

Матерью управлять легко, а Данкой — еще легче, потому что она моложе и глупее. Вообще людьми управлять несложно и интересно, дергаешь за ниточки и смотришь, как они мечутся туда-сюда, туда-сюда. Думают, что по своей воле, а на самом деле — по твоей. Даже Артем — уж на что умный, а я вон сколько времени из него веревки вью, делаю вид, что отвечаю на его страстное чувство, и он всему верит. Дурачок, хоть и знает много. И Павла к рукам приберу, никуда он не денется, у него вообще полторы извилины, как у всех спортсменов. Потом Павел с Артемом из-за меня перегрызутся, Данка впадет в истерику, дядя Миша их обоих уволит, я буду наблюдать спектакль из директорской ложи. А потом дядя Миша найдет нового учителя для Данки и нового тренера, и все начнется сначала. Даже если он учтет прошлые ошибки и наймет двух теток, я все равно найду способ их перессорить. Нет, ребята, если с умом подойти к проблеме, то даже в этой тухлой семейке я не заскучаю.

ГЛАВА 3

ПАВЕЛ

Я давно заметил такую особенность: первые два-три дня в новой обстановке тянутся долго-долго, и замечаешь каждую деталь, и уже не забываешь ее, а потом все дни сливаются в одну серую массу, и спустя некоторое время даже невозможно вспомнить, что было раньше, что — позже и вообще что было, а чего не было. Вспоминая по просьбе следователя Галины Сергеевны свою работу в семье Руденко, я понял, что отчетливо помню только первые дни, а дальше все смешалось. Я приезжал, как положено, к семи утра, занимался с Даной, потом пытался решить проблему жилья, потом снова занимался... Все было однообразно, и я быстро заскучал.

Впечатляющих результатов мне добиться кавалеристским наскоком не удалось, Дана сбрасывала вес медленно, по 100—200 граммов, да и то не каждые сутки, но все равно это был показатель, который я использовал на полную мощность, чтобы замотивировать девочку не нарушать режим питания. И мне это удалось. Она совсем перестала перекусывать булочками, бутербродами и конфетами и послушно ела то, что ей было можно.

Следующим ярким впечатлением (после первых дней), которое мне запомнилось, было знакомство с младшим братом папани, Владимиром Олеговичем. Состоялось оно через две недели после начала моей работы, как раз в тот день, когда папаня с супругой и Юлей уехали на какой-то тусняк.

— Вот с этого места давай подробно, — потребовала Галина Сергеевна. — Все, что вспомнишь, каждую детальку. Кстати, я не поняла: он что, за две недели ни разу семью брата не навестил? Они же живут на одной улице, в соседних домах.

— Да нет, он приходил за те две недели раз пять, но я с ним не встречался.

— Как же это? — удивилась Галина Сергеевна.

— Да вот как-то так выходило...

— Откуда же ты знаешь, что он приходил? — Она подозрительно прищурилась.

— Дана говорила. Несколько раз бывало, что мы занимаемся вечером, и вдруг она так голову наклоняла, прислушивалась и говорила: «Володя пришел». И лицо у нее сразу становилось такое, знаете, радостное, как у ребенка, когда ему говорят, что Дед Мороз пришел и принес мешок подарков. Я тоже прислушивался, но слышал только шаги по коридору, и то еле-еле, и глухие голоса. В этой квартире звукоизоляция обалденная, наверное, ее специально делали, чтобы никто никого не слышал. А Дана своего дядю чуяла, как животное. Она родителей своих так не чуяла, как его.

Галина Сергеевна приподняла брови над оправой очков.

— Что, какие-то особые отношения?

— Наверное... Я пытался разобраться, но не сумел.

— Давай-ка все по порядку и максимально подробно, — потребовала следователь и уселась поудобнее в предвкушении длинного рассказа.

* * *

Это была суббота. Я это отчетливо помню. В два часа дня папаня с женой и племянницей отбыли на какое-то мероприятие в новый загородный клуб, и это обстоятельство направило мои дурацкие мысли в совершенно понятном направлении. Я снова начал горестно переживать о своей прошлой клубно-тусовочной жизни и прикидывать, когда же мне удастся к ней вернуться. На тот момент еще не удалось. И я подумал, что на месте Даны мне было бы смертельно обидно остаться дома. Почему вместо нее поехала Юля? Нет, мне-то было понятно почему, но я был уверен, что Дана по этому поводу страшно переживает и расстраивается. Она действительно была в тот день какой-то притихшей, хотя и в остальное время от нее шума было не больше, чем от котенка.

Во время утренних занятий мне показалось, что ей становится скучновато выполнять одни и те же несложные в общем-то упражнения. Взрослый человек понимал бы, что пока еще рано двигаться дальше и увеличивать нагрузку, и терпеливо выполнял бы все задания, но Дана еще ребенок, а дети, как я уверен, совсем не умеют заниматься скучной рутиной. И, видя ее унылое лицо, я решил, что пора перейти к танцам. Я ведь уже говорил, что при всей грузности и неповоротливости у Даны была потрясающая пластика, и это можно было здорово использовать. Что же касается танцев, то мой первый тренер, тот самый, который отсидел за обучение карате, был женат на бывшей балерине, преподававшей в нашем городке бальные танцы. Желающих было мало, и времени свободного у нее оставалось навалом, а работать хотелось, она совершенно не умела сидеть без дела. И вот эта чудесная хрупкая женщина предложила родителям, приводящим деток на тренировки к ее мужу, не тратить время впустую, а заниматься танцами, пока их чада осваивают азы бойцовского искусства. Разумеется, бесплатно. Ну а на халяву, как известно, русскому человеку и уксус сладким покажется. Поэтому, пока в одном зале занимались юные каратисты, в соседнем выплясывали их родители. А мы, то есть те, кто приходил на следующую по времени тренировку, имели возможность наблюдать эту картину через распахнутую настежь дверь. Я был уже достаточно большим мальчиком, чтобы приходить в спортшколу без мамы с папой, но все еще недостаточно взрослым, чтобы удержаться от обезьянничанья. То, что происходило в танцклассе, казалось мне жутко интересным, и хотя, стоя в компании товарищей, я ухмылялся и гнусно комментировал увиденное, стараясь казаться взрослым и циничным, дома я тайком повторял подсмотренные движения и тихонько радовался сам себе, когда из бессмысленного, как мне казалось, набора шагов и жестов вдруг прорисовывалась знакомая картинка, виденная в каком-нибудь фильме. Само собой, вальс меня совершенно не вдохновил, он мне почему-то казался пошлым, а вот танго пробудило во мне интерес, и я стал специально приходить на тренировки пораньше, практически к самому началу занятий предыдущей группы, и наблюдал за уроком танцев. А потом, после своей тренировки, еще задерживался и смотрел, как занимается следующая партия родителей. В итоге этим замечательным и довольно сложным танцем я овладел достаточно прилично, а через какое-то время, набравшись наглости, подошел к жене своего тренера и попросил, чтобы она со мной станцевала и поправила ошибки. Что она и сделала с большим удовольствием. Более того, похвалила меня и попросила в следующий раз не стоять за дверью, а войти в зал, чтобы она могла вместе со мной исполнить для занимающихся показательный танец. Ученики должны наглядно видеть, что должно получиться в результате. Я был до невозможности горд собственными достижениями: ведь я освоил танец сам, без преподавателя, просто наблюдая со стороны. И вот теперь я собирался применить свои уворованные знания в занятиях с Даной. Во-первых, мне уже было скучно и хотелось разнообразия. Во-вторых, скучно было самой Дане, хотя она и молчала, но я-то видел. И в-третьих, мне было ее отчаянно жалко из-за того, что вместо нее на тусняк в Никольское поехала Юля, и мне искренне хотелось сделать что-нибудь, что исправило бы ее настроение. А что может лучше и быстрее исправить настроение пятнадцатилетней девочки, чем танцы? Мне казалось, что лучшего лекарства не придумать.

— Достаточно, — скомандовал я, доставая тонометр. — Иди сюда, будем давление измерять.

— Как, уже? Мы же совсем мало позанимались.

— А мы и не заканчиваем. Сейчас давление измерим и продолжим.

Давление и пульс меня порадовали: девочка уверенно набирала форму. Еще немного — и можно будет переходить к более сложным вещам.

— Ты танцевать любишь? — спросил я.

— Нет, — тут же ответила Дана и отвела глаза.

Ну и дурак же я! Вот учила меня мама, учила — и все без толку. Надо срочно выходить из положения.

— Это потому, что ты не те танцы танцевала, — беззаботно заявил я, демонстрируя полную уверенность в том, что с танцами у толстой девочки никогда проблем и не было. — Тебе надо танцевать не всякую глупость, а танго.

— Почему?

— Потому что ты не похожа на других. Ты необыкновенная. И те танцы, которые сегодня танцуют все, тебе не подходят.

— Потому что я толстая? — Она подняла голову и с вызовом посмотрела мне прямо в глаза.

Вот это уже что-то новенькое. Такие речи и такие взгляды... Раньше этого не было.

— Да нет же, — рассмеялся я, — потому что ты очень пластичная. Просто на редкость. То, что танцуют сегодня твои друзья, — это жуткий примитив, с которым справится даже слабо дрессированная лягушка. Это уже не твой уровень. Твой уровень — аргентинское танго, никак не меньше. Для танго нужны особые данные, которые у тебя есть, а у других нет.

Я гнал порожняк на полной скорости, но поезд, к счастью, с рельсов не сошел.

— И вы можете меня научить? — В ее голосе я услышал заинтересованность.

— Запросто.

— Да нет, — она снова впала в уныние, — у меня не получится. Это очень сложно.

— Получится. Надо только запастись терпением. Конечно, сразу ты не станцуешь, но в конце концов все получится.

— Да мне и не с кем... — пробормотала она вполголоса.

— Со мной. Будешь танцевать со мной.

— Но вы же не можете. — Она выразительно посмотрела на мою палку, прислоненную к косяку двери.

— Да ерунда это все! — я махнул рукой. — Нога быстро восстанавливается, и пока ты будешь осваивать основные движения, она уже окончательно заживет. Вот мы с тобой и будем танцевать каждый день. Правда, здорово?

Дана подумала немного и отрицательно покачала головой.

— Нет, Павел, у меня не выйдет. Я вообще никогда не танцевала.

— Так это даже лучше! Это значит, у тебя нет стереотипа привычных движений и тебе не надо будет переучиваться. Запомни: просто учиться куда легче, чем переучиваться.

— Правда?

Она посмотрела на меня с такой надеждой, что в голове невольно промелькнула мысль: если кто-нибудь попытается обидеть эту девочку, убью сразу и не задумываясь.

Первый урок прошел блестяще. Дана оказалась

способной ученицей, схватывала все на лету и быстро запоминала. Разумеется, это были самые-самые азы, которые и танцем-то назвать нельзя, выполняемые ею движения больше напоминали разминку, но они вносили хоть какое-то разнообразие. Всё веселее.

Во время своего законного перерыва я решил съездить посмотреть одну квартирку, вернее, смотреть ее я должен был только на следующий день в присутствии хозяина и риелтора, но мне хотелось обозреть дом в целом и микрорайон, чтобы получить представление, как там дело обстоит с транспортом и инфраструктурой. А то бывает, что квартира в целом хорошая, а жить в том районе невозможно: ни на чем не доберешься, до метро идти минут двадцать неосвещенными грязными улочками (а если с машиной что-нибудь случится? Угоны, аварии, да мало ли что. Мне с моими незажившими травмами сейчас только не хватает для полного счастья драки с пьяной шпаной), магазинов толковых нет, прачечной и химчистки тоже, короче — тихий ужас. Вот я и решил проскочить по адресу и предварительно осмотреться.

Я вышел из дома и уже садился в машину, когда меня окликнули. Повертев головой, я увидел того участкового, который проверял у меня документы. Капитана Дорошина.

— А ты чего, и по субботам работаешь? — удивился я, пожимая его руку.

Вот поэтому я точно помню, что в тот день была именно суббота.

— Иногда, — неопределенно ответил он. — Михаил Олегович дома?

— Нет.

— А жена его?

— Тоже нет. Они за город уехали. А что? Случилось что-нибудь?

— Да в общем... Ладно, я тебе скажу, а ты им передай. Понимаешь, какое дело, ты только правильно к этому отнесись...

— Правильно — это как? — насторожился я.

— Не впадай в панику и никого не пугай. Просто предупреди, чтобы все проявляли разумную осторожность. У нас тут маньяк объявился.

— Кто?!

— Да маньяк, маньяк, — негромко повторил Дорошин, как будто речь шла не о шизанутом убийце, а о безобидном клептомане, тырящем все, что подворачивается под руку. — Уже две жертвы, молодые девушки. Понимаешь, он странный какой-то, зациклился на этом районе. Один труп — на соседнем участке, второй — на моем. То ли он кого-то ищет, кто здесь неподалеку живет, и по ошибке убивает не тех, то ли он живет здесь и не может надолго отлучаться или далеко уходить, то ли у него с этим районом что-то связано. Кто их поймет, психов этих, у них же мозги набекрень. Но ясно одно: шакалит он на близлежащих улицах. Вот я и вышел сегодня на работу, обхожу квартиры, присматриваюсь, может, кто подозрительным покажется. Ну и людей предупреждаю, чтобы были осторожнее, чтобы молодых девчонок одних вечером не отпускали. Ты своим передай, ладно? У вас же двое проживают, если я не путаю, хозяйская дочка и племянница. Нет, еще какая-то родственница зарегистрирована, но она постарше.

Ну и память у этого участкового! Мне бы такую.

— Ты что, всех наизусть помнишь, кто где живет? — не поверил я.

— Да ну ты что! — весело рассмеялся он. — Просто, раз такое дело, я все свои записи поднял и посмотрел, где у меня молодые девочки проживают, чтобы обойти квартиры и предупредить. Но про семью Руденко я, честно признаться, и без записей все помню. Я ж тебе объяснял, как мы с ними знакомились. Так что они мне практически как родные.

— Ладно, спасибо, что предупредил, я все передам, — пообещал я.

— Только аккуратно, — снова попросил он. — Паники не нужно, нужна здоровая осмотрительность.

Я вспомнил, что в первую нашу встречу этот участковый был почему-то грустным, и решил было, что он вообще такой, по жизни. Но сегодня он казался совершенно нормальным, даже смеялся, хотя сам сказал, что у него труп на участке. Чего смешного?

— Слушай, — спросил я, — а почему ты в тот раз был такой грустный? Неприятности?

— В тот раз? — Он нахмурился, потом, что-то вспомнив, улыбнулся. И снова стал грустным. Наверное, вспомнил что-то неприятное.

И что у меня за день такой сегодня? Что ни спрошу — все не в кассу.

— Я котенка отдавал, — сообщил он.

Ни фига не понял. Какого котенка? Кому отдавал? И зачем? И почему из-за этого надо грустить? Радоваться надо, что пристроил уже наконец.

— У меня кошка котят принесла. Пятерых. Четверых я через два месяца отдал, на них очередь стояла, а пятого хотел себе оставить, имя ему подобрал, домик купил, специальный такой, кошачий, чтобы у него было свое место. Понимаешь?

— Нет, — признался я.

— Ну, про четверых я точно знал, что отдаю, поэтому растил их, но душой не прикипал. А к пятому прикипел. Такой он был... В общем, словами не передать. И пришлось отдать.

— Почему? Оставил бы, раз он так тебе нравился.

— Кот его не принял. Шипел, бил, в угол загонял. У них так бывает. Один кот другого не принимает — и всё, кранты. Кого-то одного приходится отдавать, иначе жизни все равно не будет.

— Какой кот? Ты же сказал, у тебя кошка.

— Да у меня всякой твари по паре. — Он снова

улыбнулся. — Ладно, не бери в голову, это мои проблемы.

По дороге к дому, квартиру в котором мне предстояло на следующий день смотреть, я, по обыкновению, предавался игре воображения. Воображение, как я уже говорил, у меня буйное и красок не жалеет, и оно рисовало мне захватывающие дух картины, на которых мы вместе с участковым Дорошиным (а в некоторых вариантах — и я в одиночку) ловим маньяка-убийцу с поличным и спасаем от неминуемой смерти некую красавицу. Меня ждут восхищение, слава, почет и любовь спасенной красавицы, которая, разумеется, живет где-то неподалеку от Руденко, то есть от места моей работы, и живет одна, без мамы с папой и, конечно же, без всяких там мужей и бойфрендов. В общем, несложный ход моих мыслей вам должен быть понятен.

Район мне не понравился, каким-то он показался мне сомнительным, но, вероятно, именно поэтому и цена аренды была не запредельной, то есть я бы такую сумму потянул. Ладно, завтра посмотрю квартиру, может, она какая-то необыкновенная, огромная или с потрясающим ремонтом. Если же нет — то сразу и откажусь, буду еще искать, время пока терпит. Хотя если положить руку на сердце, то не очень-то оно и терпит, я ведь обещал освободить площадь в течение месяца, а две недели уже прошли.

Я хорошо помню эти свои размышления, поэтому так уверенно могу утверждать спустя два года, что тот день был именно субботой и именно через две недели после моего первого рабочего дня.

Во время вечерних занятий мне показалось, что Дана хочет не то сказать что-то, не то спросить, все время собирается с духом, но не решается. Я не великий психолог и уж тем более не великий педагог, поэтому не мог решить, как поступить правильнее: помочь ей наводящим вопросом или, наоборот, сделать вид, что ничего не замечаю, и дать девочке возможность самостоятельно набраться смелости. Дана, видимо, оказалась более решительной, и пока я разбирался со своими сомнениями, она успела разобраться со своими.

— Можно мы сегодня закончим пораньше? — спросила она, едва переводя дыхание во время упражнений с совсем легкими женскими гантельками.

— Почему? Ты устала? Плохо себя чувствуешь?

— Нет, со мной все в порядке. Просто я хотела пойти к Володе.

— Но ты и так можешь к нему пойти, — строго возразил я, заранее трепеща при мысли о том, какой разнос меня ждет от папани за преждевременное окончание тренировки. — Вот закончим — и пойдешь. Какие проблемы? Ты же всегда к нему ходишь после занятий. Или сегодня особый день?

— Пожалуйста, Павел...

Дана положила гантели на пол и умоляюще посмотрела на меня.

— Муза обещала принести интересную книгу, только на один вечер. А вдруг я не успею прочитать?

— Муза? — Я нахмурился. — Это кто?

— Это Володина жена. Ну пожалуйста, мне очень-очень нужно.

— Ну хорошо, а как же твой папа? Он меня убьет, если узнает.

— Но он же не узнает! Его же дома нет. И мамы нет.

«И Юли тоже нет, — подумал я. — Эта мормышка обязательно донесла бы. Но ее нет. Может, рискнуть?»

— Но дома бабушка. И Юлина мама тоже, и Нина. С ними как быть? Да, я еще забыл эту вашу родственницу, маму Костика.

— Ой, они ничего не заметят. Лены нет, она с Костиком гуляет, тетя Валя в это время телевизор смотрит и из своей комнаты не выходит, бабушка тоже, у нее сериал. И вообще, им безразлично.

— А Нина?

— Она папе ничего не скажет.

— Уверена?

— Сто пудов. Она никогда никому ничего не говорит. По-моему, она даже ничего не замечает. Ну Павел, ну пожалуйста! Вы же видите, какая у нас квартира: огромная, ничего не видно, ничего не слышно, никогда не знаешь, кто есть дома, а кого нет. А?

И я решился. Дана быстро приняла душ, я переоделся в своей комнате и собрался было уходить, как вдруг вспомнил недавний разговор с участковым. По территории микрорайона бродит какой-то маньяк, и молодым девушкам надо соблюдать осторожность. Конечно, брат Михаила Олеговича живет всего лишь в соседнем доме, но...

Я дождался в прихожей Дану, чтобы проводить ее. Потеря времени выйдет ерундовая, а все-таки спокойнее. Да и с дядей ее надо будет поговорить, чтобы не отпускал девочку одну, а довел до квартиры.

— Пошли, я тебя провожу, — сказал я, открывая дверь.

— Зачем? — Она вскинула на меня удивленные глаза. — Здесь совсем близко.

Я подумал, что не стану рассказывать ей о маньяке, участковый Дорошин ведь предупредил, что не следует насаждать панику. Я расскажу взрослым, а они уж пусть сами решают, кому, что и как сказать.

— Хочу наконец познакомиться с твоим дядей, — соврал я. — А то как-то неудобно получается, я у вас работаю, а с ним до сих пор не знаком. Он обычно приходит, когда мы с тобой занимаемся, потом я переодеваюсь и ухожу, а он это время с твоими родителями в гостиной общается или в столовой. Никак мы с ним не пересечемся.

Логики в моей сентенции не было ни малейшей, ибо в круг моих обязанностей никакие контакты с членами семьи не входили, но я брякнул первое, что пришло в голову, в надежде на то, что Дана не станет разбираться. А она и не стала. Умница. Просто молча кивнула и тяжело зашагала вниз по лестнице.

«Соседний» дом оказался через два дома, но все равно путь наш занял всего пару минут. Самый обыкновенный дом, девятиэтажка, ничего особенного. Войдя в подъезд, Дана остановилась у лифта и нажала кнопку вызова, но я твердо взял ее за плечо.

— Пешочком, пешочком.

— Но шестой же этаж! — возмутилась она.

— Ничего, тебе полезно. Это в счет недоработанной тренировки.

Она покорно вздохнула и начала карабкаться по лестнице. Именно карабкаться, иным словом этот вид передвижения назвать было нельзя: крепко держась на перила, Дана с трудом подтягивала на ступеньку свое безмерно тяжелое тело. Пожалуй, пора подключать степпер, пусть приучается. Я вообще-то планировал вводить этот тренажер к концу второго месяца, все-таки он дает приличную нагрузку на сердце, но теперь, глядя на девочку, изменил решение. Я даже не предполагал, насколько ослаблены у нее мышцы бедер и ягодиц. С этим надо срочно что-то предпринимать.

Через каждые несколько ступенек она останавливалась и отдыхала, я терпеливо ждал.

— Павел, я больше не могу, — взмолилась Дана где-то между третьим и четвертым этажом.

— Надо, — жестко заявил я. — Ты не спеши, мы с тобой на самолет не опаздываем. Отдыхай, сколько тебе нужно, пока дыхание не восстановится. Но подняться ты должна.

И она поднялась. И снова я мысленно выбранил себя за то, что не засек время. Сколько минут заняла эта пытка? Двадцать? Тридцать? Надо было посмотреть на часы и сделать подъем на шестой этаж очередным упражнением, результаты выполнения которого можно было бы отражать на наших графиках. Тут же меня посетила спасительная мысль: если папаня все-таки дознается, что мы закончили заниматься на сорок минут раньше положенного, я прикроюсь именно этим мучительным подъемом, скажу, что это входит в тренировку. И, между прочим, не покривлю душой.

На площадке шестого этажа курил мужчина, прислонившись к изгибу перил. Я тут же кинулся оценивать его с точки зрения похожести на маньяка, но он улыбнулся и произнес:

— Ну наконец-то! А я стою тут, слушаю ваши разговоры и думаю: неужели Дана сама поднимется? Смотри-ка, поднялась! Просто не верится. Молодчина! А вы, наверное, Павел? — спросил он, протягивая мне руку. — Рад познакомиться. Дана очень много о вас рассказывала. А я — Владимир Олегович, можно просто Володя.

Я снова начал оценивать, но уже по-другому. Ей-богу, если бы меня клятвенно не заверили, что это родной брат папани и Юлиной маменьки, ни в жизнь не поверил бы. То есть при ближайшем рассмотрении кровное родство было заметным, и даже очень, но все равно Владимир Олегович выглядел так, словно родился-то он у тех же мамы и папы, а рос и воспитывался совсем в другой семье и даже в другой стране. Ни капли суровой требовательности, которую постоянно демонстрирует папаня, ни грамма жеманности и двуличности, так и прущей из какой-то там Олеговны. Открытая улыбка, веселые и умные глаза, приветливый голос. Может, все дело в деньгах? Папаня и Олеговна (да что ж за черт возьми-то! У меня из памяти постоянно вылетает имя Юлиной мамы) живут в роскоши, отсюда и повадки, а вот братец ихний, судя по одежде и ведущей в квартиру двери, существует в совсем другом финансовом режиме.

По идее, мне надо было бы в этот момент проститься и уйти — свою задачу я выполнил, Дану до места довел и сдал с рук на руки. Но отчего-то уходить мне совсем не хотелось. И потом, мне нужно было улучить момент и поговорить с Владимиром о маньяке, но так, чтобы Дана не слышала. Поэтому, когда Руденко-младший распахнул дверь и гостеприимным жестом пригласил меня в квартиру, я забыл о своих грандиозных (в очередной раз) планах на вечер и вошел. Мои подозрения касательно финансового режима папаниного братца подтвердились сей же момент: большими деньгами здесь и не пахло. Стандартная «двушка» с крохотной прихожей, в которой с трудом помещался один человек. Странно все-таки: Михаил Олегович содержит, кормит и поит не только сестру с племянницей, но и дальнюю родственницу жены с маленьким ребенком, а брат почему-то стоит особняком, хотя и живет в двух шагах. В этот момент впервые в моей голове зародились подозрения, что в семейке Руденко не все так ладно и гладко, как показалось вначале. Нет, все-таки я опять вру. Первые подозрения закрались в мой глупый мозг в конце первой недели, когда я понял, что обитателей огромной квартиры связывают какие-то слишком сложные отношения, основанные отнюдь не на любви друг к другу. Я замечал косые взгляды, улавливал и самостоятельно домысливал недомолвки и намеки, удивлялся полному отсутствию интереса этих людей к своим близким. Чего стоит один только пример: мы занимаемся с Даной в «тренажерке», слышится дверной звонок — и девочка даже не вздрагивает, не поднимает голову, прислушиваясь и стараясь понять, кто пришел. Только Владимира Олеговича она чувствовала безошибочно и всегда реагировала на его приход, все прочие передвижения, приходы и уходы членов семьи оставляли ее равнодушной. Ну как такое может быть? А ведь эта ситуация повторялась ежедневно. И то же самое происходило в столовой, если мы с ней вместе обедали. Звенел звонок, домработница Нина шла открывать, я замечал:

— Кто-то пришел.

И в ответ получал молчаливое пожимание плечами. Мол, не знаю, и мне неинтересно.

При этом Юля вела себя совершенно иначе. Если в момент появления папани она была дома, то непременно мчалась по коридору, оглашая все немаленькое пространство звонким восклицанием:

— Дядя Мишенька пришел!

К слову заметить, приход Ларисы Анатольевны такой помпой не обставлялся, и я ни разу не слышал, чтобы Юля назвала ее «тетей Ларочкой». Не говоря уж о том, что приход с прогулки или еще откуда-нибудь бабки Анны Алексеевны не вызывал у юной очаровашки вообще никакой реакции. А несчастную затюканную Лену с ее резвым Костиком в этом доме просто не замечали. С ней даже не разговаривали за столом. По крайней мере в те несколько раз, когда нам доводилось оказаться вместе в столовой.

Я уже говорил, что я не великий психолог и не великий педагог, могу к этому добавить, что я и не великий аналитик и как-то не привык задумываться над тем, что вижу и слышу. То есть вижу я хорошо и на слух не жалуюсь, все подмечаю, но никогда не обдумываю и не пытаюсь анализировать, как некоторые. Поэтому те странности, которые я замечал в доме Руденко, тихонько оседали в моей голове и никаких дополнительных знаний не приносили. И только в тот момент, когда я оказался в квартире Владимира Олеговича, количество странностей переросло в качество и заставило меня начать думать. Хотя и думатель из меня... в общем, примерно как и сыщик. Я все больше привык по части мужского обаяния и мускульной силы.

Еще не успел пройти первый шок от того, что в семействе Руденко, оказывается, имеются красивые (а Владимир показался мне просто-таки голливудским красавцем) и доброжелательные мужики, как меня с головой накрыл шок номер два под названием Муза Станиславовна. Вот хоть режьте меня, хоть расчленяйте — никогда не поверил бы, что у ТАКОГО мужа может быть ТАКАЯ жена. Я готов был увидеть женщину типа Дженнифер Лопес, или Анджелины Джоли, или хотя бы типа Мерил Стрип, то есть не такую откровенную красавицу, но доверху набитую шармом и изюминками. Увидел же я невзрачную, маленького роста женщину без груди и без попки, с тусклыми коротко стрижеными волосами невнятного цвета и бледным невыразительным лицом. Мне встречался такой тип лиц, и я точно знаю, что никакой косметикой, никаким самым умелым макияжем их не исправишь, наоборот, даже самые осторожные и деликатные краски делают некрасивость этого лица заметнее, а имеющиеся дефекты — выпуклее. Более того, жена Владимира Олеговича немного сутулилась и зябко куталась в длинную, достававшую почти до пола шаль и от этого делалась похожей на старушку. Улыбка же у нее была такой солнечной и сердечной, что я тут же засомневался: а знает ли она о своей некрасивости? Обычно женщины (во всяком случае, те, которых я знавал), сознающие собственную непривлекательность, ужасно страдают от этого, внутренне зажимаются, а внешне это проявляется резкостью, угрюмостью, нелюбезностью и неулыбчивостью. Комплексы внутри — проблемы с поведением снаружи, и моя подопечная Дана — яркий тому пример. Муза же Станиславовна была совсем не такой. А какой? Я даже не смог подобрать определение.

— Здравствуйте, Павел, я очень рада вас видеть. — Она протянула мне цыплячью лапку, тоненькую и холодную. — Надеюсь, вы не откажетесь выпить чаю с Володей, а мы с Данусей вас оставим, у нас много работы.

Само собой, я не отказался. Помимо дела, имеется в виду разговор о маньяке, меня грызло любопытство: что это за люди, что за семья, как они живут? Ведь задание Наны Ким к тому времени еще не было выполнено.

Владимир провел меня в комнату, сильно напоминавшую комнату сумасшедшего ученого. Я такие в кино видел, в жизни как-то не доводилось. Сплошные книги, книги, книги, диски, кассеты — кругом: на полках, на столе, на полу, под диваном. Интересно, где мы будем пить чай? На столе свободного пространства для этого мероприятия явно не хватит.

— Садитесь, Павел, — Владимир Олегович указал на кресло, — сейчас будет чай. Или вам принести кофе?

— Нет-нет, чай.

Он вышел, а я принялся осматриваться, но, кроме книг, на глаза ничего не попадалось. Пришлось изучать названия. Больше половины слов в этих названиях оказались мне не знакомы, но общее впечатление было такое, что это что-то из области социологии. Или психологии. В общем, что-то насчет поведения человека в обществе. И никаких сборников стихов. Иными словами, брат папани тоже не выглядел большим ценителем поэтического творчества.

Владимир вкатил в комнату сервировочный столик с чайником, чашками и прочими принадлежностями. Поставив столик перед моими коленями, он придвинул стул и уселся напротив меня. Мне предназначалась красивая чашечка, по-видимому, из сервиза, себе же хозяин дома налил чай в огроменную кружку объемом, наверное, не меньше литра и щедро бросил несколько ложек сахару. Никогда не понимал, как можно так пить чай? Пока выпьешь хотя бы четверть — все остальное остынет и превратится в безвкусное пойло.

— Видите, у нас так тесно, что приходится поить гостей чаем в походных условиях, — улыбнулся он. — Давайте на «ты», ладно? Я ведь ненамного старше. Вам сколько лет?

— Двадцать девять.

— А мне тридцать восемь. Разница не принципиальная. Договорились?

— Идет, — обрадовался я. — Володя, разговор есть.

Я быстренько поведал ему о своей встрече с участковым и о страшном убийце, разгуливающем по окрестным улицам.

— Ты правильно сделал, что ничего не сказал Дане, — одобрительно кивнул он. — Не надо ее пугать, а то она вообще перестанет выходить из дома и окончательно превратится в затворницу. И спасибо, что проводил ее.

— Ты мне посоветуй, говорить Михаилу Олеговичу или нет. Если я скажу, он Дану из дому не выпустит.

— Сказать надо. — Владимир задумчиво покачал головой. — Хотя, если честно, я бы не стал говорить, мой брат скор на решения и очень туг на их отмену, он сгоряча запретит Дане приходить ко мне, и девочка совсем скиснет, ей и без того несладко живется, а у Михаила не хватает душевной тонкости, чтобы это понять. Он считает, что если человек обут, одет, сыт и имеет крышу над головой, то у него есть все необходимое для счастья, а все прочее — просто блажь. Но если ты промолчишь, то может выйти хуже. Предположим, Михаил столкнется на улице с участковым, и выяснится, что ты все знал, но поручение милиционера не выполнил и ничего никому не сказал. Что будет дальше?

— Меня уволят, — оптимистично спрогнозировал я.

— Правильно. Поэтому сказать придется. Предположим, ты скажешь. Что будет дальше?

— Михаил Олегович запрет Дану.

— Опять правильно. Значит, что нужно сделать?

— Объяснить ему, что Дану нельзя запирать дома, потому что визиты к вам — единственная ее отдушина, единственная возможность выйти на воздух и вообще посмотреть, как выглядит улица.

— Ну и что будет, если ты ему это объяснишь?

— Меня опять уволят, — радостно сообщил я. — Потому что я лезу не в свое дело и пытаюсь давать указания хозяину, как воспитывать дочь.

Удивительное дело: разговор вроде шел о серьезных вещах, но мне было весело и почему-то радостно. Кстати замечу — впервые за последние месяцы.

— И опять правильно. Значит, смотри, что получается: у нас есть две вещи. Одну ты сказать обязан, иначе тебя уволят. Вторую сказать надо обязательно, но нельзя, иначе тебя опять же уволят. Если ты скажешь первую вещь, а насчет второй умолчишь, что вполне разумно, то Дане запретят выходить из дому. На следующий день я об этом узнаю и начну объяснять брату, что он не прав. Но мой брат, как я уже сказал, весьма туг на отмену собственных решений. Он упрется, и никакие доводы не помогут. Какой отсюда вывод?

— Не знаю, — я растерялся. — А какой?

— Да очень простой, — Владимир весело рассмеялся. — Надо немножко солгать. Совсем чуть-чуть. Даже и не лгать, а просто переставить факты местами. Никто и не заметит. Я провожу Дану домой и сам поговорю с Мишей. Скажу, что ты хотел его дождаться, чтобы предупредить о маньяке, но ты ведь не знал, когда он вернется, а сидеть в чужой квартире, ничего не объясняя, тебе неловко, поэтому ты обратился ко мне и попросил передать насчет участкового. Поскольку он — хозяин и глава семьи, то ты не счел возможным обсуждать это с кем бы то ни было из женщин, а тем более с девочкой. Разве не так все было?

— Так, — подтвердил я вполне искренне.

В ту секунду я добросовестно верил, что все было именно так. Иначе просто не могло и быть.

— Ну вот и славно. Я тут же скажу Мише, что ко мне Дану будешь провожать ты, а обратно домой ее буду приводить я, и он даже испугаться не успеет.

— Ну хорошо, а Юля?

— А что Юля? — Владимир чуть приподнял четко очерченные брови, и в его голосе я уловил холодок. — Что тебя беспокоит? Юля — взрослая девушка, она вполне может организовать свою жизнь так, чтобы не возвращаться домой, когда уже стемнеет. Пусть приходит пораньше. Ничего с ней не случится.

Так, в покрытии ринга обнаружилась еще одна заноза. Дядя обожает одну племянницу и не очень-то жалует другую. Интересно, почему?

— Володь, твоя жена сказала, что у них с Даной много работы. Что она имела в виду?

— У них всегда много работы. — Владимир снова рассмеялся. — Они у меня обе труженицы. Но в данном случае речь идет о «Коде да Винчи». Знаешь такой модный роман?

Пришлось признаться, что не знаю. Даже не слышал. И вообще, насчет почитать я не очень... Я больше кино люблю смотреть.

— Да ладно, не комплексуй, — вероятно, он заметил мое смущение, — он на русском языке только-только появился, но Дана читала его в оригинале, на английском. Она хорошо знает язык, Муза давно с ней занимается. Так вот, в этом романе очень много отсылок к текстам Евангелия, к творчеству Леонардо да Винчи и к истории масонства. Дана заинтересовалась, и Муза достает для нее в разных библиотеках редкие издания, где есть упоминания о тех фактах, на которые ссылается автор романа. А редкие издания, сам понимаешь, или вообще не разрешают выносить из хранилища, или дают по большому блату на очень короткий срок, например на ночь, то есть от закрытия до открытия на следующий день.

Теперь мне понятны стали слова Даны о том, что тетя Муза обещала принести редкую книгу и что на ее прочтение останется совсем мало времени.

Мы еще потрепались о том о сем, и я подумал, что пора уходить. Чего я тут высиживаю? У человека были какие-то собственные планы на субботний вечер, а он вынужден тупо развлекать незваного гостя. Но мне было так хорошо, и уходить совсем не хотелось...

— Пойду, пожалуй, — неуверенно произнес я, делая попытку встать с кресла.

— Погоди. — Владимир вдруг стал очень серьезным, хотя еще минуту назад мы оба отчаянно ржали над рассказанным им анекдотом. — Я хотел поговорить с тобой о Дане. У нее большие проблемы. Ты понимаешь, о чем я?

— Само собой, — самоуверенно заявил я. — Для этого меня и наняли.

Он покачал головой, то ли сомневаясь в моих словах, то ли отрицая их.

— Тебя наняли, чтобы Дана сбросила вес.

— Ну да. Это и есть ее проблема.

Я все еще не понимал, чего он от меня хочет.

— Да ничего подобного. Ты посмотри вокруг:

тысячи, сотни тысяч людей живут с лишним весом, и не с таким большим, как у Даны, а с огромным. И что, они сидят по домам? Превратили себя в затворников? Они прекрасно работают, ходят по ресторанам, театрам, путешествуют и отлично себя чувствуют. Не в весе проблема, Паша.

— А в чем же тогда?

— В том, что Дана себя не любит. Она себя стесняется. Ей внушили, что быть толстой — плохо, стыдно, отвратительно, что лишний вес — это позор, что толстый человек не имеет права на существование, что этот мир предназначен только для легких и худых, а тяжелым и толстым в нем нет места.

— Кто внушил? — обалдело спросил я. — Родители?

— Господи, ну при чем тут родители?! Вся наша жизнь это внушает, вся наша цивилизация, создавшая определенные каноны. Мир принадлежит молодым и стройным, все остальные — отбросы. Старше тридцати — ветошь, три сантиметра жира на талии — изгой. Ты мимо магазинов одежды проходишь? То, что надето на манекены в витринах, видишь? Модные журналы листаешь? И у тебя после этого еще есть вопросы? Что бы ты ни делал, Дана никогда не станет «девяносто — шестьдесят — девяносто», а если и станет, то на это уйдут годы. Ты понимаешь? Годы! И все эти годы она будет сидеть дома и ждать, когда же ее фигура обретет те модельные параметры, при которых ей не придется себя стесняться. Можешь себе представить, к чему это приведет?

И все равно я не понимал, к чему он клонит. Ну, просидит она дома еще два-три года, и что? Она и так уже больше года сидит, и ничего страшного не произошло, даже вон романы на английском почитывает, масонством интересуется. Чего плохого-то?

— Паша, ты, говорят, попал в аварию и долго лежал в больнице? — внезапно сменил тему Владимир.

— Ну да, — подтвердил я недоуменно.

— Ну и как тебе показалась жизнь, когда ты вышел? Она была такой же, как до аварии? Ты легко в нее встроился?

И только тут я понял, что он пытался мне объяснить. Я вспомнил свой поход в клуб, и свое разочарование, и свою злость. Всего полгода — и я оказался выброшенным из жизни.

— И что же делать? — спросил я как-то совсем по-детски.

— Встраивать Дану в жизнь, — просто ответил он. — Заставлять ее выходить, быть на людях, общаться. Сбрасывать вес, конечно, надо, никто не спорит, но Дана должна учиться жить с любой внешностью. Она должна учиться любить себя такой, какая она есть. Любить и уважать. Она ведь даже не знает, какой у нее вес. Понимаешь, в чем весь ужас?

Я понимал, но не очень, в чем и признался.

— При чем тут — знает она, сколько весит, или нет? И вообще, как ты узнал?

— Я задал ей вопрос, — усмехнулся Владимир, — и не получил ответа. Она не знает, потому что не хочет знать. Она боится этого знания. Паша, человек должен уметь жить с тем, что есть на самом деле, а не с тем, что он себе придумал. Конечно, можно и, наверное, даже нужно стремиться что-то изменить, что-то улучшить, но надо уметь принимать объективную реальность и жить с ней, а не зажмуриваться и не делать вид, что все обстоит именно так, как тебе хочется, а не так, как оно есть на самом деле. Дана не умеет. Не хочет уметь. Она придумала, что у нее все в порядке, что можно жить и так — сидеть дома, ограждая себя от риска быть высмеянной и оскорбленной, и постоянно жевать пирожные. И все отлично! Папа с мамой любят и оберегают, платят за домашних учителей, покупают книги и диски, никто не обижает, сыта, одета — чего еще надо? Она не хочет понимать, что нужно не просто существовать, а жить, постоянно вступая в контакт с окружающим миром и адаптируясь к нему. И твоя задача — ее научить. Ты понял, Паша? Твоя задача — не заставлять ее сбрасывать вес, а научить жить с тем, что есть. Если она похудеет — и слава богу, но не это главное.

— Легко тебе говорить, — вздохнул я. — Тоже еще, нашел учителя жизни. А сам-то ты почему

208

этим не занялся, если понимаешь, что это необходимо?

— Я уже сказал: я не могу вмешиваться в воспитание Даны. У нее есть собственные родители, а я — всего лишь дядя, брат отца. И поверь мне, я делаю все, что могу, но я должен проявлять деликатность, которую тебе проявлять не обязательно.

— Это почему? — не понял я.

— Да потому, что, если ей хоть что-нибудь не понравится в моих словах, если ее что-то заденет, она просто перестанет приходить ко мне. Она перестанет общаться со мной — и все. Это ее стиль: не бороться с трудностями общения, не преодолевать их, а просто обрубать контакты. С тобой она так поступить не сможет, тебя нанял ее отец, которого Дана боится как огня. Она хорошая девочка, не подлая, она не станет на тебя наговаривать и клеветать, чтобы Миша тебя уволил и нашел другого тренера, она будет терпеть. А капля, сам знаешь, камень точит. Ей от тебя никуда не деться. Да и времени ты с ней проводишь намного больше, чем я.

— Ну ладно, допустим, — осторожно согласился я. — А делать-то что? Может, научишь?

Владимир отпил несколько глотков из своей огромной чашки, причем сделал это с видимым удовольствием, и я снова удивился: как можно пить остывший сладкий чай? По-моему, ужасная гадость. Чай должен быть горячим и несладким.

— Я не просто так начал этот разговор, у меня

есть одна идея, но я хотел сначала обсудить ее с тобой. Знаешь, я не стал соваться к Мишке с этим, потому что у меня нет своих детей и, следовательно, нет морального права учить его, как воспитывать Дану. Ты что-нибудь знаешь о спортинге?

— Само собой, — с облегчением ответил я.

О спортинге я знал много, знал, где находится элитный стрелковый клуб, ездил туда неоднократно с компанией друзей и сам с удовольствием пулял из охотничьего ружья по тарелочкам, имитирующим движение различной дичи — фазанов, гусей, уток, зайцев, вальдшнепов. Не стану хвастать, что у меня здорово получалось, я больше промазывал, чем попадал, но удовольствия, помнится, было море. И еще я вспомнил свое удивление, когда обнаруживал, что за день, проведенный в клубе, сбрасывал почти килограмм живого веса. Казалось бы, чего там такого особенного: вскинул ружье — выстрелил, вскинул — выстрелил. А вес уходил. Спортинг, как мне объяснили тогда же в клубе, очень энергозатратный, хотя на первый взгляд и совершенно неутомительный вид спорта.

Инструктор меня тогда ругал за резкость движений, за то, что тороплюсь, что «рву» рукой, вместо того чтобы плавно двигать корпусом. А Дана очень пластична, и у нее должно хорошо получиться. Кроме того, она будет проводить как минимум час на свежем воздухе и в движении, а это хорошо для активизации обмена. Плюс положительные эмоции. Плюс абсолютная независимость результата от веса. Как только у Даны хоть что-нибудь получится, как только ее похвалит хоть кто-нибудь посторонний — жизнь сразу заиграет новыми красками.

Одним словом, идея показалась мне супергениальной. Но... возникало два препятствия, и оба показались мне непреодолимыми. Первое: Дана никуда не ходит, кроме соседнего дома, где живет Владимир и его замухрышка-жена. И второе, куда более существенное: где взять время на поездки в клуб? Дорога в один конец займет часа полтора-два, столько же — обратный путь, да час тренировки. Что на это скажет Михаил Олегович, у которого жизнь всех членов семьи расписана по минутам?

— Об этом даже не беспокойся, — развеял мои сомнения Владимир, — я своего брата знаю. Если ты скажешь, что так нужно, — он это примет. Его хлебом не корми — дай принять решение, чтобы другие его выполняли. Обожает быть главным и всеми командовать, а потом проверять, как его команду выполнили. Такой, знаешь ли, гипертрофированный комплекс задавленного строгими родителями мальчика. Мной столько лет помыкали — теперь я буду всеми помыкать.

Круто. Даже, я бы сказал, крутовато для родного-то брата. И не слишком ли откровенно для первой встречи с новым представителем домашнего персонала? Я проглотил свои сомнения и промолчал.

— Так что, если ты выступишь с инициативой возить Дану на занятия спортингом и скажешь, что это абсолютно необходимо для достижения заданного результата, Михаил с удовольствием возьмется перекраивать весь график ее жизни.

— Ну хорошо, допустим. А Дана? Она ни за что не согласится.

— А Миша ее и не спросит. Скажет — поедет. Другое дело, что она будет страшно бояться и нервничать. А это, Паша, уже твоя задача — сделать так, чтобы она не боялась. Ты что, маленький? Тебя учить надо?

Нет, в этом вопросе меня учить не надо. Сам все знаю. Ё-моё, ну и работенка мне подвалила!

* * *

На следующее утро, в воскресенье, я явился к месту службы на полчаса раньше, в шесть тридцать. Мне нужно было поговорить с папаней, который, как известно, встает ни свет ни заря и в шесть утра уже на ногах.

— Что так рано? — удивился он, открыв мне дверь. — Бессонница? Дана еще спит.

— Мне нужно с вами поговорить, — решительно начал я.

— Да? Ну пошли, позавтракаем, заодно и поговорим.

За горячими, истекающими маслом блинчиками я изложил хозяину якобы свою идею о поездках в стрелковый клуб. Конечно, я здорово рисковал, ведь если брату не позволено вмешиваться в воспитание племянницы, то мне — тем более. Но, с другой стороны, меня наняли для решения конкретной задачи, и я имею право говорить обо всем, что с этим связано. По крайней мере, я так думал, но существовала опасность, что папаня придерживается другого мнения.

— Почему ты решил, что это будет полезно?

Я выложил все: и насчет движения, и насчет свежего воздуха, и насчет того, что нельзя заниматься ежедневно одинаковыми нагрузками, это не приносит пользы и быстро надоедает, что нужно разнообразие, и насчет повышения самооценки и, следовательно, самоуважения, что само по себе должно привести к снижению страха, который не дает Дане жить полноценной жизнью.

— Проблема Даны не в том, что она толстая, — заявил я напрямик, — а в том, что она из-за этого не выходит из дома и превратилась в затворницу, она лишена общения со сверстниками и вообще...

Накануне Володя говорил какие-то хитромудрые слова про социализацию и адаптацию, но за ночь я их все позабыл и очень об этом сожалел. Мне казалось, что наукообразие придало бы моим речам больше убедительности. Пришлось излагать свои доводы простыми словами, как говорится, на пальцах.

— Если бы она продолжала ходить в свою гимназию и дружить со сверстниками, вы бы меня не позвали, правда? Сколько бы она ни весила. Поймите, Михаил Олегович, дело не в весе, не в килограммах, а в страхах, в комплексах.

Хозяин задумался о чем-то, потом кинул на меня быстрый взгляд, в котором мне почудилось одобрение. Или только почудилось?

— А ты не дурак. — Он подцепил вилкой еще один блин и засунул в рот целиком.

Значит, не почудилось. Гора с плеч. Кажется, пронесло.

— Ты этот клуб знаешь?

— Конечно, я там бывал много раз.

— Публика приличная?

— Ну что вы, Михаил Олегович! Элитная! Там такие цены — не каждому по карману.

Я назвал несколько имен известных артистов, телеведущих и журналистов, которых видел в клубе собственными глазами.

— Что надо, чтобы туда ездить? Взнос какой-нибудь вступительный?

— Ничего не нужно. Только позвонить заранее и записаться к определенному инструктору и на определенное время. Кто угодно может приехать и стрелять. Правда, это недешево: надо платить за работу инструктора, за прокат ружья, за патроны.

— Одежда нужна специальная? Форма там или что?

— Ничего не нужно, просто удобная куртка или теплый свитер.

— Ты знаешь, какой инструктор там самый лучший? — продолжал допрос папаня.

Ну конечно, ему же все самое лучшее подавай! Странно, что для работы с Даной он нанял меня, а не олимпийского чемпиона.

— Я знаю, какой тренер нужен конкретно Дане с учетом ее особенностей, — твердо ответил я.

Я действительно знал. В этом клубе работал совершенно потрясающий инструктор Николаев. Сколько раз мы ни приезжали с компанией — инструкторы у нас все время были разные, и я не помнил никого из них, кроме этого Анатолия Викторовича Николаева. Сделав под его руководством всего двадцать пять выстрелов (именно столько патронов в одной коробке), я почувствовал себя способным стать чемпионом мира. Я совершенно не понимал, как у него это получается. Он просто стоял рядом, держался рукой за цевье моего ружья, в какой-то момент быстро говорил:

— Выстрел!

Я послушно нажимал спусковой крючок, не понимая, почему это надо было делать именно в то мгновение, и с изумлением и восторгом видел разлетающиеся осколки разбитой мишени и слышал его ласковый голос:

— Вот и нет тарелочки. Вот как ты ее сделал, Пашенька.

Ясно было, что «сделал» летящую тарелочку не я, а он, инструктор Николаев, но — видит бог! — я так и не понял, как он это делает. Ведь мушку на мишень навожу я, а он стоит рядом, он же не может видеть, совместил я мушку с мишенью или еще нет и вообще где находится эта самая мушка по отношению к двигающейся мишени.

Дане нужен был именно такой инструктор.

— Ну что ж, — Михаил Олегович решительно отодвинул тарелку и налил себе кофе, — я подумаю, как это организовать. Пока занимайтесь по прежнему графику. Я скажу тебе, когда приму решение.

Черт возьми, кажется, Володя действительно хорошо знает своего брата. Все как по нотам расписал. И вообще, я в этот момент почувствовал себя полным идиотом. То Нана дает мне советы — и они оказываются правильными, то Владимир. Все всё знают, все кругом умные, один я дурак.

— И еще одно, — не глядя на меня, добавил Руденко, когда я уже собрался идти переодеваться. — Я тебя предупреждал, что все вопросы ты должен решать только со мной.

Он не спрашивал, он утверждал, и я как-то не понимал, какой реплики он от меня ждет, поэтому просто кивнул.

— Вчера брат мне сказал насчет твоей встречи с участковым. Еще раз позволишь себе передавать мне что-то через третьих лиц — уволю. Всё. Свободен.

Тьфу ты! А я-то уж подумал было, что папаня — приличный человек. Никакой он не приличный. Обыкновенный самодур.

216

— Извините, — пробормотал я и метнулся в сторону коридора.

— Постой.

Я замер на пороге, решая, обернуться или так и стоять спиной к нему, изображая гордость.

— За то, что бабам ничего не сказал, — хвалю. Молодец. Голова есть на плечах.

Или все-таки не очень самодур? Когда-то в детстве, когда я еще читал книги (по настоянию педагогически подкованных родителей), меня совершенно потряс один эпизод из романа Гюго «Девяносто третий год». Матрос на корабле плохо закрепил пушку, и она начала кататься по палубе, угрожая передавить все живое, что попадется на ее пути. Этот же матрос, рискуя жизнью, сумел ее остановить, и капитан вынес решение: за героический поступок матроса наградить, а за халатность — расстрелять. Я тогда никак не мог понять, как это можно одновременно награждать и наказывать. Оказывается, можно.

* * *

Ждать решения Михаила Олеговича пришлось целую неделю. Дане я ничего пока не говорил, и мы продолжали заниматься два раза в день, разбавляя спортивные нагрузки танцевальными элементами. Дважды за эту неделю я провожал Дану в «соседний» дом и заставлял подниматься на шестой этаж без лифта, и каждый раз, открывая мне дверь, Владимир глазами спрашивал: «Ну как?», а я едва заметно качал головой, дескать, пока никак, решение еще не принято. Замухрышка Муза приглашала меня выпить чаю, но я отказывался и убегал: надо было ездить смотреть квартиры, кроме того, понемногу начала налаживаться моя привычная тусовочная жизнь, я нашел кое-каких знакомых и даже замутил с одной миленькой девчушкой, которая уже оставалась у меня ночевать.

После первой встречи с Владимиром Руденко я доложил о своих впечатлениях Нане Ким, не преминув заметить, что среди книг в его квартире я не заметил никаких стихов.

— У него однокомнатная квартира? — иронично осведомилась Нана.

— Да нет, я же сказал тебе: «двушка».

— А во второй комнате ты был?

— Нет.

Я уже понял свой промах и начал злиться, причем больше на Нану, чем на себя самого.

— Почему ты уверен, что социологией занимается Владимир Олегович, а не его жена? Ты его спрашивал? Почему ты уверен, что никто из них не увлекается поэзией?

Ну дурак я, дурак, согласен, зачем же сыпать соль на рану?

Но личное знакомство с братом хозяина дало мне все основания говорить об этом с Даной, что я и принялся делать во время массажа. Девочка разговор о дяде поддерживала с удовольствием и сообщила мне, что Владимир Олегович, оказывается, действительно социолог, доктор наук, а Муза Станиславовна — тоже доктор, только искусствоведения. В общем, такая научная парочка.

— У них есть дети? — спросил я, не особо доверяя собственной памяти.

Вроде бы Владимир что-то такое брякнул о том, что у него детей нет, но, может, мне показалось?

— Нет.

— А что так?

— Тетя Муза очень болеет, она совсем слабенькая, — ответила Дана.

Я в медицине, тем более в женских делах, разбираюсь слабо, и ответ меня более чем удовлетворил. Тем паче жена Владимира действительно производила впечатление слабенькой и болезненной.

— Твоя тетя Муза, наверное, стихи любит, — заметил я.

— Да что вам дались эти стихи! То вы про папу спрашивали, то про тетю Музу, — сердито проговорила Дана. — Тетя Муза занимается живописью эпохи Возрождения. Стихи тут совершенно ни при чем.

Ну да, ну да... Лучше поощрять молодых поэтов и немногочисленных ценителей их творчества, чем переводить деньги в больницы и детские дома, где есть опасность, что все украдут. Помню, как же. Когда я передал эти объяснения Нане Ким, она долго хохотала, а потом стала серьезной и сказала:

— Пашенька, это все для дураков. Для подростка пятнадцати лет подобные резоны вполне годятся, но не для меня. У серьезных людей за принятием тех или иных решений, особенно решений финансовых, решений о том, куда вкладывать деньги, всегда стоят очень серьезные аргументы и мотивы. А Михаил Руденко — человек весьма и весьма серьезный. Постарайся все-таки узнать, не корешится ли он с криминальными авторитетами.

Легко сказать... А как сделать? Но вариант подсказала все та же Нана, когда я отчитывался о субботнем дне и знакомстве с семьей папаниного брата.

— Значит, говоришь, Михаил Олегович с супругой и племянницей отправились на открытие клуба в Никольском? — задумчиво проговорила она. — Мой шеф тоже поехал. А ты поговори с племянницей, порасспрашивай ее, как там все было, кто был, с кем она познакомилась. Давай, Паша, давай, шевелись, проявляй здоровую инициативу.

Разговаривать с очаровашкой Юлей мне не хотелось. Я уже понял, что даже намек на возможное нарушение указаний воспринимается папаней очень болезненно, и с утра пораньше я успел получить по шапке. А ведь он предупредил меня, чтобы я с Юлей — ни-ни. Начну заводить с ней задушевные разговоры, а он подумает невесть что. И уволит. Мне оно надо?

Но день, начавшийся с утреннего, я бы даже

сказал — рассветного нагоняя, все-таки был воскресеньем, и встреча с Юлей оказалась неизбежной. К этому времени мне удалось перевести Дану на пятиразовое питание, как и советовала моя бывшая подружка Светочка, поднаторевшая в тяжком похудательном искусстве, так что между завтраком и обедом ей полагался стакан обезжиренного кефира, который моя ученица должна была не выпивать, а медленно съедать чайной ложечкой (тоже Светкина рекомендация, на которой она особо настаивала). Учитывая катастрофический недосып, я после утреннего занятия подремал в своей конурке и в половине двенадцатого выполз в столовую, надеясь на легкий перекус, где и застал страдающую над кефиром Дану в обществе завтракающей Юли. Ничего себе спит красавица! У нее даже глаза, по-моему, еще не полностью открылись.

— Поздновато встаете, мадемуазель, — пошутил я. — Некоторые уже с семи утра на ногах.

Я с одобрительной улыбкой кивнул на Дану, но девочка на мой позитивный посыл не ответила и еще ниже склонилась к своему диетпродукту.

— Конечно, — выразительно протянула Юля, — некоторые имеют возможность сидеть дома, жить по графику и вовремя ложиться спать. А другие должны за них отдуваться. Мы вчера в два часа ночи вернулись. Я устала на этом приеме — просто ужас! Думаешь, много радости там толкаться? Я бы тоже, может, с удовольствием дома посидела, кино бы посмотрела, или завалилась бы куда-нибудь с друзьями, где поинтереснее. А приемы эти — полный отстой, скукотища. Все из-за тебя, Данка. Не была бы такой коровой — сама бы ездила с родителями и мучилась там.

Любопытный взгляд на вещи... Если я что-то понимаю в светской жизни, на приемах «по случаю открытия» скучно никогда не бывает, всегда есть какая-то программа, и чем богаче принимающая сторона, тем программа ярче и тем больше звезд приглашается для выступлений. Не говоря уже о всяческих розыгрышах, где в качестве призов фигурируют отнюдь не дешевые штучки вроде пятизвездочных круизных путевок или даже автомобилей. Почему же Юленьке было скучно? Может, никто не клюнул на ее красоту, никто не ухаживал, внимания не оказывал?

— Ты там, наверное, была самая красивая, — уверенно заявил я. — Ну, признавайся, скольким кавалерам телефончик дала?

— Да ну-у-у, — вяло протянула она, — какие там кавалеры? Все приличные — с женами, а кто один, тот зеленый молодняк. Несерьезно.

Зеленый молодняк ей, видите ли, не годится. А кого ж ей надо-то? Столетнего деда-миллионера? Между прочим, молодняк на таких тусовках тоже не с улицы, а исключительно из домов богатеньких родителей. Она что, такая тупая, что не понимает элементарных вещей? Не похоже.

— Да ладно тебе, — я изобразил на физиономии живейший интерес, — расскажи поподробнее, кто там был, кого видела.

Томно попивая кофеек, Юля равнодушным голосом перечисляла фамилии, которые я судорожно старался запомнить. Правда, многие имена были знакомыми, уже легче. То есть лично я этих людей не знал, но фамилии на слуху, известные.

— Фотоаппарат брала с собой?

— Ну... да. А что?

— Показала бы. Все-таки интересно, как там и что.

— Ладно, сейчас принесу.

Через несколько минут Юля вернулась с цифровой камерой и села рядом со мной, при этом ее бедро оказалось плотно притиснутым ко мне. Ну-ну. Нет, я нормальный здоровый молодой мужик, и в других обстоятельствах уже через три секунды мы бы никакие снимки уже не разглядывали, но папанино слово — закон. Сказано: «Не смей», значит, сметь не буду.

— Вот, смотри, — теперь уже и ее плечо жгло меня через мою футболку и ее шелковую, почти прозрачную пижамку, — это я танцую... ну, с одним...

Да ясно, что не с двумя.

— А снимал кто? Михаил Олегович?

— Нет, я там одного попросила...

Господи, да у нее что, с именами плохо? Первый — один, второй — тоже один. Я тут же осек себя: а сам-то я что, лучше? Это здесь, стараясь выглядеть интеллигентным и воспитанным, я слежу за речью и всячески выпендриваюсь, а в нормальной жизни тоже подбором слов не утруждаюсь и, говоря о малознакомых людях, пользуюсь определениями типа «один кекс», «один перец», «одна куколка» и тому подобное. В той среде, в которой я привык крутиться, все так разговаривают. Так что никакого права критиковать Юлю у меня нет, просто мне нужны имена, потому что над душой стоит Нана Ким с ее патологической недоверчивостью и подозрительностью.

— О, там и лошадки есть! Хороший клуб.

На снимке Юля в специальном костюме сидела верхом на гнедой кобыле и улыбалась. То есть, вероятнее всего, она думала, что улыбается, а на самом деле ее хорошенькое личико было искажено напряжением и мучительным страхом. При этом она ужасно сутулилась, и шея от такой позы совсем исчезла, как будто ее у Юли и вовсе не было. Одним словом, видок у девушки был весьма комичный и неказистый. Я с трудом удержался, чтобы не рассмеяться. Надо же, а наша очаровашка, оказывается, бывает откровенно некрасивой. Негативные эмоции ей явно не к лицу. На следующем снимке она уже не сидела верхом, а стояла, держа кобылу за повод, и у меня появилась возможность оценить фигуру девушки в костюме для верховой езды. Костюм этот сидел на ней, как на корове седло. Почему-то ноги ее казались коротковатыми, и стало особенно заметно, что у нее слишком маленькая грудь. Мне такие не нравятся.

— Ты в первый раз каталась? — спросил я.

— Угу.

— Ну и как? Очень страшно было?

— Чего там страшного? Отлично было. Мне все аплодировали и говорили, что никогда не видели, чтобы человек впервые сел на лошадь и так ловко ездил.

Ну конечно, не страшно. А то я не видел твою перекошенную от ужаса витрину. Я отлично помню свои ощущения, когда в таком же загородном клубе впервые сел в седло. Земля далеко, конь под тобой шевелится, ты никак не можешь поймать движение, чтобы приподниматься и опускаться в синхрон с ходом животного, внутренняя сторона бедер болит просто отчаянно, и все время кажется, что ты вот-вот упадешь и свернешь себе башню. Одним словом, у меня, рослого тренированного парня, первое знакомство с верховой ездой не было украшено розами, так чего уж о девушке Юле говорить... Аплодировали ей, как же, жди. И хвалили. Ну, может, и хвалили, и аплодировали, но только те, кто заинтересован в поддержании хороших отношений с твоим дядей. А ты в свои девятнадцать лет так и не научилась отличать грубую лесть от правды. Впрочем, может быть, ничего этого и не было — ни похвал, ни аплодисментов, просто ты все выдумала. Врушка ты, Юленька, и хочешь произвести на меня впечатление. Зачем тебе это нужно? Зачем вообще я тебе сдался? Неужели Артем прав, и ты все эти игрища затеваешь исключительно из вредности, чтобы помучить Дану?

Я добросовестно смотрел на экран дисплея, обращая особое внимание на групповые кадры, где присутствовал папаня, и истязал Юлю дотошными вопросами, мол, а это кто, а это что. В конце концов кое-какую информацию получить все-таки удалось, теперь главная задача — донести ее до Наны, не растеряв по дороге.

— Определенно, ты была там самой красивой, — лицемерно констатировал я. — И прикид у тебя потрясный, тебе очень идет.

Я безбожно кривил душой. Судя по тому, что я увидел на дисплее, красотки на этом приеме были высококлассные, наша Юленька им не чета. И платье на ней сидело не очень... То есть оно было, конечно, по фигуре, но нам, мужикам, всегда заметно, носит девушка одежду как вторую кожу, потому что эта одежда предназначена именно ей и именно для этого случая, или девочка просто нарядилась в то, чего носить не умеет. Мне было очевидно, что платье такого класса девушка Юля надела впервые в жизни и все время чувствовала его на себе. Наверное, ей действительно не особо везло вчера с кавалерами, потому что она больше думала о том, как выглядит, чем о том, чтобы быть милой и обаятельной.

— Спасибо. — Девушка скромно улыбнулась, и мне показалось, что она прижалась ко мне еще сильнее. — Это дядя Миша мне купил, специально для приема. Очень дорогое. Ужасно жалко, что ему приходится тратить такие деньги ради одного дня. А все из-за тебя, Данка. Куда мне теперь это платье девать? В институт в нем не пойдешь, оно только для шикарных мероприятий годится. Будет теперь в шкафу висеть без дела. Данка все равно никогда в него не влезет.

— Ну почему же, — я вежливо отодвинул прильнувшую ко мне Юлю и встал, — пройдет время — и влезет.

— Да ну, перестань! У нее никогда не будет такой фигуры, как у меня.

Дана смотрела в сторону и молча глотала свой кефир, словно не видела нас и не слышала. Но она определенно все слышала, потому что при последних Юлиных словах сделалась пунцовой.

У меня на языке вертелся резкий ответ, но я одернул себя и промолчал. Артем предупреждал: не связывайся с Юлькой, она жуткая стерва, и если что не по ней — может напакостить так, что костей не соберешь. Вот интересно, как мне расценивать ее явные заигрывания? Если я на них не отвечу, это будет «не по ней»? И тогда мне грозят неприятности? А если отвечу, то получится, что мне грозят неприятности от папани. Само собой, папаня главнее, но он прост и понятен, как чугунная гиря: бьет больно, но траектория и сила удара очевидны и хорошо прогнозируются. А вот чего ждать от очаровашки Юленьки и в какой момент — предсказать невозможно.

Оставив сестер наедине, я ринулся в свою комнату записывать названные Юлей имена, которые уже с трудом удерживал в памяти.

После этого прошла неделя, в течение которой не случилось ничего интересного. Во всяком случае, я ничего не запомнил, кроме того приятного факта, что я наконец нашел квартиру, которая показалась мне приемлемой и по месту расположения, и по деньгам. Не самый центр, конечно, но и не окраина, то есть все вполне прилично. Я немедленно заключил договор аренды и переехал.

Отражение 1

ДАНА

Я очень виновата перед Юлей. Она права, все из-за меня. И папа тратит лишние деньги, потому что я такая... И Юле приходится ездить по всяким скучным местам. Все мучаются из-за меня, я всех раздражаю.

Юля меня не любит, я все время это чувствую. Конечно, за что меня любить? Я толстая, ужасная и создаю всем только проблемы. От меня никому никакой радости. А Юлька такая красавица, у нее полно ухажеров, она, наверное, хотела вчера на свидание пойти, а вместо этого ей пришлось с моими родителями ехать на этот скучный прием.

Она там устала, поздно легла, сегодня проспала до полудня — и считай, что воскресенье уже кончилось. И получается, что из-за меня она потеряла оба выходных дня. Я во всем виновата.

Юля меня не любит, а я ее боюсь. Она такая... змеючая. Все время меня поддевает, подкалывает. Ну что ж делать, она права, я действительно ужасная и не заслуживаю ничего, кроме издевательств и презрения. Я даже не могу обижаться на нее, потому что она права.

Как бы я хотела быть такой красивой, как Юля! Она такая изящная, тонкая, она... просто волшебная! А я — толстая и неуклюжая. И папа вынужден из-за этого тратить деньги на зарплату Артему и Павлу. Он думает, что я ничего не понимаю, а я все вижу и все понимаю. Он же для них даже комнаты обставляет! И тренажеры купил для меня. А я знаю, сколько это все стоит, я цены в каталогах посмотрела. У папы денег много, он не обеднеет от этих трат, но Артем мне объяснял, когда мы говорили об экономике, что деньги надо не тратить, а инвестировать, то есть вкладывать так, чтобы они, во-первых, создавали новый продукт, а во-вторых, приносили прибыль. Получается, что папа вкладывает в меня деньги, а прибыли никакой не получает, потому что я такая ужасная и бессмысленная, и толку от меня никакого. Я ничего не создаю.

Артем такой чудесный, и я так его люблю! А он любит Юлю. Я точно знаю. Я знаю, что у них было, и Юля мне часто рассказывает, как он теперь подкарауливает ее при каждом удобном случае и умоляет прийти к нему в комнату... А она его больше не любит. Она теперь, кажется, интересуется Павлом, все время с ним заигрывает. Не понимаю, как можно разлюбить Артема. Он такой необыкновенный, такой умный, добрый, красивый, так много всего знает. Он чудесный, он лучше всех на свете. Почему она его разлюбила? Неужели Павел ей больше нравится? Нет, Павел тоже хороший, но Артем... Он в тысячу, в миллион раз лучше. Я буду любить его всю жизнь, пока не умру. Господи, если бы я была такой же красавицей, как Юлька! Когда она начинает говорить об Артеме, я ее ненавижу, ненавижу, ненавижу!!! Я убить ее готова. Почему-то я совершенно не злюсь на Артема за то, что он ее любит. Это ведь так естественно — любить красивую девушку. Не могу его в этом обвинять. Было бы даже странно, если бы из нас двоих он выбрал меня. Юлю всегда все любят. Даже мой папа любит ее больше, чем меня.

А я ее ненавижу.

Отражение 2

ЮЛЯ

Вот она, моя жизнь! Да, да, да!!! Именно для этой жизни я и создана! И я ее получу, чего бы это мне ни стоило.

Боже мой, как вчера было хорошо! Я была такой красивой, все мужчины на меня засматривались. Я видела, как они сравнивают меня со своими телками и кошелками, с которыми пришли, и слюни пускают. Понимают, что я намного лучше.

А платье мне дядя Миша купил просто отпадное! Супер! И туфли и сумочку к нему, очень дорогие. Жалко, конечно, что на брюлики не разорился, тетя Лара свои дала надеть на один вечер, у нее много всяких. Ничего, все впереди, и еще платье купит, и не одно, и на брюлики я его раскручу. Лучшие друзья девушек — это бриллианты, истина всем известна. Лиха беда начало! Главное — он понял, что меня можно и нужно возить с собой, что я не опозорю его, наоборот, все меня хвалят и восторгаются. И с лошадьми я вчера так удачно выступила! В этом клубе целая конюшня, и всем желающим предлагали покататься. Я, конечно, вызвалась одной из первых. Лошади мне по барабану, я их боюсь, и вообще, они вонючие какие-то, огромные, но там же давали костюмы для верховой езды, и мне ужасно хотелось надеть узкие бриджи, облегающую курточку и высокие сапоги. Я такие костюмы видела в журналах и всегда представляла, как сексуально я могла бы в них выглядеть. Так неужели мне упускать такой случай? Само собой, я первой помчалась переодеваться. Выглядела я просто кульно! Все обалдели. Талия тонкая, ноги длинные, стройные, волосы развеваются на ветру, глаза сверкают. Настоящая амазонка.

И прокатилась я классно! Конечно, не совсем самостоятельно, инструктор вел лошадь на корде, но это и понятно, я же в первый раз... Но я уверенно сидела в седле, держала спину прямо и ослепительно улыбалась, и народ от такой картины просто припух. Я потом слышала, как один старбон сказал дяде Мише, что для первого раза я держалась вполне достойно.

И мальчики-мажоры вокруг меня так и вились, друг у друга отбивали, телефончик просили. Посмотрим, как дальше будет. С каждым буду встречаться, а потом выберу. Тут главное — не спешить, потому что дядя Миша наверняка меня еще куда-нибудь возьмет, и там тоже появятся новые знакомые. Надо будет только обязательно другое платье попросить, а то ведь на этих тусняках одни и те же люди бывают, увидят меня в том же платье и черт знает что подумают.

А Данка, дура, поверила, что мне вчерашнее мероприятие сто лет не нужно было и я весь день промаялась от скуки. Ничего, это правильно, пусть чувствует себя виноватой. Я две недели ей мозги канифолила, что из-за нее вынуждена ехать, хотя мне совсем не хочется, и еще сегодня утром добавила, для профилактики. Жалко, конечно, что с Павлом не удалось посидеть наедине, Данка прямо-таки приросла к стулу с этим своим кефиром, так что, когда он спросил про прием, пришлось продолжать ныть и изображать страдание. Если бы Данки не было, я бы ему рассказала, какая я там была классная и как все от меня тащились. Пусть призадумается. А то строит из себя недотрогу. Я уж специально к нему прижималась так, что мертвый бы запрыгал от радости, а он сидит с каменной рожей, словно не чувствует ничего и не понимает. Цену себе набивает, хочет, чтобы я за ним побегала. Не дождется. Сам первый приползет.

Но как же я вчера была хороша! Даже дядя Володя это оценил. Мы вчера очень поздно вернулись, а он у нас сидел, они с бабушкой телевизор в гостиной смотрели. Я влетела в комнату как на крыльях, вся такая возбужденная, счастливая, глаза горят, волосы по плечам струятся, платье переливается. Он в кресле сидел, я к нему подлетела, наклонилась поцеловать и так хитро повернулась, чтобы грудь в вырезе было видно. Как он на меня посмотрел! Это что-то. Теперь я совершенно уверена: если бы я не была его племянницей...

Отражение 3

МИХАИЛ

Чтобы я еще хоть раз взял Юльку в приличное место? Да никогда в жизни! Она совершенно не умеет себя вести. Вешалась на всех подряд, строила глазки, навязывала свой номер телефона. Просто как дешевая проститутка. Ужас. Стыдобища. Хорошо, что я, когда представлял ее, сразу говорил, что это моя племянница. Не хватало еще, чтобы все подумали, будто у меня такая дочь. Ларка чуть не умерла от стыда и вчера, когда мы вернулись, устроила мне скандал. Все-таки Юля — МОЯ племянница, и я выполнял просьбу МОЕЙ матери. Ларка шипела, что если я буду продолжать идти на поводу у своих родственников, то наша жизнь превратится в полное дерьмо, и что мои родственники руководят всей нашей жизнью, и что ей надоело это терпеть, и что я должен, наконец, научиться жить собственным умом, а не маминым и не Володькиным, и мне нужно начать говорить им всем «нет». Я понимал, что она права, и пообещал. Первое, что я сделал, — не поехал с матерью на кладбище. Встал, как обычно, в шесть утра, хотя поспать удалось всего часа три и голова была тяжелая, но все равно встал и в восемь уже был в офисе. Без меня мать Ларису не тронет, ехать не заставит. Юлька небось до обеда проспит. А Валентина пусть сама выкручивается как хочет. Не сможет выкрутиться — пусть едет с матерью. Нет, лично я эти еженедельные поездки к отцу и Ване прекращаю. И Юльку никуда больше не повезу.

Но это я сейчас такой решительный, а что будет, если мать снова скажет: «Возьми с собой Юлечку, раз Дана все равно не едет»? Как сказать ей «нет»? Как можно отказать матери, если она просит? У меня не хватит смелости объяснить ей, что ее обожаемая внучка — набитая дура. Можно было бы поговорить с Валентиной, но и ей я этого сказать не смогу. Нельзя обижать родственников, нельзя говорить им неприятные вещи и нельзя им отказывать в просьбах. Тем более родственникам «несчастным и обиженным жизнью». И еще одно «нельзя»: никогда нельзя высказывать родителям критические замечания в адрес их детей. Все эти «нельзя» — правила хорошего тона, правила общепринятые и незыблемые. И что же делать, если соблюдение таких правил портит твою собственную жизнь? Если я посмею заикнуться о том, что Юля не умеет себя вести, Валька обидится, матери нажалуется, мать впадет в истерику, начнет демонстративно пить сердечные лекарства, они обе побегут к Володьке рассказывать, какой я плохой и неродственный, и Володька припрется меня учить и читать мне мораль. И я ничего не смогу ему возразить. Почему-то он всегда ухитряется находить такие слова, такие аргументы, против которых возразить невозможно.

Черт, просто мышеловка какая-то. Скорее бы Павлу удалось что-нибудь сделать с Даной, чтобы я мог брать ее с собой. Тогда вопрос о Юльке отпадет автоматически. Вообще-то этот Павел совсем не дурак, и насчет того, что Дану надо вытаскивать из дома и приучать жить нормальной жизнью, он, безусловно, прав. Мне это как-то в голову не приходило, а когда он сказал — я понял, что это правильно. И выговор я ему утром устроил больше для острастки, чтобы не забывал, кто в доме хозяин. Мы действительно очень поздно вернулись, не мог же он сидеть у нас и ждать до двух часов ночи, ему к семи утра на работу. Я не садист, я все понимаю. Он проводил Дану до Володькиной квартиры, и ему пришлось как-то объяснять брату, почему он вдруг ее проводил, вот и сказал ему про маньяка. Не стал ничего скрывать или придумывать. Это говорит в его пользу: не хитрый, не скользкий, достаточно простодушный. Мне такие нравятся. И никому, кроме Володьки, ничего не сказал, понимает, что все бабы — дуры и паникерши. Валентина — на сто процентов уверен — тут же начала бы требовать, чтобы я дал Юльке охранника и машину с водителем, мать стала бы целыми днями квохтать и поджидать любимую внучку с часами в руках. А с Леной что делать? Одна Лариска оставалась бы спокойной: Юлю она терпеть не может и за нее переживать не собирается, Ленку ненавидит, а Дана и без того никуда не выходит, если не считать Володьки, но без присмотра она не останется, это уж мы с братом обговорили. Определенно, у Павла есть голова на плечах. Если у него с Даной все получится, я о нем позабочусь, подыщу ему такую работу, чтобы был доволен и деньги хорошие зарабатывал.

Отражение 4

ВЛАДИМИР

День большого смеха. Началось все в тот момент, когда Павел впервые вошел в мой дом и увидел Музу. Мою Музу. Какое у него было лицо!

Жаль, у меня под рукой не оказалось фотоаппарата. Удивительно открытый парень этот Павел, все, что думает, написано на лице, читай — не хочу. Я и прочел, причем с большим удовольствием. Написано там было примерно следующее: «Ну и заморыш, и как у такого видного мужика может быть такая страхолюдная жена? Наверное, он с ней живет из какой-то корысти, а трахаться бегает на сторону, потому что невозможно даже представить себе, чтобы кто-то мог лечь с ней в постель. Интересно, какая у него корысть? Деньги? Не похоже, квартирка небогатая, маленькая, достатка не наблюдается. Дети? Их нет. Может, она его шантажирует, знает о нем что-нибудь неблаговидное и угрожает всем рассказать, если он ее бросит? Или не о нем, а о его брате, Михаиле Олеговиче? У бизнесменов всегда есть секреты и тайные темные делишки».

Я от души повеселился, представляя себе, какие мысли бродят в голове у этого спортсмена. Не такой уж я проницательный, просто люди очень похожи друг на друга и, когда знакомятся с моей женой, думают примерно одно и то же. Но далеко не все думают молча, многие делают это вслух и облекают свои размышления в форму вопросов, которые не стесняются мне задавать. Поэтому мне теперь несложно угадывать траекторию полета их бедной фантазии. Головы забиты стереотипами, вдолбленными с раннего детства, эти стереотипы выстраивают мозговые извилины в строго определенном порядке, и в результате продукт мыслительной деятельности получается тоже типовым. Скучно... Но из этого я умею создавать для себя постоянный источник всяческих развлечений. Меня это забавляет.

А потом, когда я привел Дануську домой и остался ждать Михаила, мне пришлось коротать время с мамой, и я снова начал веселиться, потому что у мамы только и разговоров было, что о приеме, на который ей удалось отправить Юлю. На самом-то деле мама думала, что рассказывает мне, какая добрая и заботливая у нас с Мишей сестра, как она печется о Мишеньке, о том, чтобы он полноценно отдыхал и имел возможность поддерживать нужные знакомства и заводить связи, и о том, чтобы у него была репутация достойного семьянина, которая нынче очень ценится в бизнесе как признак стабильности. Я давно уже знал о том, что Миша с Ларисой возьмут Юльку с собой в Никольское, мне Дана сразу рассказала, но я усердно делал вид, что слышу об этом впервые, поддакивал матери и восхищался добросердечностью Валентины. Чуть не умер от смеха. Валька — и добросердечность? Даже в пьяном сне такое не приснится. Валька всю жизнь была эгоисткой и думала только о себе, она вообще любить никого не умеет, ей это от природы не дано. Каждого человека она расценивает с единственной точки зрения: какие выгоды от него можно поиметь. И Юля точно такая же, в мать

пошла, просто клон какой-то, ей-богу. Но наблюдать за ними крайне занятно. Обе думают, что
все кругом дураки и можно вертеть окружающи-
ми как угодно. Совершенно очевидно, что Валентина старается выпихнуть дочку «в свет», чтобы
та нашла себе богатенького мужичка, но разве
она может напрямую заявить об этом маме? Мама у нас правильная, идеологически подкован-
ная, советской властью выпестованная, мама у
нас человек строгой морали и четких нравствен-
ных принципов, и в разговорах с ней нельзя
апеллировать к современным понятиям и ценно-
стям, она этого просто не поймет и ужасно рас-
сердится. С мамой надо аккуратно. И Валька придумала песенку о Мише и с успехом пропела ее
маме. Она всю жизнь пользовалась тем, что мама
никогда ничего не выясняет и не проверяет, она
слепо верит всему, что ей говорят ее дети, ибо ЕЕ
дети не могут оказаться лжецами просто по оп-
ределению. Это же ЕЕ дети. Как они могут обмануть мать? Невозможно.

Во мне нет ненависти к Валентине, она глупая
и склочная баба, и я отношусь к ней со снисхо-
дительной иронией. Но я все помню. И никогда
ее не прощу. Из-за нее я потерял друга. И хотя
произошло это много лет назад, мне по-прежнему больно. Конечно, рядом со мной Муза, которая — спасибо судьбе — заменяет мне всех, она
для меня и друг, от которого нет тайн, и ребенок,
о котором нужно постоянно заботиться и кото-

рого можно баловать, и мать, которая погладит горячий лоб, даст таблетку и принесет горячего чая в постель. У меня много знакомых, я активно общаюсь с сослуживцами, с коллегами по научной работе, с пациентами, которых консультирую по выходным дням (по первому образованию я социолог, по второму — психотерапевт, и это приносит мне дополнительный заработок), но близкого друга-мужчины у меня с тех пор нет. Мне отчего-то кажется, что по-настоящему близкие отношения могут сложиться только с тем, кто знает тебя с детства или хотя бы со студенческой юности, и мы со Славкой, безусловно, стали бы именно такими друзьями. Но я его потерял.

Мы с ним учились тогда в десятом классе. Славка был тихим домашним мальчиком из интеллигентной семьи, с раннего детства занимался музыкой, играл на рояле, а в нашей общеобразовательной школе шел на золотую медаль. Мы дружили с первого класса, всегда сидели за одной партой и понимали друг друга без слов. Мы даже никогда не ссорились, потому что думали и чувствовали совершенно одинаково, и у нас просто не бывало поводов для разногласий. Славка был музыкантом, а я занимался боксом, и это было единственным, что нас отличало друг от друга.

Когда Славка влюбился в девочку из параллельного класса, начались неприятности. Девочка оказалась с «богатой» биографией (почему-то тихие домашние мальчики часто ухитряются выбирать в качестве объекта сердечной привязанности откровенных шлюх), и на моего друга стали наезжать здоровенные бугаи, считавшие, что у них на Славкину возлюбленную есть свои права. Он не сдавался, открыто дерзил обидчикам и продолжал ухаживания. Дело дошло от открытого противостояния, и Славку вызвали на разборку. Как теперь говорят, забили стрелку. Было понятно, что его собираются бить. И точно так же было понятно, что вместе со Славкой пойду я. Иначе и быть не могло, мы же друзья, а я к тому же еще и боксер.

Встречу назначили на десять вечера. После школы я вернулся домой и добропорядочно делал уроки, то и дело поглядывая на часы: мне нужно было успеть не только добить эти коварные задачки по физике и выучить основные положения работы В.И.Ленина «Отчет о революции 1905 года», но и съездить к бабушке, маминой маме, которая приболела. Я должен был купить продукты и лекарства по списку, еще утром составленному мамой.

Около пяти часов в комнату, где я делал уроки, заглянула Валя, которая уже давно вернулась из института и валялась на диване с книжкой.

— Мама звонила, напоминала, что ты должен съездить к бабушке. Она очень удивилась, когда узнала, что ты до сих пор дома.

Задачка по физике никак не решалась, и я

злился и нервничал, поэтому буркнул сквозь зубы, не поднимая головы от учебника:

— Ну.

— Что — ну? Ты к бабушке собираешься или нет?

— Отстань. Доделаю физику, выучу историю и поеду.

Я был невежлив, признаю. Но больше меня упрекнуть не в чем. Валентина загадочно хмыкнула и вышла. Я услышал, как она звонит маме на работу и что-то вполголоса говорит, и решил, что все в порядке, она успокаивает маму и объясняет ей, что я через некоторое время закончу делать уроки и поеду к бабушке.

Ох, как же я ошибся! Буквально через пару минут она вернулась и холодно бросила:

— Можешь не торопиться, делай свои неотложные дела. Мама сама поедет к бабушке после работы.

В тот момент ничто во мне не дрогнуло от дурного предчувствия. Я — вот дурак-то! — даже обрадовался, что все так мирно и просто разрешилось. Не тут-то было.

Около половины девятого вернулась домой мама и сразу отправилась на кухню, готовить ужин, вскоре пришел с работы отец, а еще минут через десять началось страшное. Отец влетел в комнату разъяренный и накинулся на меня.

— Ты что себе позволяешь, негодяй?! Ты как себя ведешь?! Почему мать, усталая, измученная, после рабочего дня должна ехать к бабушке вместо тебя? Совсем совесть потерял!

Я ничего не понимал и глупо пытался оправдываться, дескать, я не отказывался ехать, я был готов, мама сама сказала, что поедет... Но отец продолжать кричать, и из того, что он произносил, нарисовалась следующая картина: мои родители целый день на работе, трудятся на благо общества, а мама, кроме всего прочего, должна вести дом и кормить и обстирывать нас, троих детей. Михаил работает и учится на вечернем отделении, у него нет ни минуты свободной, у Вали болит горло, и она не может ехать к бабушке, чтобы не занести инфекцию пожилой женщине, один я бездельничаю и, кроме школы, никаких забот не знаю, к тому же я утром пообещал отвезти бабушке лекарства и продукты, и вот в такой ситуации я посмел сказать сестре:

— Отстань, у меня других дел полно. Некогда мне к бабушке ездить.

Конечно, Валя тут же перезвонила маме. Вообще-то, насколько я помнил, говорил я совсем не это. То есть я действительно произнес слово «отстань», но дальше все было совершенно не так. Я сказал, что доделаю уроки и поеду. Но Валя преподнесла маме наш разговор в несколько ином свете, к тому же наврала, что у нее болит горло. Никакое горло у нее не болело, просто ей хотелось и меня подставить, мелко напакостить, и самой к бабушке не ехать. Мама, как обычно, ничего не перепроверяя и не выясняя, рассердилась и сказала, что раз так, раз Володя ехать отказывается, то она сама поедет. Как я мог так поступить в отношении родной бабушки?! Как я мог заставить мать... и так далее.

Я ничего не понимал. Я совершенно не чувствовал себя виноватым, ибо был полностью уверен, что мама просто передумала и решила поехать сама. Я же не отказывался, я просто сказал сестре, что поеду чуть позже, но поеду обязательно.

— Ты не человек! — продолжал бушевать отец. — У тебя нет сердца, нет совести, нет чести, нет уважения к старшим, нет любви к родственникам. Ты думаешь, когда ты был маленьким, у нас всех не было других забот и интересных занятий, и мы все только и мечтали о том, как бы посидеть с тобой, повытирать тебе задницу, когда ты обделаешься, послушать твои крики и капризы? Думаешь, нам очень нравилось не спать ночами, без конца вставать к тебе, менять тебе пеленки и ползунки? Думаешь, мы с твоей матерью не хотели сходить в гости или в театр, не хотели съездить в отпуск и отдохнуть? Но мы не могли, потому что нужно было заниматься тобой, сидеть с тобой, кормить тебя. И бабушка постоянно помогала нам, чтобы мама могла хотя бы в магазин сходить или в поликлинику. Никто не считался со своими интересами, никто не думал о своих важных делах, потому что был долг перед тобой, и этот долг мы стремились выполнить. А теперь, когда ты вырос, ты не хочешь долги отдавать, ты не думаешь ни о чем, кроме собственных интересов. Ты холодный, бесчувственный эгоист! Я давно это знал, еще с того дня, когда умер Ванечка, но я надеялся, что с годами ты поумнел и подобрел. Я ошибся в тебе! Ты — негодяй, ты — злобное ничтожество, ты мерзавец, из которого никогда не получится настоящий человек. Посиди и подумай над тем, что я сказал. Сегодня ты останешься без ужина и без телевизора.

Он вышел из комнаты, громко хлопнув дверью, и я услышал, как снаружи в замке повернулся ключ. Меня заперли. Первые несколько минут я пребывал в шоке от сказанного отцом, я был раздавлен несправедливостью обвинений и не понимал, за что. То есть я понимал, что произошло, фокусы Валентины не были внове, но я не понимал, зачем она это сделала. Она всегда подставляла и меня, и старшего брата Михаила тогда, когда ей это было нужно, выгодно. А сегодня-то зачем? Чтобы самой не ехать к бабушке? Да ее никто и не просил, никто от нее этого не ждал, это должен был и собирался сделать я. Неужели просто из вредности, из пакостности натуры?

В переживаниях я даже не сразу сообразил, что меня заперли, и весь ужас положения дошел до меня только тогда, когда я в очередной раз взглянул на часы и понял, что уже половина десятого и минут через пять мне надо выйти из дому, чтобы встретиться со Славкой и отправляться на разборку. Я подергал дверь, все еще не веря в то, что не могу выйти из комнаты. Я стучал в нее, потом начал кричать. Услышав шаги отца, я торопливо заговорил:

— Папа, выпусти меня, пожалуйста, мне обязательно нужно пойти к Славику! Это очень важно!

— Для того чтобы навестить больную бабушку, у тебя времени не нашлось, — холодно ответил отец. — Ты был занят более важными делами. Теперь ты никуда не пойдешь, пока не осознаешь всю глубину своей безнравственности.

— Я все осознал, папа! Прости меня, пожалуйста, я все понял. Мне очень нужно, это вопрос жизни и смерти! Пожалуйста!

— Когда болеет твоя старенькая бабушка — это тоже вопрос жизни и смерти. Ты, очевидно, так ничего и не понял. Будешь сидеть дома.

Как ни странно, но мне даже в голову не пришло обвинить Валентину во лжи. Я уже тогда понимал, что это бессмысленно: Валечка была умницей и красавицей, Мишенька — тружеником, одновременно работавшим и учившимся, а я — изгоем, от которого ничего хорошего ждать не приходилось.

Шум удаляющихся шагов. Меня не выпускают. А как же Славка? Как он, тихий домашний мальчик-музыкант, будет драться с этими отпетыми хулиганами? Это же получится не честная драка, а избиение. И я не смогу его защитить. Может быть, он испугается и один не пойдет? Не дождется меня и просто не пойдет. Нет, я хорошо знал своего друга Славика, ему чувство собственного достоинства не позволит струсить и не пойти.

— Дайте позвонить! — завопил я, снова молотя в дверь кулаками. — Хотя бы позвонить дайте! Выпустите меня!

— Перебьешься, — раздался ехидный голосок сестры Вали. — Занимайся своими важными делами, времени у тебя теперь — вагон, все успеешь.

Распахнув окно, я всерьез прикидывал, можно ли удрать таким способом, но сразу убедился, что ничего не выйдет. Двенадцатый этаж. В той комнате, где я находился, не было балкона, и, таким образом, все возможности выбраться, например, через соседей обрубались.

И тут я услышал звонок в дверь. Славка! Как хорошо! Он не дождался меня в условленном месте и пришел сам, думая, что я забыл или перепутал время. Я с новой силой принялся стучать и орать, но тот, кто вышел на Славкин звонок, оказался более предусмотрительным и разговаривал с ним на лестничной площадке, закрыв за собой дверь в квартиру. Все пропало.

Снова хлопнула дверь.

— Это Славик приходил? — проорал я осипшим от крика голосом.

— Да, — ответила Валя. — Я ему сказала, что ты плохо себя чувствуешь и лег спать пораньше.

— А он? Что он сказал? Он домой пошел?

Я все еще надеялся...

— Он сказал, что, раз ты болеешь, он пойдет без тебя. И перестань орать как резаный, от твоего визга уши закладывает.

Я плохо помнил, как прошла ночь, но у меня было ощущение, что я не заснул ни на минуту. Перед сном меня выпустили в туалет и в ванную и больше уже не запирали: вернулся после вечерних занятий в институте Миша, с которым мы делили одну комнату.

Утро оказалось еще ужаснее. Не пройдя и полпути до школы, я встретил парня из нашего класса и узнал, что Славку здорово побили и, что хуже всего, повредили ему руки.

— А чего ты спрашиваешь? — удивился одноклассник, шагая рядом со мной. — Ты разве не был с ним? Вы же должны были вместе идти.

Что я мог ему ответить? Что меня, как маленького, наказали и не пустили гулять во двор? Или что я «плохо себя почувствовал и лег спать пораньше»?

От меня все отвернулись. В глазах ребят я оказался трусом и подлецом. Слава ничего не скрывал и рассказал, как было: не дождавшись меня в условленном месте, он зашел за мной, и ему сказали... Все это выглядело отвратительно, но во всем этом не было ни капли неправды. Мы действительно договорились, и он действительно ждал, и я действительно не пришел, не предупредил его, не позвонил, не поговорил с ним, и ему действительно сказали то, что сказали.

Доучивался до выпускных экзаменов я в положении изгоя. Со мной никто не разговаривал. И я потерял своего единственного друга. В последний раз я видел Славку на экзамене, на выпускной вечер не пошел, сказавшись больным, но, поскольку мама работала в роно, мой аттестат ей принесли на работу. Больше мы со Славой не встречались, но я узнавал о нем, следил за его судьбой, которая сложилась чудовищно. После избиения у него начались большие проблемы с руками, он больше не мог играть на рояле так виртуозно, как должен был, и с карьерой музыканта-исполнителя ему пришлось проститься. Он, получивший свою золотую медаль, мог бы поступить без экзаменов в любой институт, но ему нужна была только музыка. И не абстрактно, а вполне конкретно: рояль и сцена. А эту возможность он потерял навсегда. Сначала он долго лечился, пытаясь что-нибудь сделать с руками, но с врачами ему не повезло, все стало только хуже, мало того, что подвижность пальцев не восстановилась, так еще они начали постоянно болеть. Он подался в лабухи, их группа играла в ресторанах и кафе, постепенно Славка спивался, и хотя возле него всегда находилась какая-нибудь очередная жена, ни одна не смогла отвадить его от выпивки. Он умер, не дожив до тридцати пяти лет.

Я пришел на его похороны. Мама Славика меня узнала и отвернулась, а отец сказал:

— Уходи, Володя. Славка часто тебя вспоминал, особенно в последние дни, когда понимал, что... это конец. Он знал, что ты захочешь прийти, и просил, чтобы тебя на похоронах не было.

Он так и не простил меня. А я не простил Валентину.

Кстати, спустя буквально пару недель после того случая с моим наказанием я понял, зачем она это сделала. Приближался Новый год, родители готовились сделать нам подарки, и, как обычно, мама потихоньку спрашивала у нас, детей, что бы мы хотели получить. Разговоры о подарках начинались задолго, еще в конце ноября, и Валя заявила, что хочет золотые сережки. Мама объяснила ей, что это очень дорого, потому что, по нашим семейным правилам, новогодние подарки всем детям должны быть равноценными и нельзя подарить одному золотые сережки, а другому книжку за рубль двадцать. А на три дорогих подарка в семейном бюджете нет денег.

Поскольку я оказался строго наказан и подвергнут остракизму (за отказ ехать к бабушке родители не разговаривали со мной полтора месяца), то мне подарок не полагался. Так что вышла чистая экономия, которая пошла на благо моей сестре. Она получила свои сережки.

Какие-то глупые, дурацкие сережки, которые она через год потеряла где-то на пляже. И целая человеческая жизнь. Славкина жизнь. Никогда не прощу.

...Я снова и снова вспоминал эту историю, слушая, как мама поет Валентине дифирамбы за ее неусыпную заботу о брате и его душевном покое. Уж такая она добрая, такая внимательная, и при этом такая несчастная, ведь как неудачно сложилась ее личная жизнь! Встретила человека, полюбила всем сердцем, честно все рассказала мужу и ушла от него, забрав дочь и отказавшись от раздела имущества, кто ж мог знать, что он окажется недостойным такой большой любви и бросит ее! И снова меня стал разбирать хохот. Знала бы она...

Но самый большой смех, просто-таки гомерический, напал на меня, когда пришли Михаил, Лариса и Юля. Моя глуповатая племянница считает себя первой красавицей и ведет себя соответственно, хотя выглядит это порой безумно потешно. У всех людей глаз лукавый, и видят они в большинстве случаев не то, что есть на самом деле, а то, что хотят видеть. Это нормально. Но у людей вроде Юльки или моей сестры Валентины, впрочем, как и у нашей матушки, сия особенность развита чрезвычайно. Судя по всему, Юля, наряженная в дорогое платье и украшенная Ларкиными бриллиантами, видела себя просто-таки принцессой, впорхнула в комнату и кинулась ко мне. Якобы поцеловать. На самом деле — продемонстрировать мне свое декольте и дать возможность вдохнуть аромат ее духов. Я же видел перед собой плохо накрашенную девицу в плохо сидящем наряде. Наверное, выходя из дома, Юля сделала хороший макияж, но нужно ведь уметь делать его так, чтобы он сохранял пристойный вид через несколько часов. Юлька, что очевидно, этого не умеет, и лицо ее после десяти часов безудержного веселья на приеме выглядело просто неумытым. И когда она наклонилась, чтобы меня поцеловать, на меня резко пахнуло потом, а вовсе не дорогими духами. То есть запах духов там присутствовал, но в смеси с потом, ароматом чесночных креветок и перегаром от выпитого шампанского получилось просто-таки тошнотворно.

Во мне нет ненависти к Валентине, я просто ее не люблю. И Юльку не люблю. И Михаила. Я люблю только Музу и Дануську. И еще одного человека...

ГЛАВА 4

ПАВЕЛ

Ну и что сказала эта твоя Нана Ким, когда ты описал ей контакты господина Руденко?

Следователь Галина Сергеевна вооружилась очками, открыла блокнот и приготовилась записывать. Я с недоумением посмотрел на нее, не понимая, какое значение это может иметь в деле расследования убийства. Тем не менее честно напряг память и постарался воспроизвести наш с Наной тогдашний разговор.

— Ничего особенного, — я пожал плечами. — Сказала, что подумает, соберет какую-нибудь информацию об этих людях.

— Но хоть какие-то имена показались ей знакомыми?

— Да, конечно. Даже я их знал, а уж она-то... Про кого-то она сказала, что это в прошлом криминальный авторитет, который изо всех сил стремится отмыть свою репутацию и пробиться в светское общество в качестве полноправного члена.

— Что, именно так и сказала? — Галина Сергеевна приподняла очки и с любопытством посмотрела на меня. — Вот конкретно такими словами?

— Такими, — подтвердил я. — Я точно помню.

— И о ком же она так высказалась?

— Вот этого не помню. Галина Сергеевна, столько времени прошло, вы поймите...

— И никаких фамилий ты тоже не помнишь? Я имею в виду тех, кого назвала вам эта девочка, Юля.

— Нет, не помню. Я тогда все записал и передал Нане, а через полчаса забыл. Неужели это так важно?

— Как знать, Павлуша, как знать. — Следователь Парфенюк вздохнула. — Придется мне все-таки побеседовать с госпожой Ким. Надеюсь, у нее память получше. До сих пор я смотрела на это дело как на чисто семейное, потому что возможность совершить отравление была только у членов семьи и совместно проживающих. Но теперь я подумываю и о другом варианте. Ведь заинтересованные партнеры или соперники по бизнесу вполне могли вступить в контакт с кем-нибудь из семьи, заплатить деньги или пообещать некие блага... Все может быть. Один человек убит, вся семья под подозрением, счета замораживаются, репутация фирмы шатается. Что может быть лучше для разваливания бизнеса?

— Но...

— Павлуша, — она строго посмотрела на меня, — тебе кажется, что я говорю глупости? Что так не бывает? Уверяю тебя, при наличии опытных и изворотливых юристов можно загубить любой бизнес и уничтожить любую фирму, имея в активе только лишь невнятные слухи о том, что у владельца в прошлом были нелады с законом. Наше официальное правосудие демонстрирует эти выверты постоянно, вся страна уже потешается. А уж тут-то! Наличие криминального трупа — это не просто нелады, и не в далеком прошлом, а в настоящем. Ну ладно, я уже поняла, что в этом вопросе ты мне не помощник. Тут я буду сама разбираться. А ты давай-ка продолжай рассказывать про членов семьи. Что там и как, кто кого ненавидел и за что. Вот тут у меня записано, послушай: Валентина Олеговна плохо относилась к Ларисе Анатольевне. Анна Алексеевна тоже. Правильно?

— Правильно.

— Владимир Олегович недолюбливал Юлю. Так?

— Так.

— Сама Юля не любила Богдану.

— Да она вообще никого не любила, — вырвалось у меня в сердцах. — Кроме, может быть, Владимира. Она на него так смотрела, что даже мне стыдно становилось. Все-таки он ее дядя, а она с ним заигрывала, как будто он посторонний мужик. Но Михаила Олеговича она тоже любила, ластилась к нему, подлизывалась, называла дядей Мишенькой.

— Ну, это как раз понятно, она рассматривала богатого дядю как источник финансирования. А что у нас с Музой Станиславовной? По твоим словам выходит, что она существо абсолютно безобидное и беззлобное, к тому же с членами семьи она не очень-то контактировала. Как к ней относились? Что о ней говорили за глаза? И потом, из твоего рассказа совершенно выпала Елена Тарасова. Ты только упомянул, что на нее никто не обращал внимания, а сама она старалась быть как можно более незаметной.

— Ну... — я отвел глаза, — она же старалась быть незаметной. Вот я мало что и заметил.

— Павел, не крути. — В голосе следователя зазвучали недобрые нотки. — Во-первых, «мало что» — это все-таки больше, чем просто «ничего». А во-вторых, за два года ты должен был много чего увидеть и понять.

Разумеется, Галина Сергеевна была права. Но мне так не хотелось говорить о Лене! Я старательно избегал даже упоминания о ней и глупо надеялся, что так оно и обойдется. Ан не обошлось. Значит, Муза Станиславовна и Елена. Ну ладно, тогда все по порядку. То есть рассказывать следователю я буду избирательно, ни к чему ее грузить мелочами и подробностями, но воспоминаниям ведь не прикажешь, они текут свободно и разрешения у меня не спрашивают...

* * *

Как я уже говорил, прошла неделя, пока хозяин думал над моим (на самом деле — Володи-
ным) предложением возить Дану в стрелковый
клуб. За эту неделю я прислушался к себе и понял, что решения этого жду не дождусь, причем
страшно хочу, чтобы оно оказалось положитель-
ным. Все-таки хоть какое-то разнообразие, а то я
уже завял. Работа-то оказалась унылой и скучной,
каждый день одно и то же, и ни малейшего про-
света, на развлечения и личную жизнь времени
не хватает. То есть время, конечно, есть — вечер
и целая ночь, но вставать-то рано! Себя жалко.

Поэтому я несказанно обрадовался, когда Михаил Олегович заявил:

— Будете ездить. Три раза в неделю. Я переде-
лал график занятий Даны с Артемом. У него теперь тоже выходных не будет.

Оп-па! На это я не рассчитывал. Артему-то за
что страдать? Черт возьми, похоже, я парня подставил. Неловко вышло.

— Я говорил с руководством клуба, — продолжал между тем папаня, — тренер, которого ты назвал, будет закреплен за Даной постоянно. Ездить
будете по вторникам, четвергам и воскресеньям,
с утра, пораньше.

— Но они работают с десяти, — возразил я
робко.

— Я договорился, с Даной будут заниматься с

половины девятого. Выезжать будете в семь утра, как раз твой рабочий день начинается.

Н-да, здесь я ничего не выгадал. А ведь так надеялся, что пересмотр графика позволит мне хотя бы иногда вставать попозже! За три недели я уже запарился подниматься в шесть часов, все-таки это не мой режим, я привык к другой жизни, и такой солдатский ритм мне порядком надоел. Но папаня-то каков, а? С руководством клуба переговорил, сам все выяснил, мои слова перепроверил, для своей дочки особые условия выторговал.

— Вот, — он протянул мне пластиковый прямоугольник кредитной карты, — это твоя карта. Не забудь на обороте расписаться. Я перевел на нее деньги, чтобы ты расплачивался в клубе. Но только в клубе, ты понял? На себя лично ты оттуда не возьмешь ни копейки. Надеюсь, ты понимаешь, что это проверяется в пять секунд, банк дает мне выписку, и я четко вижу, откуда пришел счет. Если хоть один счет придет не из клуба — уволю. Воров не терплю.

— А кофе попить после стрельбы? — нахально спросил я. — Я-то перебьюсь, не маленький, а у Даны пятиразовое питание, ее в клубе придется чем-то покормить.

— Само собой, — кивнул Михаил Олегович. — И Данку корми, и сам ешь. Ты меня за кого держишь? Что за странные вопросы?

— Я вас держу за хозяина.

По-моему, я обнаглел в тот момент окончательно, но я был так рад разрешению ездить в стрелковый клуб, что временно утратил чувство меры и дистанции. Просто голова от восторга закружилась и мозги стали мутными. Но папаня отреагировал вполне адекватно, видно, пребывал в хорошем настроении.

— Вот это правильно. Лучше лишний раз спросить, чем делать наобум и потом рвать на себе волосы. Еще вопросы есть?

Ну, коль пошла такая пьянка... Ладно, где наша не пропадала.

— Есть. Из каких денег мне платить за бензин? Концы-то немаленькие.

— При чем тут бензин? — удивился папаня. — Неужели ты думаешь, что я позволю тебе самому возить Дану? Я вам дам машину с опытным водителем. Не обижайся, Павел, но я не могу доверить свою дочь человеку, который попал в серьезную аварию.

— Но я же не виноват! Я могу все документы показать из милиции, виновником аварии признан тот козел! Я ничего не нарушал.

— Это не имеет значения. Есть люди, которые притягивают к себе неприятности, а есть люди, которые притягивают травмы и опасные для жизни и здоровья ситуации. От них ничего не зависит. Они такие от рождения, от природы. Ты, может, и не виноват, но ты притягиваешь. А Даной я рисковать не могу. Все, это не обсуждается.

Вот спасибо, обрадовал. Конечно, приятного

мало, но на фоне предстоящей поездки обида быстро рассосалась.

Однако я не учел самого главного — моей подопечной Богданы Руденко. Ее реакция оказалась вполне предсказуемой, просто я — дурак! — об этом не подумал.

— Я никуда не поеду, — резко заявила она, как только я сообщил ей о занятиях спортингом.

— Почему?

— Не поеду — и все.

— А ты это своему папе скажи, — коварно посоветовал я.

— Я говорила. И вам говорю.

Говорила, значит... А папаня все равно решил по-своему. Ну ладно, будем прорываться вперед с боями.

— Дана, — мягко заговорил я, — ты пойми, это нужно. Это необходимо, если мы с тобой хотим получить результат. В условиях твоей тренажерной комнаты мы не можем обеспечить весь комплекс мер, которые нам нужны. Тебе надо не только делать упражнения, но и просто ходить. Ходить нужно обязательно.

— Но я хожу! Я же два раза в день по полчаса хожу по дорожке! Мало, что ли?

— Ты ходишь в комнате. Да, мы открываем окна, но все равно это не то. Ходить и двигаться надо на свежем воздухе, за городом, чтобы твой организм получал хоть какой-то кислород, тогда обменные процессы заработают. Без кислорода у нас ничего не получится. В центре Москвы его просто нет, здесь же все загазовано.

— Я не буду ездить, — твердо сказала Дана и отвернулась.

Н-да, поздновато до меня доходит. Но хорошо, что все-таки доходит. Я подошел к ней, одной рукой взял за плечо, другой повернул голову Даны так, чтобы она смотрела мне в глаза.

— Я тебе обещаю, — тихо произнес я, — если кто-нибудь посмеет хоть что-нибудь вякнуть, я его порву. Сразу и в клочья. Но если я буду рядом, никто и не посмеет.

С этими словами я поднес к ее глазам бицепс и картинно поиграл обтянутыми майкой мышцами, скроив при этом страшную рожу. Расчет оправдался: Дана слабо улыбнулась. Еще полчаса из отведенного на занятия времени ушло на уговоры, но в конце концов я девчонку уломал.

И вот настал долгожданный вторник. Паркуя без пяти семь утра машину у дома Руденко, я заметил незнакомый белый «Рейнджровер». Вроде я уже наизусть выучил все автомобили, которые стоят здесь по утрам, а этого внедорожника никогда прежде не видел. Неужели это та самая «машина с опытным водителем», которую грозился прислать папаня? Ну, круто! Такая штучка под сто тысяч долларов тянет.

Так и оказалось. Из «ровера» вылез папаня собственной персоной и направился прямо ко мне.

— Дана уже в машине, — хмуро сообщил он. — Поезжайте.

Что-то мне в его голосе не понравилось, но стоило залезть в роскошный салон — и я сразу понял, в чем дело. На заднем сиденье, забившись в угол, скрючилась рыдающая Богдана. Все ясно. Она дала себя уговорить, но как только дошло до дела — испугалась. И ведь ничего страшного ей не предстояло, девочку везли не в гимназию, где ее оскорбили и обидели. Она испугалась просто потому, что давно уже никуда не ездила. Она отвыкла от чужих людей, от машины, от дороги. Она утратила навык существования где бы то ни было, кроме своей квартиры. У Даны началась обыкновенная паника. Ой, как прав оказался ее дядюшка Володя! Если сейчас поездка в машине вместе с хорошо знакомым человеком вызывает у нее такой ужас, то что будет, если она просидит дома еще какое-то время? Даже представить страшно.

Ну хорошо, паника-то обыкновенная, а вот как с ней справляться? Я что, врач-психиатр? Чего мне делать-то?

— Поехали? — обернувшись ко мне, спросил водитель.

— Да-да, поехали, — торопливо ответил я, опасаясь, что Дана может выскочить из машины и пойти домой. Как тогда быть? Волоком ее тащить? В охапку хватать? Вот картинка-то выйдет — чистое загляденье! Надо отъезжать, пока она бьется в рыданиях и ничего не видит. И еще вопрос: пытаться ее успокоить или сидеть молча и ждать, пока она выплачется и затихнет? В таких делах у меня опыта маловато.

Я притянул девочку к себе и начал гладить по голове, приговаривая:

— Это ничего, что тебе страшно. Это нормально. Любому человеку было бы страшно в такой ситуации, даже мне. Знаешь, я хорошо помню, как мне было плохо, когда я вышел из больницы. Я там полгода провалялся, и когда меня выписали, я шел по городу и ничего не понимал. Голова кружится, ноги ватные, соображаю плохо. За полгода совсем отвык. Ты тоже отвыкла. Но ты не бойся, я все время буду рядом, и я тебе обещаю, что ничего плохого с тобой не произойдет. Тебя никто не обидит, я этого просто не допущу.

— Я нелепая, — всхлипывала в ответ Дана, — я неуклюжая и толстая, у меня ничего не получится. Надо мной все будут смеяться. Зачем вы меня туда везете? Чтобы я опозорилась?

Я улыбался в душе. Она не представляет себе пока, как проходят тренировки в спортинге. Ты стоишь на площадке вдвоем с инструктором, и больше никого рядом нет, ни одного постороннего человека, и никто не видит, как ты стреляешь. Даже лица твоего никто не видит, только спину, потому что лицо обращено к летящим мишеням, то есть к зоне стрельбы, а там, как вполне понятно, люди не ходят. Но я-то все это знал. И потом, у меня хватило ума (все-таки я не полный идиот!) позвонить накануне в клуб, связаться с Анатолием Викторовичем Николаевым и обрисовать ему проблему. Тренер заверил меня, что все понял и чтобы я ни о чем не беспокоился.

Примерно полпути мы проделали с рыданиями, но вторая половина прошла спокойнее. Очередной виток мучений начался, когда мы въехали на территорию клуба и водитель Василий поставил машину на парковочной площадке. Выходить из салона Дана отказалась.

— Дана, надо выйти, — терпеливо уговаривал я.

— Я знаю, — соглашалась она сквозь зубы.

— Тогда выходи.

— Я не могу.

— Почему?

— Я боюсь.

— Но я же с тобой. Чего ты боишься? Тебя здесь никто не знает, никому нет до тебя никакого дела. И вообще, клуб официально работает с десяти часов, сейчас только двадцать минут девятого, здесь нет никого, кроме сотрудников. Выходи.

— Не могу. Не пойду. Поехали домой.

Не знаю, чем бы все закончилось, но мне повезло. На парковку въехала машина, из которой вышел тренер Николаев. Меня он, конечно, не помнил, что и неудивительно, много нас таких, приезжающих развлечься и пострелять. Но я его помнил отлично и сразу узнал. Здоровенный дядька, за полтинник, плечистый, с необыкновенно добрыми глазами и ласковой улыбкой. Я приветственно помахал ему. Николаев, видно, сразу понял, что мы и есть те самые гости, ради которых ему велено было начинать работу в восемь тридцать, а не в десять. Он подошел, пожал мне руку и заглянул в салон.

— Ну как, красавица моя, ты готова?

Не знаю, чего в Дане оказалось больше, паники или хорошего воспитания. Вероятно, второго, потому что терять лицо перед посторонним она не захотела и стала неуклюже вылезать из машины. Смотреть на нее без сердечной боли было невозможно: бледная до синевы, трясется, глаза опухшие от слез. Я крепко ухватил ее под руку, прижал локоть к своему боку и повел вслед за тренером к клубному зданию, где нам нужно было записаться в специальный журнал и взять ружье и патроны.

— Дана, это твой тренер, его зовут Анатолием Викторовичем.

— Очень приятно, — пробормотала она.

Господи, у нее ноги заплетались от страха, и она все время спотыкалась. Надо отдать должное Николаеву — он все увидел, все понял и заговорил. Не спеша, размеренно, с шуточками-прибауточками он рассказывал, как тут, в клубе, все устроено, показывал площадки, мимо которых мы проходили, вспоминал какие-то охотничьи байки. Мне показалось, что рука Даны, прижатая к моему боку, чуть-чуть расслабилась, да и спотыкаться она стала пореже. С погодой в этот октябрьский день нам повезло, воздух был пронзительно вкусным и прохладным, а небо — безоблачным, и солнышко, которого Дана не видела столько времени, гарантировано. А для активизации обменных процессов солнце и вообще яркий дневной свет — первейшее условие, это мне объяснила моя всезнающая подружка Света.

В клубном здании я подвел Дану к стойке, за которой сидела симпатичная черноволосая девушка, и подвинул ей раскрытый журнал регистрации стрелков.

— Напиши фамилию, имя и отчество полностью, а вот здесь поставь подпись.

Дана послушно взяла ручку, и, судя по тому, что дважды уронила ее, успокоилась она пока не окончательно. Да и запись в журнале оказалась на диво корявой, хотя почерк у девчонки отменный, сам видел. Николаев выбрал для нее ружье, получил патроны, я прихватил пару наушников для себя и для Даны, и мы отправились на учебную площадку.

— Ты в тире никогда не стреляла? — спросил ее тренер. — Пулевой стрельбой не занималась?

— Нет.

— Это хорошо. Учить всегда легче, чем переучивать. Ну, вставай, красавица, вот сюда, на третий номер.

Дана обернулась ко мне, и я весело подмигнул, с удовольствием заметив на ее личике удивление: а ты думала, я врал, когда говорил тебе, что учиться легче, чем переучиваться? Вот и знающий человек это подтверждает.

Я с некоторым даже волнением ждал чуда, потому что помнил, как Николаев учил меня, и верил, что он не подведет. И чудо произошло. Прямо на моих глазах. Он стоял рядом, держался рукой за цевье ружья и приговаривал:

— Не спеши, посмотри на мишеньку, полюбуйся тем, как она летит, теперь найди ее мушечкой, обласкай, пойми ее траекторию, а теперь уйди дальше по этой траектории — и выстрел!

И тарелка разлеталась в пыль.

— Вот и нет мишеньки, — журчал ласковый голос тренера, — вот ты ее и сделала. Умница ты моя! Пластика у тебя обалденная. Отличный выстрел. Классика.

После каждого второго выстрела я подскакивал и помогал Дане перезарядить ружье, у нее пока еще не хватало силенок, чтобы переломить ствол. После двадцать четвертого выстрела, когда я открывал вторую коробку патронов, она вдруг сказала:

— Я сама попробую.

И попробовала. Далеко не с первой попытки, но Дана сумела самостоятельно перезарядить ружье и посмотрела на меня с такой гордостью, и столько счастья было в ее глазах, что я понял: дело сделано. Она будет ездить в клуб. И будет стрелять.

Но, как оказалось, я рано радовался. Еще не все испытания закончились.

Дана отстрелялась, и мы вернулись в клубное здание. Я должен был расплатиться, после чего (согласно графику) следовало Дану покормить. Да и мне, честно признаться, ужасно хотелось есть, позавтракать я, как водится, не успел. То есть чашку кофе я дома выхлестал, практически на ходу, между бритьем и натягиванием джинсов, а мне, молодому здоровому мужику, всегда требовался завтрак плотный и калорийный. Однако Дана перспективу оказаться в клубном ресторане, видимо, не рассматривала и, когда вместо выхода я повел ее совсем в другую сторону, снова запаниковала. В ресторане сидели люди. Гости. Их было немного, всего трое, но они были, и это повергло девочку в очередной приступ страха.

— Зачем мы туда идем? — в ужасе прошептала она, дергая меня за рукав.

— Второй завтрак, — коротко пояснил я.

— Давайте дома поедим, — взмолилась Дана. — Ну пожалуйста. Поехали домой.

Но я был непреклонен. И дело не только в том, что моя работа заключалась в строгом соблюдении ее режима. Я успел вспомнить вкус прошлой жизни, когда я ходил по дорогим клубам и чувствовал себя богачом. Мне здесь все нравилось, здесь пахло состоятельностью, респектабельностью, престижностью, и мне хотелось побыть здесь подольше. Сесть на мягкий диванчик, вытянуть ноги, выпить хорошего кофе, съесть красиво сервированный завтрак. Потом расплатиться кредиткой (все как у больших!) и только после этого красиво отчалить на дорогой тачке с водителем. И пусть пока еще эта жизнь — не совсем моя, она оплачена папаней, но придет время — и я в нее вернусь. Обязательно вернусь.

— Дома ты будешь обедать. А сейчас надо съесть что-нибудь совсем легкое. Выбирай место.

Дана выбрала диванчик в углу (кто бы сомневался!) и уселась с видом обреченной на смерть жертвы. Трое гостей не обращали на нас ни малейшего внимания, никто не оборачивался, не показывал на нее пальцем, не качал укоризненно или изумленно головой. Короче, небо пока не рухнуло. Себе я заказал омлет и эспрессо, Дане — зеленый чай и свежую голубику.

— Может быть, десерт? — предложила улыбчивая официантка. — У нас очень вкусные десерты, а также сладкие блинчики с ванильной начинкой.

Ну, Богдана Руденко, сдавай экзамен. Я буду молчать, как партизан. Отвечать придется тебе. Наверное, это жестоко с моей стороны, но я хочу, чтобы ты показала мне, чего достигла за три недели наших занятий и за сегодняшнее утро. Я хочу, чтобы ты начала разговаривать с незнакомым человеком, и не с таким заведомо добрым и ласковым, как Анатолий Николаев, а с любым, с первым попавшимся. Ну и, разумеется, чтобы ты нашла в себе силы отказаться от сладкого.

Дана смотрела на меня и ждала. А я, в свою очередь, смотрел на нее и тоже ждал. Она поняла, что отступать некуда, и выдавила:

— Нет, спасибо, мне только ягоды.

А вот мне жуть как хотелось сладких блинчиков, которые я всегда здесь ел и которые мне очень нравились. Но поедать их на глазах у Даны было бы, пожалуй, бесчеловечным. Может быть, попозже, месяца через два-три, когда она окончательно забудет вкус десертов и перестанет их хотеть, я и начну их снова заказывать. Пока еще рано.

Нам принесли заказ, и я с жадностью набросился на огромный омлет. Появился Анатолий Викторович, подошел к тем троим, которые уже здесь сидели, поздоровался с ними за руку, и гости встали и начали собираться. Я понял, что они приехали на тренировку к Николаеву. Заметив нас, он сделал шаг в нашу сторону.

— Ну как, умница моя? Устала? Отдыхаешь? Ты сегодня стреляла просто великолепно, красавица моя! Жду тебя в четверг.

Гости — упакованные в «фирму» молодые мужики с навороченными мобильниками в руках — принялись оглядываться и с интересом рассматривать Дану. Девочка залилась пунцовым румянцем и низко опустила голову. Я застыл. Черт возьми, как же дать ей понять, что ее рассматривают не потому, что она слишком толстая, а потому, что тренер ее похвалил? Надо срочно что-то предпринимать.

Глаза у Николаева стали внезапно строгими и даже как будто потемнели, он заметил реакцию Даны и, наверное, понял, что что-то не так.

— Смотрите, господа, — обратился он к тем троим, — смотрите и запоминайте эту девушку, она скоро вас всех за пояс заткнет. Данные просто потрясающие. Будущая чемпионка.

Слава богу, пронесло! Нет, но я-то какой молодец, я-то какая умница, как с тренером угадал! Просто гений! Я точно знал, что Анатолий Викторович — тот, кто нужен Дане. И не ошибся.

— Они хорошо стреляют? — спросила Дана, наблюдая в окно, как трое мужчин во главе с тренером идут к площадке.

— Не знаю. Но, судя по тому, что Анатолий повел их не на учебную, а на красную-три, наверное, хорошо. На красной-три мишени летят очень быстро, и не на фоне неба, где их хорошо видно, а на фоне склона. Их там очень трудно разглядеть.

— Он что, правда считает, что я буду стрелять лучше, чем они?

— Конечно, — улыбнулся я. — Он же сказал, что у тебя обалденная пластика и потрясающие данные. Если будешь упорно тренироваться — станешь чемпионкой.

— А Анатолий Викторович — хороший тренер?

— Очень хороший. Он хороший тренер и отличный стрелок. Он был чемпионом Европы и занял четвертое место на Олимпийских играх. А его ученик стал олимпийским чемпионом.

— Да-а-а? — протянула Дана с восхищением. — Честно?

— Зачем мне врать? Ты у него сама спроси, он тебе скажет. Или посмотри в Интернете, там есть эти сведения.

Я действительно не врал. И если совсем откровенно, то именно из Интернета я все это и узнал про тренера Николаева.

— Офигеть можно. Папа мне говорил, что у меня будет самый лучший тренер, но я не думала, что такой знаменитый. А с виду и не скажешь.

— Чего не скажешь? — не понял я.

— Ну, что он такой... Чемпион и все такое. Он такой добрый, спокойный.

Я рассмеялся.

— Что ж, по-твоему, чемпионы должны быть злые и нервные?

— Но они же все время в напряжении, борьба, конкуренция и все такое. Соревнования.

— Соревнования, Дана, это в первую очередь спокойствие и выдержка. Нервные и злые всегда проигрывают, запомни.

Я собирался начать очередную лекцию на тему спортивной психологии, когда прямо над ухом раздалось:

— Пашка! Фролов! Ты?! Живой?!

Обернувшись, я увидел Стаса, завсегдатая платных боев, постоянно делавшего ставки на меня.

— А мне сказали, что ты разбился на машине, — продолжал бушевать Стас. — Наврали, что ли?

— Разбился, — подтвердил я. — Но, как видишь, не окончательно.

Я встал, и мы со Стасом вышли в галерею, соединяющую ресторан с помещением ресепшена.

— Слушай, ты что, на малолеток переключился?

Стас никогда не был образцом деликатности, как, впрочем, и все те, в компании кого я привык проводить время. Мне не хотелось рассказывать, что и как, а к вранью я не приготовился, потому что не ожидал в такую рань встретить в клубе знакомых, поэтому промолчал, а мой приятель между тем продолжал:

— Нет, я всегда знал, что ты тащишься от пышных телочек, но чтобы до такой степени! Она же тонны полторы весит, не меньше. Ей хоть восемнадцать-то есть?

— Слушай, заткнись, а? — миролюбиво предложил я. — Чего ты лезешь?

Никакого более вразумительного ответа у меня на тот момент не нашлось. Но, как оказалось, Стас им вполне удовлетворился.

— И где ты сейчас? Выступаешь где-нибудь?

— Нет, — я жестом указал на ногу, — пока долечиваюсь.

— А, ну ладно. — Его интерес ко мне моментально угас.

Ну понятное дело, что с меня взять, если нельзя делать на меня ставки. Услышав, что я нигде не выступаю, Стас как-то быстро свернул разговор и распрощался со мной, и, хотя мы оба вернулись в ресторан, он сел за столик подальше от нас с Даной. В тот момент, когда мне принесли счет, я поймал его взгляд и со злорадным чувством протянул официантке кредитную карту. Пусть видит. Пусть знает, что у меня все в порядке. Рано меня похоронили.

Наверное, кое-что из прочувствованного было написано на моем лице, потому что Дана спросила:

— Он вас расстроил?

— Кто? — нахмурился я.

— Этот ваш знакомый, с которым вы выходили. Он сказал что-то неприятное?

И я решил не врать. Пусть девочка знает, что тягостные чувства бывают не у нее одной.

— Да, он меня очень обидел. Во-первых, он считал, что я давно умер, а слышать такое не очень-то приятно. Во-вторых, он дал понять, что я ему неинтересен, потому что он не может делать на мне деньги. И это тоже не очень приятно. Ну что, пойдем? Нам пора ехать, а то из графика выбьемся, и твой папа будет меня ругать.

Дана послушно поднялась, и я подал ей куртку. Нет, ей-богу, я ничего такого в виду не имел, просто какие-то крохи приличных манер родителям все-таки удалось мне привить. Что может быть естественнее, чем подать даме пальто? Я сделал это не думая, совершенно автоматически. Но Дане, по-видимому, никто никогда не помогал одеваться, и она растерялась. Я стоял, держа в руках ее куртку, а она стояла передо мной и не знала, что с этим делать. А Стас сидел через несколько столиков от нас и со злорадной ухмылкой наблюдал за нами. Совершенно дурацкая ситуация.

— Повернись ко мне спиной, — едва разжимая губы, прошептал я, — я помогу тебе надеть куртку. Так положено. Мы в приличном обществе. Дама не должна надевать куртку сама, если с ней мужчина.

С надеванием куртки мы с грехом пополам справились, хотя попасть в рукава Дане с первой попытки не удалось. Едва мы вышли из здания, как на нее снова напал колотун: народу прибавилось, и теперь ей предстояло пройти метров триста до парковки отнюдь не по пустым аллеям, как рано утром. Для препирательств не было ни времени, ни возможности, ибо я понимал, что Стас наверняка смотрит в окно, оценивая мой выбор и прикидывая, есть моей даме восемнадцать или все-таки нет и сколько она весит. Дана же стояла, как примороженная к крыльцу, и не делала ни шагу. Прихватив правой рукой свою палку покрепче, для устойчивости, левой я ухватил Дану и, снова прижав к себе ее локоть, буквально стащил с крыльца.

— Пойдем походим минут десять, — сказал я приказным тоном.

— Зачем?

Голосок слабенький, еле слышный. Господи, как же она боится, бедняжка! Еще бы, давно она не ходила белым днем по улицам, среди чужих людей.

— Подышим. Нам сейчас придется в машине как минимум полтора часа провести, а то и все два, если пробки. И вообще, когда расстроен чем-нибудь — очень полезно походить по воздуху. Тем более погода такая замечательная. Ты солнца небось сто лет не видела.

Я говорил и упорно тащил Дану за собой. Пройдя метров двадцать, она убедилась, что никто не оборачивается нам вслед, не смеется и вообще народ никак не реагирует на ее полноту, и зашагала чуть увереннее. Но я вел ее не абы куда, а к лошадям. В клубе, помимо всяческих стрелковых радостей, была конюшня и инструкторы для любителей конного спорта. Если я хоть что-нибудь понимаю в девичьей психологии, это должно было сработать безотказно.

— Смотри, — я показал ей девочку лет восьми, едущую верхом на лошади, которую вел тренер. — Не хочешь попробовать?

— Да вы что! Я свалюсь сразу же. И вообще, она меня не выдержит.

— Что за бред! — я искренне рассмеялся. — Ты что же думаешь, средневековый рыцарь в металлических доспехах и с оружием весил меньше тебя, что ли? И не мечтай. И почему ты должна свалиться? Смотри, какая девочка маленькая катается — и ничего, не падает. Помнишь, Юля показывала фотографии, как она на лошади катается? Я тогда еще подумал, что у тебя должно получиться.

— И я буду, как Юля? — робко спросила Дана, замедляя шаг, чтобы внимательнее присмотреться к маленькой наезднице.

— Да лучше ты будешь! Ты будешь в сто, в тысячу раз лучше, чем твоя Юля! Почему ты должна быть «как Юля»? Зачем тебе на нее равняться? Она далеко не самая красивая девочка на свете, можешь мне поверить. Ты не Юля, ты — Богдана, и ты будешь сама по себе, такая, какая есть. Замечательная. Умная. Добрая. Красивая. Чемпионка по стрельбе и верховой езде.

— Да ну вас. — Она улыбнулась, кажется, впервые за это утро. — Что вы, издеваетесь, что ли? Какая из меня чемпионка по верховой езде?

— Обыкновенная. Ты похудеешь немножко, потренируешься — и будешь тем, кем захочешь быть. Не захочешь быть чемпионкой — не будешь. Ты кем хочешь быть, кстати?

— Искусствоведом, как тетя Муза.

— Значит, будешь искусствоведом.

— А почему вы сказали, что я похудею немножко? — вдруг озабоченно спросила Дана. — Вы же обещали, что... ну, много.

— Ты похудеешь на столько, на сколько сама захочешь, все в твоих руках. Просто для того, чтобы садиться на лошадь, тебе надо сбросить совсем немножко, и дело тут не в лошади, а в тебе самой. Лошадь высокая, ты сама видишь, и, чтобы сесть в седло, надо сделать определенное движение, которое у тебя пока не получится. Если ты готова начать заниматься верховой ездой, мы будем дома делать специальные упражнения, чтобы укрепить нужные мышцы.

Мне казалось, я ее почти уговорил, и сама идея показалась мне просто блестящей, но в этот момент выяснилось, что не мы одни смотрим на девочку и лошадь. Рядом с входом в конюшню стояла пара — по-видимому, родители, а по меньшей мере человек пять остановились на аллее и тоже с умилением рассматривали юную амазонку.

— Нет, — решительно сказала Дана, — я не буду кататься верхом.

Мне и так было понятно почему, но я на всякий случай спросил.

— Смотреть будут. И смеяться надо мной. Поедем домой, ну пожалуйста.

Когда мы садились в машину, я краем глаза углядел все того же Стаса, вытаскивавшего из своего «Форда» ружье в кожаном чехле. Вот и замечательно, пусть видит, на какой машине я приехал. Пусть знает, что я в полном шоколаде.

Весь обратный путь Дана проспала, привалившись к моему плечу. Еще бы, столько свежего воздуха с непривычки! Кислород — превосходное снотворное, это всем известно. Да еще переволновалась, перепсиховала, наревелась — короче, полный комплект, необходимый для крепкого здорового сна. А вот я не спал и предавался невеселым размышлениям о собственной репутации в глазах знакомых. Стас, конечно, сегодня же сообщит всем, кому сможет, не только о том, что я жив, но и о том, что я спутался с малолеткой, да не с Лолитой какой-нибудь (что было бы если не простительно, то хотя бы понятно), а с ужасающе толстой, некрасивой девицей. Ну что мне теперь, всем подряд объяснять, в каком бедственном положении я оказался из-за аварии и из-за коварства своей возлюбленной? И что именно из-за этого я взялся за совершенно непрестижную работу домашнего тренера, да еще не при спортивно одаренном подростке, а при толстой девочке, которой надо худеть? Засмеют. Жалеть будут. Не сочувствовать, а именно жалеть, как бездомного калеку, которому и в голову никому не придет реально помочь чем-нибудь и мимо которого стараются пройти побыстрее, чтобы его страдальческий вид не превратился в немой укор твоей сытой и беззаботной жизни. По поводу моей якобы связи с малолеткой станут отпускать сальные шуточки. Одним словом, ничего хорошего. И как меня угораздило так лопухнуться со Стасом? Я ведь знал, что мои знакомые ездят в этот клуб, сам вместе с ними приезжал туда, так почему же я совершенно не подумал о возможности столкнуться с кем-нибудь из них? Почему не приготовил заранее красивую легенду?

* * *

Мы стали жить по новому графику, и я повеселел. Все-таки не так скучно, да и движение вперед наметилось отчетливо. К концу первого месяца ушли три с половиной килограмма, и хотя Дана по-прежнему закрывала глаза, вставая на весы, она проявляла к оглашаемым мною цифрам ежедневного «минуса» живейший интерес. К тому же она оказалась действительно способной ученицей и делала быстрые успехи в спортинге. Каждый раз дорога в клуб проходила в условиях, приближенных к боевым: Дана сидела в машине, напрягшаяся и молчаливая, хрустела пальцами и буквально в клочья разрывала носовые платки, из машины в клубе выходила после длительных уговоров, а по окончании тренировки и кормления стремилась побыстрее уехать. Но! С каждым разом уговоров требовалось все меньше, а прогулка, которую я заставлял ее делать перед обратной дорогой, становилась хоть на минутку, но длиннее. Одним словом, успехи были налицо. Даже мои горестные похороны собственной репутации как-то подзабылись. Сперва я решил, что если встречу еще кого-нибудь, то скажу, что Дана — младшая сестра моей нынешней подружки. Или что она моя собственная сестра, например троюродная. Или что я работаю в крупной фирме в службе безопасности и Дана — дочь моего шефа или даже самого хозяина, которую мне доверили сопровождать на тренировки. Короче, варианты были, но все они спотыкались об один и тот же камень: как быть, если об этом заговорят при Дане? Обман сразу же раскроется. Но это не самое страшное. Страшно другое: Дана поймет, что я соврал, потому что стесняюсь говорить правду, и ее искалеченное сознание повернет это таким образом, что я стесняюсь не своего статуса, а конкретно ее, Дану Руденко, потому что она безобразно толстая и неуклюжая. И все мои старания пойдут псу под хвост.

Мы ездили в клуб, и поскольку никого из знакомых я пока больше не встречал, то и усилия по придумыванию легенды быстро сошли на нет. Однако расслабился я рановато. Нашлись среди людей, знавших меня, такие, которые зачем-то встали рано и приехали стрелять к десяти утра.

Ко второму столкновению я оказался готов если не материально (в том смысле, что не имел в запасе легенды), то морально, решив из неприятной ситуации извлечь максимум пользы хотя бы для Даны. И когда во время завтрака в ресторане ко мне подошли двое из моей бывшей тусы, я не стал уходить с ними подальше, чтобы поговорить наедине. Наоборот, я сказал:

— Знакомьтесь, это Богдана.

Ну да, я садист. Сам знаю. Но знаю и другое: без боли и без травм не бывает результата. Хочешь чего-то добиться — будь готов к тому, что будет больно, страшно и тяжело. Сладкими бывают только пряники, от которых толстеют, а бесплатным — сыр в мышеловке. За все надо платить. И если моя задача состоит в том, чтобы вернуть Дану к полноценной жизни, то платить по счету мы должны вместе, а не я один.

Дана совершенно растерялась, такого поворота она не ожидала и не знала, как себя вести. Ребята гнусно улыбались (или мне казалось, что гнусно?) и в упор смотрели на девочку, видно, успели пообщаться со Стасом, и похабное любопытство так и сочилось из их мерзких глазенок. Странно, я поймал себя на мысли, что раньше очень хорошо к ним относился, они казались мне неглупыми и веселыми парнями, и я с удовольствием проводил время в их компании, а сейчас думал о них такими вот нехорошими словами.

Наконец она пробормотала:

— Здравствуйте.

Я приободрился и решил продолжить:

— А это Алексей и Федор. Алексей, по-моему, ничем не занимается, живет на деньги своего папы. А Федор у нас — катала. Знаешь, Дана, кто такой катала? Это тот, кто умеет мошенничать в картах и зарабатывает деньги тем, что обманывает доверчивых людей. Понимаешь, Дана, человек верит в его порядочность и садится с ним играть, а он обманывает. Ловко так, красиво. Большие бабки гребет.

Короче, меня понесло. Наверное, я был не прав, и в головах у Лешки и Федора никаких гадких мыслей по поводу меня и Даны не было, и обижал я их совершенно незаслуженно. Впрочем, почему обижал? Я же ничего не выдумал, говорил чистую правду. Лешка действительно был мальчиком-мажором, нигде не работал и красиво прожигал родительские денежки, а Федор и в самом деле был каталой. Просто полгода назад, да какие полгода — еще месяц назад мне это казалось нормальным, и я готов был с ними общаться. А сегодня, заметив, как они смотрят на Дану, и вспоминая скабрезные шуточки Стаса, не мог справиться с отвращением. Вероятно, я плохо воспитан и не умею скрывать эмоции и делать хорошую мину. В общем, из дипломатов меня сразу поперли бы.

Но так приятно было смотреть, как вытягиваются у них рожи!

— Ну ты вообще... — только и смог выдавить из себя Лешка. — У тебя что, после аварии крышу снесло?

— Ага, — радостно подтвердил я. — Вот и Богдана тебе подтвердит. Ну-ка скажи, Дана, я похож на психа?

— Да вы что? — От изумления она, похоже, забыла стесняться. — Вы совершенно нормальный.

— Ну вот видите, — я победоносно улыбнулся. — Еще вопросы есть?

Вопросов не было. Ребята быстренько ретировались, на прощание посоветовав мне лечиться у мозгоправа, а я, попивая свой эспрессо, подсчитывал, скольких зайцев сумел убить одним выстрелом. Во-первых, я заставил Дану принять участие в разговоре с незнакомыми мужчинами. Пусть всего лишь несколькими словами, но все-таки. Во-вторых, я избежал вопросов о том, кто такая Дана и почему я связался с малолеткой. В-третьих, я избавил себя от необходимости врать. В-четвертых, я ускользнул от риска быть разоблаченным и тем самым нанести Дане травму, которую практически невозможно будет потом залечить. И в-пятых, я, похоже, навсегда пресек желание части своих знакомых подходить ко мне здесь, в клубе, и вынуждать снова убивать первых четырех зайцев. В итоге выстрел удался на славу и принес мне чувство, как говорили во времена моего детства, глубокого удовлетворения.

От анализа результатов охоты меня оторвал робкий голос Даны:

— Это ваши друзья?

— Да что ты! Разве я стал бы с друзьями так разговаривать?

— Значит, они — ваши враги?

— Ну какие у меня могут быть враги, Дана?

— Тогда кто они вам?

Действительно, кто они мне, эти Лешка и Федор? Зачем они мне? Почему я так рвусь вернуться туда, где все сплошь такие вот Лешки и полукриминальные Федоры?

— Так, никто. Просто знакомые.

— Они сделали вам что-то плохое?

Ну конечно, я должен как-то объяснить Дане свою хамскую выходку. Но как объяснить, почему я сорвался? Где найти слова?

— Понимаешь, Дана, есть люди, которые считают, что деньги надо заработать, а есть другие люди, которые думают, что деньги нужно просто иметь. Не имеет значения, откуда они берутся, важно, чтобы они были и их можно было тратить. И эти вторые люди очень не любят первых, они их презирают и считают недоумками и слабаками. Они вообще презирают всех, кто работает, и уважают только тех, кто тратит. А первые люди, соответственно, не любят вторых. Такое вот неразрешимое противоречие. Я работаю, они — нет, поэтому они не любят меня, а я не люблю их.

— Тогда зачем они к вам подошли, если они вас не любят?

Ну вот, пожалуйста, дообъяснялся. Я ведь и раньше зарабатывал деньги собственными потом и кровью, бои без правил бескровными не бывают, но недостатка в неработающих приятелях не было никогда. Если бы я сказал, что они меня недолюбливали, я бы соврал. Просто есть разные работы, и в клубной тусовке это очень четко разделяют. Биржевой брокер — одна песня, а домашний тренер — совсем другая. Но этого я Дане объяснять не стану.

— Так просто, — я пожал плечами, — поздороваться.

* * *

Прошло еще несколько дней, и когда я в очередной раз привел Дану к дяде, Владимир попросил меня зайти. Его жены Музы дома не было, и он провел меня на кухню и предложил чаю.

— Сделай описание «Крытой повозки на узкой тропе» Коллинза, тетя Муза тебе оставила альбом, — сказал он Дане.

Девочка кивнула и скрылась в комнате.

— Я не понял, что она должна сделать? — спросил я.

— Описать картину. Дана хочет быть искусствоведом, и Муза понемногу приобщает ее к профессии.

Володя налил мне чай, как и в прошлый раз, в красивую чашку, сам же прихлебывал давно остывшее пойло из огромной керамической бадьи. Странные все-таки у него привычки.

— Как дела у Даны? Есть успехи?

Успехи, безусловно, были, и я с удовольствием о них поведал. Володя внимательно слушал, кивал и то и дело вставлял:

— Ну да, ну да, Дана мне говорила.

Я не понимал, зачем он у меня спрашивает, если Дана и так все ему рассказывает. В какой-то момент я не выдержал и сердито спросил:

— Чего ты спрашиваешь, если сам все знаешь?

— У Даны свой взгляд, у тебя — свой. Она не может быть объективной.

— А я, выходит, могу?

— И ты не можешь. И я не могу. Мы все смотрим на ситуацию с разных сторон. Но если соединить три наших взгляда, то получится более или менее приближенная к истине картина.

— А сколько взглядов нужно, чтобы полностью приблизиться к этой самой истине? — пошутил я.

Он удивленно посмотрел на меня.

— Нисколько. Истина недостижима в принципе, если говорить об истине в полном объеме. К ней можно только приблизиться. Ты что, не проходил этого в школе?

— Скорее, это в школе прошло мимо меня. Ну и что ты понял, соединив три наших взгляда?

— Что Дане повезло с тобой, — улыбнулся Володя. — Я только не понял, три с половиной килограмма за месяц — это много или мало?

— Вообще-то мало, могло бы быть и больше.

— Тогда почему не больше? Дана что-то нарушает? Или тебе что-то мешает?

— Если терять вес слишком быстро, это опасно для здоровья. Например, почка может опуститься, сердце засбоит от нагрузок, и вообще всякие неприятности начнутся. В принципе я элементарно мог бы сделать килограммов шесть в минусе, но, если здоровье Даны пострадает, меня уволят. В общем, я пока побаиваюсь рисковать. Дальше посмотрим, как будет. Чтобы сжигать жир, нужно набирать объем нагрузок, а Дана совсем нетренированная, и я боюсь ее нагружать, мы входим в режим постепенно, медленно. Например, она двадцать минут ходит, потом десять минут отдыхает, потом снова ходит. И на велоэргометре так же, с перерывами. В общем, если мы занимаемся два часа, то не надо думать, что все два часа она работает как лошадь. Половину времени она отдыхает, чтобы пульс и давление пришли в норму, иначе рискованно.

— Нет-нет, — он замахал руками, — рисковать не надо ни в коем случае, здоровье дороже. Скажи мне, сколько, по твоим расчетам, тебе придется заниматься с ней? Год? Два?

— Не знаю, как фишка ляжет. Смотря каких кондиций она хочет достичь. Лично я считаю, что ей вполне достаточно сбросить килограммов двадцать пять, на это и года хватит. Но она же вбила себе в голову, что хочет быть, как Юля! А это может вообще никогда не получиться. У них разное сложение, разный тип. У Юли высокий рост, тонкая кость, узкие бедра, она весит килограммов, наверное, пятьдесят. Чтобы стать такой, как она, Дане нужно избавиться от сорока пяти килограммов, то есть фактически вдвое уменьшить свой вес. Это очень трудно. А в ее возрасте — даже опасно, если стараться уложиться в сжатые сроки.

— Я понял, — кивнул Владимир. — Знаешь, я хотел сказать тебе «спасибо» за твой разговор с Даной.

— Какой? — удивился я.

— Когда вы смотрели, как девочка на лошади катается. Не удивляйся ты так, — он лучезарно улыбнулся, — Дана мне все рассказывает, так что я полностью в курсе. Ты совершенно прав, нужно пресекать ее стремление быть «как кто-то», в данном случае — как Юля или еще какая-нибудь стройная красавица. Быть на кого-то похожим означает пожертвовать своей индивидуальностью, неповторимостью. Это глупо и неправильно, это полное неуважение к себе, пренебрежение к собственной личности, а мы с тобой договорились, что Дане, наоборот, нужно прививать чувство любви и уважения к себе самой, к такой, какая она есть. Потому что на самом деле она чудесная. Правда?

— Ну да, — неуверенно согласился я.

Володю опять понесло в дебри туманной зауми, и я не очень отчетливо понимал, чего он хочет и о чем говорит. Видимо, выражение тупой скуки проступило на моей роже, потому что он вдруг запнулся и внимательно посмотрел на меня.

— Тебе непонятно то, о чем я говорю?

— Если честно, то нет, — признался я.

— Но ведь ты все делаешь в точном соответствии с моими словами. Ты все делаешь правильно, умно. Я был уверен, что ты все понимаешь.

— Да нет, — рассмеялся я, — наверное, это чисто интуитивно получается. Ну, просто я так чувствую.

— Поня-ятно, — задумчиво протянул он. — Ты случаем не голоден? Может, поедим чего-нибудь?

Муза еще не скоро вернется, давай сами сообразим перекусить. Ты как?

Насчет перекусить я всегда с удовольствием, на аппетит не жалуюсь. Мы вдвоем быстренько соорудили нехитрый ужин, состоящий из разжаренной на сковороде отварной картошки, залитой яйцами. Момент показался мне благоприятным, и, хотя Нана Ким к тому времени почти окончательно отстала от меня, поняв, что толку от моих изысканий все равно никакого нет, я все-таки решил завести разговор на интересующую меня тему.

— Володя, а почему твой брат живет в городе? Люди с такими деньгами обычно строятся в Подмосковье, особняками обзаводятся.

— Потому что жизнь за городом ведет к неправильному воспитанию детей, — спокойно ответил Володя.

Вот это завороты! В первый раз слышу такую бредятину.

— Это почему же?

— Да потому, что в Подмосковье инфраструктура пока не развита, и вся жизнь все равно протекает в городе. Гимназия, в которой учился Тарас, — в Москве, гимназия Даны — тоже, работа Михаила, Юлькин институт, салоны, в которые без конца ездит Лариса, всякие там косметологи и фитнесы, мамины театры и концерты — все в Москве. Это означает, что всех нужно обеспечить машинами и водителями. Ну, мама и Лариса —

ладно, это святое, но дети? И Тарас, пока в Англию не уехал, и Дануська, когда еще выходила из дома, оба ездили в свои школы на метро. И Юлька в институт на метро ездит. И это правильно. Они пока еще ничего не сделали в жизни такого, чтобы разъезжать на машинах с водителями. Они эти машины не заработали и не заслужили. Человек должен с детства точно понимать свое место в социальной иерархии и принципы построения этой самой иерархии, потому как неточное или неправильное понимание впоследствии помешает его адекватной адаптации в социуме.

Ну вот, начиналось все так хорошо, все слова были понятны, а теперь его снова занесло. Однако общий смысл я все-таки уловил и немало подивился тому, что, оказывается, папаня — человек с педагогическими понятиями. А не скажешь... Скорее всего, это бабкины идеи, она же школами руководила. Подумать только, такой крутой бизнесмен — и полностью у старой матери под каблуком. Обхохочешься! Наверное, поэтому Лариса так не любит свою свекровь. Я не великий человековед, но даже мне это заметно.

— Мне показалось, что Лариса Анатольевна этим не очень довольна, — осторожно поделился я своими наблюдениями.

— Конечно, — усмехнулся Володя. — Не очень — это еще мягко сказано. Она же прекрасно знает, сколько денег у ее мужа, и хочет жить так же, как все богатые дамы. Большой дом с бассейном, участок с садом, прислуги немерено и так далее. А у нее городская квартира и одна домработница. Фи!

Он смешно наморщил нос и фыркнул.

— Лариса моего брата постоянно за это пилит, — продолжал он, — а мама его защищает, она полностью разделяет его позицию.

— Наверное, Лариса Анатольевна вашу мать за это не любит?

— Терпеть не может, — весело согласился он. — И Мишка это прекрасно знает. Вот и мечется между матерью и женой. Но сделал все равно так, как хотела мать, а не так, как хочет Лариса. Знаешь, что забавно? Большинство наших проблем выросло из совковой жизни. Улавливаешь?

— Нет. «Совок»-то тут при чем? И вообще, это когда было? Сто лет назад.

— И даже больше, — кивнул Володя. — Еще Булгаков в тридцатые годы написал, что нас квартирный вопрос испортил. Ни в одной приличной стране не существует проблемы выбора между родителями и супругами. То есть эта проблема может иметь место в единичном случае, а у нас-то она была массовой. И осталась таковой. На Западе человек оканчивает школу, уезжает учиться дальше или работать — и все, он больше никогда не живет с родителями, он живет один или делит жилье с друзьями, потом обзаводится собственной семьей и, выбирая мужа или жену, никогда не думает о том, как его избранник или избранница уживётся с его родителями на одной кухне. Они просто никогда не окажутся на одной кухне в качестве двух равноправных хозяев. Или неравноправных. Они будут ездить друг к другу в гости, но жить вместе не будут никогда. А у нас что происходило? Чтобы отделиться от родителей, надо было иметь огромные связи и возможности, молодые супруги вынуждены были жить с родителями, и крайне редко получалось, чтобы зять с тёщей или невестка со свекровью жили душа в душу. Эксклюзивные случаи. Чаще всего начинались трения, взаимное недовольство, вот тебе и необходимость выбора. Мужик должен постоянно думать, на чью сторону встать, кого от кого защищать, жену от мамы или наоборот. И женщины тоже всё время выбирали между мамочкой и мужем. А на них, бедных, со всех сторон наседают: «Или я, или он! Или я — или она!» Совковой жизни давно уже нет, а проблема осталась. И мой брат имеет эту проблему по полной программе. Никому даже в голову не приходит вся абсурдность ситуации, никто не пытается с этим бороться. Все привыкли, что проблема есть, и считают её совершенно естественной и мирятся с ней. А ведь ничего естественного в ней нет, она противна природе, она ненормальна.

— Так как же с ней бороться? — с любопытством спросил я. — У тебя есть рецепт?

Я в этот момент вспомнил, как моя мамуля восприняла одну мою знакомую. А ведь я всерьёз собирался жениться на этой девушке. Вот я поимел бы на свою голову геморрой!

— С ней бороться бесполезно. Чтобы проблема не возникала, у родителей и детей должен быть другой менталитет, не такой, как сейчас. Родители должны перестать цепляться за детей и бояться отпустить их от себя, а для этого им надо перестать рассматривать детей как свою собственность, свою неотъемлемую часть.

Это точно. Мама до сих пор требует, чтобы я вернулся, хотя я уже восемь лет живу в Москве. Она так и не примирилась с мыслью, что я не буду больше жить рядом с ней.

— Вся трагедия начинается с мысли: а заведу-ка я себе ребеночка. Чувствуешь нюанс? СЕБЕ. Ну а коль себе, то это — мое, и не моги у меня отнимать. Далее — по тексту.

— Ладно, а дети? Ты сказал, что у детей тоже должен быть другой менталитет.

Эта часть меня интересовала куда больше.

— А дети должны понять, что не обязаны угождать родителям и оправдывать их ожидания. Человек не может и не должен ломать собственную жизнь в угоду родителям. Супруг — это твое будущее, потому что в семье появляются дети, а дети — это движение вперед. Выбирая между родителями и супругами, следует выбирать будущее. Это же элементарно! Но почему-то мало кто это понимает.

Звучало все замечательно, но как это применить на практике? Все-таки с учеными нельзя иметь дело, заболтают вусмерть, умных слов наговорят, а толку — чуть.

Я доел яичницу с картошкой, старательно подобрал остатки желтка кусочком хлеба и снова налил себе чаю. Володя продолжал прихлебывать свое совершенно холодное неизвестно что. Не понимаю, как можно это пить? Холодный сладкий чай. Бр-р-р!

— Паша, а что ты будешь делать потом?

Вопрос застал меня врасплох, и вообще я его как-то плохо понял. Когда это — потом? Когда чай допью, что ли?

— Я имею в виду: когда ты закончишь заниматься с Даруськой. Что ты будешь делать? В профессиональный спорт ты ведь не вернешься, правда?

— Почему это? — возмутился я. — С чего ты взял? Очень даже вернусь. Вот восстановлюсь полностью — и вернусь. Нога уже почти совсем не болит, еще буквально месяц — и я начну тренироваться понемножку, форму набирать.

Володя посмотрел на меня удивленно и немного грустно.

— Паша, не обольщайся. После таких травм в профессиональный спорт не возвращаются. Если врачи пообещали тебе другое — они тебя обманули. Я понимаю, тебе неприятно это слышать, но придется это признать. Тебе нужно будет чемто заниматься, зарабатывать на жизнь. Чем? Ты об этом думал?

Ну прямо-таки, обманули меня врачи! Много он понимает. Он что, медик? Социолог паршивый. Но не вдаваться же в споры по этому поводу. Лучше сделать вид, что меня это мало волнует. И вообще, я в полном порядке.

— А, — я беззаботно махнул рукой, — прокормлюсь как-нибудь. Буду группы тренировать в школах охранников или еще что-нибудь в этом роде.

Я надеялся, что он отстанет, но не тут-то было. Присосался, как пиявка.

— Или будешь готовить таких же, как ты сам? Бойцов для закрытых клубов?

В его голосе мне послышался некий скепсис. Он что, учить меня вздумал? Братца своего пусть учит, педагог недоделанный. А то у себя на кухне он рассуждать горазд, такой умный, так все знает-понимает, а на деле что получается? У брата проблемы, сам признает, у племянницы проблемы, и что-то я не вижу, чтобы он, такой умный и понимающий, эти проблемы разруливал.

— А хотя бы и так. — Я с вызовом посмотрел на него. — Что в этом плохого? Ладно, Володя, спасибо за ужин, я пойду.

Я решительно поднялся, но он жестом остановил меня:

— Подожди, Паша. Не обижайся на меня, не сердись. Я, конечно, лезу не в свое дело, но... Я вот что хотел тебе сказать. Эти парни, с которыми ты в клубе пособачился...

Ё-моё, ему Дана и об этом донесла! Она что, действительно рассказывает ему ВСЁ? Может, докладывает, сколько раз в туалет сходила?

— Они просто придурки, — сердито буркнул я. — И получили то, что заслужили.

— Не сомневаюсь. Но это твоя прежняя компания. Это тот круг, в котором ты вращался. Ты хочешь в него вернуться? Хочешь общаться с придурками? С богатыми бездельниками и карточными шулерами?

— Там же не все такие. Есть нормальные ребята, — ответил я, не особенно, впрочем, уверенно.

Честно говоря, после той встречи в стрелковом клубе меня начали посещать некоторые сомнения на этот счет.

— Не спорю. Но что-то, я смотрю, у тебя с ними дружбы-то не получается. Или они тебе не особенно нравятся, или — ты уж прости — ты им не особенно нужен.

— Да с чего ты взял?

— Тебе никто никогда не звонит. Или звонят, но редко. Разве не так? Они не ищут тебя, не созваниваются с тобой, не договариваются о встречах. Тебе это ни о чем не говорит?

Он был прав, чего уж скрывать. Но Дана-то, Дана-то какова! Донесла дядюшке даже о том, что мой мобильный молчит, как полудохлая змея. Змеи и живые-то не особенно шумные, а уж полудохлые... А она, оказывается, наблюдательная девчонка. Браво!

Однако слушать все это было совершенно не по кайфу.

— Не пойму я, к чему ты клонишь. К чему весь этот базар? Чего тебе дались мои друзья? — я с трудом скрывал злость.

— Да в том и дело, что нет у тебя никаких друзей, — спокойно ответил он. — Паш, пойми: это не твоя тусовка. Это не твоя жизнь. Это не твои люди. Поэтому и не ищет тебя никто, поэтому и друзей нет.

Я обалдел настолько, что машинально налил себе еще чаю. Ну что ж, раз налил — придется выпить. Его слова вогнали меня в ступор полного непонимания.

— А какая связь? — только и спросил я. — Какое отношение одно имеет к другому?

— Самое прямое. Вот смотри, я объясню. К каждому делу имеют склонности люди определенного склада ума и характера. Хирург — это один тип личности, театральный актер — совершенно другой. То же самое относится и к образу жизни. Жизнь отшельников ведут люди одного типа, жизнь активную и светскую — совсем другие люди. Это понятно?

— Ну.

— Но есть еще и такое понятие, как предназначение. Если человек понял свое предназначение и ему следует, то есть с удовольствием занимается тем, что ему на роду написано, то рядом с ним всегда будут находиться люди, занимающиеся таким же делом и поэтому похожие на него по менталитету, с похожим характером, с такими же жизненными ценностями и установками. С такими людьми ему легко и комфортно, с ними быстро находится общий язык и завязываются отношения, которые не порвутся только из-за того, что он угодил в больницу на полгода и временно выпал из профессии. Если твоя болезнь привела к разрыву и утрате связей, значит, это не те связи, которые тебе нужны, и, значит, ты общался не с теми людьми и жил не той жизнью. Теперь понятно?

Ого! Вот уже и до предназначения дошли. Мистикой запахло. Что дальше? Да он просто ненормальный! Господи, я-то, дурак, собрался было на него обижаться, а он — обыкновенный псих, свернутый на предсказаниях, предназначениях и прочей ерунде. Ну и семейка! Я уж обрадовался, что хоть один нормальный человек в ней есть, но, видать, ошибся.

— Слушай, — вполне мирно произнес я, — не морочь мне голову, а? Я в предназначения не верю, я вообще крутой атеист. И мне нравится та жизнь, которой я жил до аварии. Мне нравится ходить по пафосным местам, проводить время с денежными мальчиками, ездить на дорогой машинке и крутить с красивыми девками. Мне нравится, ты понял? Правда, для всего этого надо что-то собой представлять и иметь достаточно денег. Пока я работаю у твоего братца, я ничего собой не представляю, но настанет время — и я вернусь в эту жизнь, чего бы мне это ни стоило. Я в нее вернусь, слышишь? И не надо мне петь про предназначение, я сам про себя все знаю.

Володя некоторое время молчал, водя пальцем по черенку мельхиоровой чайной ложечки, потом поднял на меня очень серьезные глаза.

— У тебя ничего не выйдет.

— Это почему же?

— Потому что... Сколько лет ты в Москве?

— Ну, восемь. И что?

— Ничего. За восемь лет у тебя не вышло. Почему ты решил, что потом все получится? Все будет точно так же. За восемь лет ты не обзавелся жильем, постоянной женщины у тебя нет, постоянной работы тоже нет, твоя работа у Михаила временная, ты выполнишь свою задачу и уйдешь, постоянного источника дохода нет. Друзей нет. Что у тебя есть? Чего ты добился за восемь лет? Паша, восемь лет — это очень много, а у тебя — полный пшик. Если ты идешь дорогой, по которой за восемь лет ты никуда не дошел, значит, это не твоя дорога. Видишь, как все просто.

Ничего себе «просто»! Все, что говорил Володя, было правдой от первого до последнего слова, но признаваться в этом ужасно не хотелось даже самому себе. И я начал отчаянно сопротивляться.

— Быстро ничего не бывает. Говорят, быстро только котята рождаются, да и те слепые. А еще говорят, что терпение и труд все перетрут. А еще — что терпеливых бог любит. А еще...

Я собирался вспомнить все уместные в данном случае пословицы и поговорки, полагая, что против народной мудрости ему нечего будет возразить.

— А еще, Паша, посмотри вокруг, — перебил меня Володя. — Посмотри, сколько терпеливых и трудолюбивых людей колотятся изо дня в день, из года в год, стараясь хоть чего-то добиться, а у них ничего не получается. Ты не задумывался почему? Почему некоторым людям достаточно малейшего усилия — и это усилие приобретает пробивную силу танковой бригады, и у них все получается, и не просто все, а гораздо больше того, на что они рассчитывали, а другие выкладываются на полную катушку, напрягаются, пыхтят, но к желанному результату так и не приближаются. Почему?

— Ну, — я пожал плечами, — не знаю. Может, у одних есть талант, а у других нет. Это ж от природы.

— Нет, мой дорогой, талант не от природы, от природы совсем другое. Это люди придумали такую глупость, что, дескать, есть такая клевая штука под названием «талант», и кому природа при рождении его отсыпала полной горстью, у того все будет, а для кого она поскупилась, тому, стало быть, шиш с маслом. Природа, Пашенька, не бывает щедрой или жадной, она ко всем относится одинаково и всем одинаково дает. Вопрос в том, как мы распоряжаемся тем, что она дала. А дает она всем именно то, что человеку нужно для выполнения предназначения. Каждому — свое. Поэтому если ты свое предназначение понял и ему следуешь, то у тебя есть все, чтобы получить результат. И ты его получаешь. А мы смотрим со стороны и ахаем: талантливый актер, талантливый финансист, талантливый инженер! Если же ты предназначения не понял и идешь не своей дорогой, то ни хрена, извини, у тебя не выйдет, сколько бы ты ни колотился. Человек хочет быть крупным руководителем, а выше младшего помощника старшего менеджера никак подняться не может. Он думает, что дело в начальстве, которое его заедает, или в коллегах, которые его подсиживают, он меняет место работы, а результат все тот же. А другой человек, из соседней квартиры, не имея ни полноценного образования, ни хорошо развитых извилин в голове, вдруг ни с того ни с сего становится крупным известным политиком, о котором пишут все газеты и который ездит на персональном автомобиле, имеет собственный роскошный кабинет и кучу помощников и секретарей. Тебе примеры нужны или сам все знаешь?

Пожалуй, примеры не нужны, в голове сразу же стали всплывать имена и лица. А в самом деле, почему так?

Наверное, я задумался и непроизвольно произнес свой вопрос вслух. Очнулся я, когда Владимир снова заговорил:

— Да потому, что звезды так встали в момент рождения. Одному суждено было стать лидером, а другому — врачом. Или хореографом. Но этот другой вбил себе в голову, что тоже хочет быть лидером, потому что это круто, потому что власть, деньги, возможности и все в глаза заглядывают. Если первый, без образования и мозгов, смог, то почему же я-то, с образованием и мозгами, не смогу? Смогу! И еще как. И отправляется этот другой не своей дорогой, и злится, и ничего не понимает: ну как же так, у этого козла получилось, а у меня, такого умного и чудесного, не получается. А у него и не получится. Если бы он свое предназначение понял и согласился с ним, то был бы великолепным врачом, спас бы тысячи жизней, и эти тысячи спасенных людей каждый день молились бы за его здоровье и благодарили, и готовы были бы для него сделать все, что ему нужно. Это ли не власть? Это ли не возможности? И деньги свои он заработал бы, не вопрос. Или стал бы великим хореографом, и его приглашали бы ставить балеты во все ведущие театры мира. Что, плохо? Да отлично было бы! А может быть, его предназначение состояло в том, чтобы быть семьянином, мужем и отцом, и если бы он к нему прислушался, то у него была бы любимая жена и много детей, которые обожали бы его всю жизнь и создавали вокруг него такую атмосферу покоя и счастья, что никакой власти и никаких денег не надо.

Да нет, пожалуй, тут никакой мистикой не пахнет. В его словах была определенная логика. Правда, насчет того, что звезды как-то там встали, — это я сомневался, но все остальное звучало вполне правдоподобно и полностью подтверждалось моими собственными жизненными наблюдениями.

— И каково же, по-твоему, мое предназначение? Я так понимаю, что ты именно к этому ведешь, — заметил я, не скрывая ехидства.

— Правильно понимаешь. — Он снова отхлебнул свое пойло. Вот интересно, когда оно закончится, он снова зальет свою бездонную бадью горячим чаем и будет ждать, пока он остынет, или хотя бы несколько глотков горяченького сделает? И сколько таких бадеек он исхлебывает за день? — Твое предназначение, Павел, — поддерживать слабых, быть рядом с ними и помогать им. Тебе природа дала для этого все необходимое. Ты восемь лет шел одной дорогой и никуда не пришел. Зато по другой дороге ты за полтора месяца прошел путь, на который другим людям потребовались бы годы. Именно в таких случаях мы, глядя со стороны, ахаем, восторгаемся и говорим о таланте. Я вижу, как ты общаешься с Даной. Ты даже не всегда понимаешь то, что я тебе пытаюсь объяснить, и при этом ты интуитивно делаешь все совершенно гениально. Самый лучший психолог или психотерапевт не смог бы поступать более правильно. Прошло чуть больше месяца, а девочка меняется прямо на глазах, и это при том, что похудела она совсем чуть-чуть. Вот в чем твое предназначение. Поэтому у тебя все получается с Даной, и получается талантливо. В тебе нет пренебрежения к слабому, ты умеешь его жалеть, сочувствовать этой слабости, и в тебе есть дар, позволяющий реально помочь. А ты собираешься растратить свою жизнь на погоню за красивеньким. Не жалко? Все равно ведь не догонишь.

Только этого не хватало! Я, спортсмен и боец, должен превратиться в жилетку, в которую будут плакаться истеричные дамочки? У Владимира Олеговича точно с головой беда.

— Это мы еще посмотрим, — сказал я, вставая. — Но ты прав, Володя, это не твое дело. И не лезь ко мне с этим.

— Больше не буду. — Он улыбался и, казалось, совсем не обиделся. — Этот разговор у нас состоялся в первый и в последний раз, обещаю. Просто я должен был все это сказать, чтобы потом не корить себя за то, что не сказал.

— Ладно, ты сказал — я забыл. Проехали.

Я попрощался с Даной, сидевшей перед компьютером и что-то писавшей, поглядывая в открытый альбом, и уехал. Разговор оставил противный осадок, даже не осадок, а какое-то долгое послевкусие, когда еда уже давно переварилась, а воспоминание о ней никак не смыть с языка водой и не стереть конфетами. Действительно, в тяжелой ситуации я остался один... И через восемь лет пребывания в столице оказался на той же точке, с которой начинал: без работы, без денег, без жилья, то есть за эти годы никакого движения вперед не наметилось. С этим невозможно спорить. Неужели Владимир прав? Но тут же мое живое воображение рисовало карикатурную картинку, на которой я в роли «помощника слабых», с огромными сумками, из которых торчали огурцы и кефир, покорно тащился вслед за одетой в дорогую шубу и увешанной цацками рыдающей немолодой теткой. И с этим соглашаться не хотелось категорически.

* * *

На следующий же день, злой и преисполненный намерений немедленно доказать неправоту Владимира Олеговича, я взялся за усиленные тренировки. Вообще-то я и раньше старался поддерживать форму, дома делал специальную гимнастику, а в доме у Руденко не упускал возможности попользоваться «тренажеркой» и, пока Дана ножка за ножку плелась по дорожке, подкачивал мышцы, но теперь я решил, что пришло время заняться собой всерьез и постепенно возвращаться в боевые кондиции. Нога болела все меньше, и мне показалось, что время пришло.

Через неделю стало понятно, что я непростительно поторопился. Боль в спине возникла такая, что пришлось отправиться к врачу. При всем негативном отношении к сказанному Володей его слова все-таки заронили в мою дурную голову некоторые сомнения, и врача я выбрал другого, не того, который лечил меня в больнице.

— Да ты что, парень, — произнес он, разглядев мои снимки и прочитав бумажки, выданные мне в больнице, — какие нагрузки? Совсем с ума сошел? И думать забудь! В большой спорт ты не вернешься никогда. Даже из головы выбрось.

Я пытался спорить и что-то доказывать, врач усмехался, показывал ручкой на какие-то участки снимков и терпеливо, как недоумку, объяснял, что «вот это» и «вот это» свидетельствует совершенно однозначно: одно неудачное падение или сильный удар по спине — и я превращаюсь в беспомощного инвалида на всю оставшуюся жизнь. Он талдычил это до тех пор, пока я не поверил.

В тот день я здорово набрался в клубе с какими-то малознакомыми мужиками, дома очнулся, обнаружив рядом с собой в постели страшную до невозможности девицу, и на работу явился в таком состоянии, какого у себя за последние годы и не припомню.

— Та-ак, — протянул хозяин, открыв мне дверь и потянув носом, — все ясно. Вечер был проведен бурно. Ну пойдем, у тебя есть пять минут, чтобы выпить кофе.

Мне хотелось не кофе, а умереть, предварительно расстреляв из гранатомета врезавшегося в меня водителя и всех врачей, вместе взятых. Но я покорно поплелся вслед за папаней в столовую, понимая, что если нельзя сделать то, что хочется, то надо делать хотя бы то, что можно.

Легче от кофе не стало, к головной боли прибавилось еще и сердцебиение, и я окончательно скис. Дана уже заглядывала к нам, давая понять, что готова заниматься, но папаня как-то не обратил на это внимания.

— Так что случилось-то? — спросил он, разглядывая меня, словно в первый раз видел. — Что праздновал?

— Себя хоронил, — буркнул я, едва ворочая языком.

— С какой радости?

— Меня обманули.

— Кто?

— Врачи. Сказали, что через полтора-два года я полностью восстановлюсь и смогу выступать. Оказалось — брехня. Ничего и никогда я больше не смогу.

— Странный ты парень, — усмехнулся Михаил Олегович. — И без всяких врачей понятно, что зарабатывать деньги таким способом ты все равно не сможешь до самой смерти. Ну еще пять лет — это максимум, а потом что? Жизнь — она длинная, и кушать хочется на всем ее протяжении, а не только в молодости. Представь, что тебе сейчас не двадцать девять, а тридцать четыре, твое время в спорте кончилось, и что дальше? Какая разница, когда настал момент, сейчас или через пять лет? Все равно ведь он настал, и ты пришел в ту точку, когда надо что-то решать. Вот и решай.

Слушать такое, да еще в тяжелом похмелье, — не подарок, и очередь ожидающих смерти от моего воображаемого гранатомета увеличилась на одного человека. Чтобы не сорваться и не наделать глупостей, я встал из-за стола.

— Пора заниматься, Дана ждет.

— Ну-ну. — Папаня посмотрел на меня как-то странно, не то насмешливо, не то неодобрительно. — Иди, занимайся.

Днем, между утренними и вечерними занятиями, я валялся в конуре, сил не было даже на то, чтобы смотреть кино или предаваться своей любимой «стрелялке». Похоже, я впал в депрессуху. Я лежал на диване и со злым недоумением думал о том, что у нормального человека должен быть друг, с которым можно было бы перетереть все это, выпить вместе и который подставил бы плечо. Я что, ненормальный? Почему я лежу совершенно один и ковыряюсь в своей проблеме, а рядом никого нет? Ни друга, ни женщины. Вспомнив утреннюю «красотку», обнаруженную в постели, я вздрогнул. Можно было бы поговорить с Артемом, но после того, как его перевели на работу без выходных, он стал относиться ко мне с некоторой прохладной осторожностью. Черт меня знает, вот придумаю еще какое-нибудь занятие для Даны, график снова поменяют, и его окончательно запрягут так, что не продохнуть. Короче, дружеских отношений, на которые я рассчитывал в самом начале и которые вроде бы уже начали складываться, не получилось.

Часа в четыре дверь моей конуры распахнулась, и на пороге возникла Юля с подносом в руках.

— Не спишь? Дядя Миша сказал, что ты сегодня нездоров. Вот, я тебе чаю принесла.

— Стучаться надо. — Я был зол и оттого груб.

— Ой, можно подумать! У тебя что, какие-то секреты?

Она поставила поднос на столик и уселась рядом со мной на краешек дивана. Ну только этого еще не хватало!

— Я сплю. А вдруг я не одет?

— И что? Ничего нового я не увижу. У всех все одинаковое. Давай я тебе лучше чайку налью, выпей с печеньем. Что у тебя болит?

Я лежал, вытянув ноги, а ее попка оказалась плотно прижатой к моему бедру. Нет, очаровашка ты моя, ничего у тебя не выйдет, я за свою работу держусь и идти поперек приказа хозяина не собираюсь. Зарплата дороже, тем более сейчас, когда я вообще ни на что не годен.

Собрав в кулак все имеющиеся в наличии физические силы, я вывернул ноги из-за Юлиной спины и сполз с дивана.

— Я не барин, чтобы мне чай в комнату носили. Спасибо за заботу, но не нужно.

Мне казалось, что сказанного вполне достаточно и Юля сейчас уйдет. Но она, похоже, и не собиралась этого делать. Наоборот, подтянула обтянутые узенькими джинсиками коленки и свернулась на моем диване калачиком.

— Хорошо у тебя, уютно, и диван такой удобный, — протянула она, кокетливо глядя на меня. — Не сердись. Все равно я уже принесла чай, давай его выпьем. И печенье такое вкусное Нина испекла. Садись, чего ты стоишь?

Она похлопала рукой рядом с собой. Соблазнительно, черт возьми. Но... нет. Все равно нет. Даже если бы не было папаниного запрета, даже если бы Артем не предупреждал меня о той ревности, с которой Дана относится к своим учителям, даже если бы Юлины формы были чуть пышнее и соответствовали моим представлениям о женской красоте, все равно нет. Не то у меня сейчас состояние и настроение. Ничего не получилось бы.

А она все смотрела на меня, лукаво и призывно... И чего ей надо? Я себя, конечно, люблю, и с девушками у меня проблем сроду не бывало, но все-таки мозги, пусть и в небольшом количестве, у меня есть, и я понимаю, что вряд ли такая девочка, как Юля, могла воспылать ко мне неземной страстью. Судя по тому восторгу, который она не смогла как следует спрятать, когда рассказывала о своем пребывании в Никольском, интересуют ее совсем другие мужики с совсем другими перспективами. Так что ей от меня надо?

Но разбираться с этим вопросом времени не было. Сколько человек в этом доме знает, что она понесла чай ко мне в комнату? Домработница Нина — наверняка, а возможно, и еще кто-нибудь. Поэтому либо мне, либо Юле надо как можно быстрее появиться у кого-нибудь на глазах, чтобы нельзя было потом доложить папане, дескать, Юля пошла к Павлу и они пробыли наедине сколько-то там времени. Да и папаня, к слову заметить, сегодня дома, как-никак суббота. Но Юленька, судя по всему, уходить отсюда не собирается, устроилась основательно, коленки руками обхватила. Стало быть, сваливать придется мне.

Вот так и получилось, что я оказался в столовой в неурочное время — в пятом часу. Уж сколько я работал у Руденко, но в это время суток выходить в большую комнату с овальным столом мне не доводилось.

А в столовой Лена кормила полдником маленького Костика.

— Привет!

Мальчуган радостно протянул мне ручонку. Лена вскинула глаза и робко улыбнулась.

— Привет, — промямлил я, превозмогая так и не унявшуюся головную боль.

И вдруг я ее увидел.

Что-то произошло. Я не понимал, что именно. Столько раз я видел эту молодую женщину — и не видел ее. Она старалась казаться незаметной, ни с кем первой не заговаривала, постоянно одергивала сынишку, если он оказывался слишком шумным или подвижным, и вообще производила впечатление существа, пытающегося занимать на этом свете как можно меньше места. Учитывая положение бедного родственника «на птичьих правах», которое она занимала в семье Руденко, такое поведение казалось мне вполне естественным, посему я ни на чем не зависал и на Елену никакого внимания не обращал: среди красивейших женщин планеты матери-одиночки интересовали бы меня в самую последнюю очередь.

А вот в тот день я ее заметил. Я ее увидел. И пропал.

Тут же появившаяся Нина вопросительно посмотрела на меня, мол, чего изволите. Я попросил чаю покрепче и чего-нибудь перекусить. Через три минуты передо мной стоял обжигающе горячий фарфоровый чайник, чашка с блюдцем, плетеная корзинка со свежим хлебом и большое блюдо с холодными закусками.

Я пытался завязать разговор. Шутил. Улыбался. Забыл о тяжело ноющей голове. Говорил комплименты. Заигрывал с пацаном. Елки-палки, чего я только не делал, чтобы оживить наше совместное сидение вокруг стола. Ничего не помогало. Елена вроде бы и слышала меня, но почти никак не реагировала на мои попытки вступить в контакт, не улыбалась, а на вопросы отвечала односложно и смотрела преимущественно на сына. Ну, если главное в ее жизни это Костик, то...

— Хочешь быть сильным и всех побеждать в драках? — спросил я мальчика.

— Хочу! — звонко откликнулся он.

— Могу научить. — Я коварно забросил приманку. — Если мама разрешит. Как ты думаешь, твоя мама нам разрешит заниматься спортом?

— Разрешит! Разрешит! Да же ведь, мама? Разрешишь?

— Надо у Михаила Олеговича спросить, — ответила Елена, по-прежнему не глядя на меня.

Ну а как же. Кто в доме хозяин? И если мне разрешено в перерывах между утренним и вечерним сеансами заниматься чем угодно, то такая свобода, по-видимому, на проживающих в квартире не распространяется. На все необходимо высочайшее соизволение. Насколько я помню, бабушка Анна Алексеевна эту идею в свое время не одобрила, но ее резоны показались мне сомнительными. Почему бы не попытаться еще раз? Кажется, у папани мозги все-таки нормальные и он в своих решениях руководствуется в основном соображениями целесообразности, а не какими-то протухшими подсчетами: кто на чьи деньги живет и кто кому что должен.

— Хотите, я сам поговорю с Михаилом Олеговичем? — предложил я. — Не думаю, что он будет против. Что плохого, если я в свое свободное время буду заниматься с мальчиком? Это же бесплатно, дополнительных затрат не потребуется, а время у меня есть.

— Хорошо. — Она кивнула и вдруг подняла голову и посмотрела на меня с такой нежностью и благодарностью, что у меня сердце зашлось. — Спросите его. Если он разрешит, то я не против.

— Ура! — завопил Костик, и Елена тут же испуганно прижала палец к губам:

— Тише, сынок. Ты что? Разве можно так кричать?

Мне казалось, что я уже на полпути к победе, но в столовой появилась мадам Лариса Анатольевна. Елена быстро схватила Костика в охапку, оставив на столе недоеденный йогурт, и ретировалась. Дабы не откладывать в долгий ящик, я немедленно завел с хозяйкой разговор о своей готовности заниматься в свободное время с мальчиком. У Ларисы это не вызвало энтузиазма, хотя — видит бог! — я не понял почему. Ну что плохого в том, что ребенок будет сызмальства приобщаться к спорту?

— Я поговорю с Михаилом Олеговичем, — сухо сказала она. — Уверена, что эту идею он не одобрит, но я передам.

Разочарованный и недоумевающий, я продолжал сидеть в столовой, потому что не понимал, ушла Юля из моей комнаты или затаилась там и ждет, когда я вернусь. Конура моя от места приема пищи довольно-таки далеко, и если там и открывалась дверь, то здесь этого не слышно. Черт бы взял эту квартирищу размером в целый этаж! Ну представьте себе: на этаже четыре квартиры, одна слева, одна справа и две в середине. Так вот столовая находилась в левой квартире, а моя комната — в правой. Пока из одного конца в другой дойдешь — состаришься.

Лариса Анатольевна быстро выпила чашку кофе, выкурила сигарету и ушла, оставив меня одного. Я тосковал над своей чашкой, снова мучаясь головой и понимая, что вот-вот настанет время заниматься с Даной и мне нужно будет при любых раскладах вернуться к себе, чтобы переодеться. Дабы не думать о неприятном, я стал вспоминать Елену, ее глаза, ее волосы, ее робкую улыбку и ее неожиданный взгляд, полный нежности и благодарности.

В принципе ничего сверхъестественного для меня в этой ситуации не было, я всегда западал на женщин сразу, мгновенно, с первого предъявления, но ни разу еще не случалось, чтобы я так долго не мог разглядеть ее. Может, авария и долгое пребывание в больнице так на меня подействовали? Да нет, вряд ли, я ведь не живу монахом, и все девушки, которые за последние месяцы побывали у меня дома, были выбраны именно так: сразу, моментально, без долгих раздумий и разглядываний.

Без трех минут пять я, в соответствии с измененным графиком, отправился переодеваться и в коридоре столкнулся с папаней.

— Ну как? Пришел в себя?

— Да так, — я пожал плечами. — Пока не

очень. Извините, что так вышло. Завтра я буду в порядке.

— Надеюсь. Насчет мальчика. Это совершенно лишнее.

Я с удивлением посмотрел на хозяина. Почему лишнее? Почему он против? Может, он просто сегодня не в духе и я со своей инициативой банально попал под раздачу?

Но Михаил Олегович не выглядел сердитым или раздраженным. Наоборот, вид у него был какой-то... расстроенный, что ли. Или даже виноватый. Может, Лариса не поняла, что я не прошу денег за занятия с ребенком? Может быть, папаня думает, что его пытаются раскрутить на дополнительную оплату?

— Я имел в виду, что я мог бы заниматься с Костей бесплатно, — кинулся я в разъяснения. — И только в свое свободное время, не в ущерб занятиям с Даной. Михаил Олегович, я...

— Мне все равно, что ты имел в виду, — оборвал он мои излияния. — Я сказал: нет. И это не обсуждается.

Он повернулся и пошел по длинному коридору. Вообще-то мне было с ним по пути, но я до того оторопел от неожиданности, что застыл на несколько секунд. Что я опять сделал не так? В чем провинился? Или это не я провинился, а Лена? Или маленький Костик, которого в наказание решили лишить занятий спортом? Черт их разберет, этих Руденко. Впрочем, Лариса Анатольевна сразу заявила, что мое предложение ей не нравится. Наверное, она и мужа накрутила. Ему-то должно быть по барабану, но в этом случае папаня пошел навстречу жене, а передо мной сделал вид, что это он сам принял такое решение. Как же, хозяин, глава семьи. Ну, ясен перец, Лариса Лену не любит, потому что трудно найти человека, который бы искренне любил дальнего бедного родственника, свалившегося ему на шею вместе с ребенком. Да и папане не за что Лену любить, хватит и того, что он ее содержит. Другой бы заставил идти работать, а он — нет, Лена сидит дома, воспитывает сына, на всем готовом. Ладно, хрен с ними со всеми.

А с Леной я что-нибудь придумаю.

* * *

Из своей депрессухи я выходил долго. И чем чернее и паскуднее выглядело все вокруг, в том числе и моя жизнь, тем упорнее искал я встречи с Еленой. Я был уверен, что стоит ей хотя бы один раз посмотреть на меня так же нежно, как тогда в столовой, — и мне станет легче. Но я никак не мог уловить расписание, которым определялось ее существование в семье Руденко. Завтракала она тогда, когда я уже занимался с Даной или возил ее на тренировки по стрельбе, обедала и ужинала вообще непонятно когда. Не мог же я часами просиживать в столовой и караулить ее! Вернее, я, конечно, мог бы, но это вызовет массу вопросов со стороны хозяев. И потом, сидение в общей комнате сделает меня доступным для Юли, а я чувствовал, что ситуация накалилась, девчонка злится и уже готова спустить на меня собак, иными словами — наговорить обо мне гадостей за глаза. Оно мне надо? В тот раз, когда я вернулся к себе, чтобы переодеться, Юли в моей комнате уже не было, но я до сих пор не знаю, как она восприняла произошедшее: как проявление моего плохого настроения и самочувствия или как грубый и демонстративный отказ. Если первое, то можно еще как-то выкрутиться, но если второе — пиши пропало. Нажил я себе врага на свою же голову. Дурак.

Я пытался застать Елену одну около четырех часов вечера, приходил в столовую «попить чайку», но безуспешно. Я прислушивался к голосам и шагам, я все время думал о ней, я... Короче, я понял, что влюбился. И, потеряв терпение, решил задать несколько вопросов Дане. Девочка мой интерес приняла за обыкновенное любопытство и спокойно пояснила, что Костика кормят полдником в четыре часа только по выходным, потому что в будние дни его водят в детский сад. Ну надо же, а я даже и не заметил, что мальчика по будням дома не бывает. Не очень-то я наблюдателен. Я вспомнил, что насчет садика мне уже говорили раньше, но у меня из головы вылетело, потому что Лена меня тогда еще не интересовала так, как сейчас.

Но слова Даны натолкнули меня на мысль попытаться поймать Елену, когда она забирает сына из садика. Утром у меня точно ничего не получится, она успевает отвести мальчика и вернуться до девяти часов, а вот вечером... Однако я и тут обломался: Костика Лена забирала в шесть часов, то есть как раз в разгар наших с Даной вечерних занятий. В течение трех дней подряд я исправно посещал столовую якобы для ужина, но Лена так и не появилась. Наверное, она кормит ребенка раньше, как только приводит из садика. Или значительно позже, когда я уже ухожу. В общем, сплошная невезуха. Неудивительно, что я так долго не мог ее разглядеть: если даже при усиленном старании мне не удается встретиться с Еленой, то без такого старания сколько раз я видел ее до этого? Два? Три? Вряд ли больше. Я ведь даже не знаю, какая из множества комнат в этой квартире — ее.

Я ловил Лену в субботу и воскресенье во время полдника, но каждый раз в столовой был кто-то еще, и наедине мы с ней так и не остались.

Прошло, наверное, недели две, то есть я давно перекрыл свой собственный рекорд длительности безответной влюбленности (я уже говорил, что не могу дольше недели испытывать интерес к женщине, если не чувствую взаимности), когда мне наконец повезло. Причем повезло по-крупному, капитально. В половине десятого, закончив утренние занятия, я решил проехаться в одно хитрое место, где можно купить обновленную версию моей любимой компьютерной игры, и встретил Елену на улице. Одну, без Кости. Упускать такой случай было бы ужасной глупостью, и я решил взять быка за рога.

— Пойдем погуляем? — начал я с места в карьер и сразу на «ты». — Или хочешь — съездим куда-нибудь?

Погода для прогулки была самая неподходящая: конец ноября, холодно, промозгло и слякотно, да еще дождь вперемешку с мокрым снегом сыплется.

— Куда съездим? — Она испуганно посмотрела на меня из-под яркого голубого зонтика.

— Да куда хочешь. В магазин какой-нибудь, в парк, на выставку. Куда хочешь.

Боже мой, что я нес? Я готов был даже переться на выставку косметики, если она скажет. Или в картинную галерею. Или в музей какой-нибудь. Последний музей, который я посещал в своей жизни, был краеведческим, куда нас водили классе, наверное, в шестом. Но если бы Лена сказала, что хочет в музей, — я бы пошел с ней. Да не просто пошел, а с радостью. Счастлив был бы.

Но в музей она почему-то не хотела. И в магазин не хотела, и в расположенное рядом кафе — тоже.

— Ты ведь куда-то собирался? — спросила она. — Если хочешь, я с тобой поеду.

Хочу ли я! Она еще спрашивает!

Вся поездка заняла часа полтора, и в машине

все это время рядом со мной сидела совсем не та женщина, которую я видел в квартире Руденко. Веселая, легкая, улыбчивая, сияющая, с удовольствием отзывающаяся на шутки и очень красивая. Просто до ужаса красивая.

И тут я допустил глупость, хотя так и не мог долгое время понять, в чем же она состояла. Я заговорил о ее родстве с Ларисой Анатольевной. Нет, вот ей-крест, я просто хотел быть вежливым и поговорить с человеком о нем самом и его семье. А что получилось? Черт-те что. Елена моментально помрачнела и замкнулась.

— Ты по какой линии родня Ларисе Анатольевне? — спросил я.

— По маминой. — Она отвела глаза и принялась усиленно рассматривать дома, мимо которых мы проезжали.

Я не отставал. Мне действительно было интересно. Я был влюблен, и мне было интересно все, что касалось объекта моей влюбленности.

— А конкретнее?

— Ну... моя мама и жена двоюродного брата Анатолия Богдановича троюродные сестры, — выговорила она не без труда.

Я помотал головой, стряхивая с мозгов это бессмысленное нагромождение слов.

— А можно попроще? Анатолий Богданович — это кто?

— Это отец Ларисы Анатольевны.

Ну да, конечно. Мог бы сам сообразить. Хозяйка — Анатольевна, а Богдану назвали в честь хозяйкиного деда.

— Так. Значит, у Анатолия Богдановича есть двоюродный брат, да?

— Да. То есть был. Анатолий Богданович умер. Давно.

— Хорошо. Поехали дальше. У него был двоюродный брат. У этого брата есть жена.

— Была.

— Что, тоже умерла?

— Нет, они разошлись. Давно.

Все «были». И все — давно. Ну и родство, ё-моё.

— Ладно. И у этой бывшей жены есть троюродная сестра.

— Да.

— Твоя мама, — на всякий случай уточнил я, все еще не веря, что удалось размотать этот немыслимый клубок.

— Да.

Разговор так явно тяготил Елену, что я решил свернуть на какую-нибудь более приятную тему, но все мои попытки вернуть на ее лицо улыбку, а в глаза сияние успехом не увенчались. Что я сделал не так? Что ее так расстроило?

— Мне ужасно жаль, что Михаил Олегович не разрешил мне заниматься с Костиком, — сказал я. — Не знаешь, почему?

Она молча пожала плечами и всю оставшуюся дорогу не проронила ни слова, как ни старался я втянуть ее в разговор. Обиделась, что ли? Хотелось бы понимать, на что.

Я поставил машину возле подъезда и с удивлением понял, что Елена не собирается вместе со мной входить в дом.

— Я еще погуляю немножко, — тихо произнесла она.

— Ну, и я с тобой погуляю, — радостно предложил я.

Снег с дождем стал сильнее, волосы у меня намокли, и я уже представлял себе, как мы будем гулять под одним зонтиком, прижавшись друг к другу. Ведь у Лены зонтик есть, и не может быть, чтобы она не поделилась со мной...

— Нет, ты иди. — Она строго посмотрела на меня. — Иди, Павел. Не надо со мной гулять.

— Ну ладно, не хочешь — не буду. Когда ты вернешься?

— Я... не знаю. Скоро.

— Приходи скорее.

— Зачем?

— Я без тебя скучаю. Ты такая... чудесная. И очень красивая. Ты погуляешь, вернешься, и мы с тобой будем сидеть в столовой, пить чай и разговаривать. Ладно?

— Ладно. — Она скупо улыбнулась.

По лестнице я взлетел, как на крыльях. Хозяин в конторе, хозяйка уехала (я слышал, как она говорила Нине, что будет обедать часа в три, раньше ей вернуться не удастся, а сейчас еще только двенадцатый час), Юля в институте, Дана занимается с Артемом. Остаются старуха и ее дочь Олеговна, но им в такое время в столовой делать совершенно нечего, их расписание я успел выучить, пока безуспешно караулил Лену. Меня совершенно не смутил ее отказ вместе погулять, я эти штучки проходил. Мало ли, может, ей надо в аптеку зайти за чем-нибудь сугубо женским, а меня она стесняется. Значит, сейчас четверть двенадцатого, допустим, Елена вернется минут через пятнадцать-двадцать, придет в столовую, еще минут пять — ну максимум десять — я ее поуговариваю, и у нас останется целых два часа. Два часа! Потом начнется массовое передвижение жильцов по квартире, у Даны и Артема перерыв на обед, потом вернется Лариса, Юлька придет из института, и в это время, конечно, Лене совсем не с руки будет выходить из моей комнаты. Или мне — из ее, это уж как сложится. Но два-то часа у нас всяко будут! «Какая удача! Какая удача!» — пело все внутри.

Я ждал ее целый час, глотая горячий чай и нетерпеливо поглядывая на циферблат и с сожалением отмечая, что намеченные мною два часа тают на глазах, превращаясь в полтора часа, потом в час с четвертью. Куда она запропастилась? Сколько можно гулять по такой погоде? Если бы у нее был мобильник, я бы ей позвонил. Может, телефон у нее и есть, только я номера не знаю. Где же она?

Наконец Елена вернулась. Мои настороженные уши уловили звук открывающегося замка входной двери, затем неторопливые, но какие-то неуверенные шаги по коридору. Она? Или не она? Все-таки она, Лена.

— Как ты долго гуляла, — заметил я, стараясь, чтобы мои слова не прозвучали как упрек.

Конечно, на другом, более продвинутом этапе отношений я бы взорвался, но сейчас надо быть тихим и смиренным, потому что времени осталось совсем мало и мне нужно еще быстренько сказать все необходимые слова, после которых уже можно приглашать девушку уединиться. Обострять сейчас совершенно ни к чему.

Она молча села за стол напротив меня, и тут же в дверях возникла Нина и уставилась на нее. Да уж, вышколил папаня свою домработницу, ничего не скажешь. Или это заслуга Ларисы Анатольевны?

— Нина, можно мне кофе? — негромко попросила Елена.

Нина кивнула и, не произнеся ни слова, вышла. Время бежало с безжалостной быстротой, и я ринулся в бой, отметая все приличия.

— Давай возьмем твой кофе и пойдем ко мне. Ну чего мы будем тут сидеть, как маленькие?

— Разве здесь плохо?

— А чего хорошего? В любой момент кто-нибудь войдет и сядет, нам с тобой даже поговорить толком не удастся. Не хочешь ко мне — пойдем пить кофе к тебе. Но только не здесь.

Нина принесла кофе, Елена медленно, словно специально тянула время, положила ложечку сахара, размешала, сделала маленький глоточек, снова потянулась за сахаром. Похоже, она не торопилась принимать мое совершенно недвусмысленное предложение. Не торопилась или не хотела? Может, я действую слишком топорно? Мой алгоритм рассчитан на активных московских девах, и, возможно, он не срабатывает, когда дело касается матерей-одиночек из провинции.

— Лена, — я протянул руку через стол и накрыл ладонью ее пальцы, — сегодня в машине ты была совсем другой. Ты смеялась, радовалась, у тебя глаза сияли. А теперь ты какая-то потухшая. Я хочу, чтобы ты всегда была такой, как сегодня утром. Что я должен сделать, чтобы ты снова улыбалась? Если я тебя чем-то обидел, ты скажи. Я извинюсь, учту и больше не буду. Мне кажется, на тебя вся эта обстановка, — свободной рукой я показал на стены столовой, — как-то угнетающе действует. Ты здесь зажатая, затравленная какая-то. Дело в этом, да? Хочешь, уедем отсюда? Поедем ко мне домой. У меня время до пяти. Поехали?

На ее лице проступили нежность и благодарность, которые я так хотел увидеть, и губы ее вздрогнули, словно она собирается что-то сказать...

Дверь, благоразумно и предусмотрительно закрытая мною, распахнулась, и в проеме я увидел массивную фигуру папани. Лена испуганно выдернула пальцы из моей руки и побледнела. Папаня же, напротив, налился багровым румянцем.

— Это... что? — Он ткнул пальцем в то место, где только что на столе лежали две ладони, а теперь оставалась только одна — моя, ибо я в отличие от Елены свою руку не отдергивал. Зачем? Что плохого я делал? Юлю трогать не велено — я выполняю. А насчет Елены базара не было. Если нельзя — надо было предупредить. Но, положа руку на сердце, придется признаться, что даже если бы меня предупредили, это ничего не изменило бы. Я действительно влюбился, и в том состоянии меня трудно было бы остановить.

Я не счел нужным ничего отвечать, поскольку вопрос папани показался мне чисто риторическим. Он же все видел, так чего спрашивать «что это»? Что ты видел, то и есть. Мужчина держит женщину за руку и гладит ее пальцы. Больше ничего.

— Миша... Михаил Олегович... — залепетала Лена. — Мы... просто... ничего такого...

Вскочила и выбежала из столовой, едва не сбив папаню с ног. Михаил Олегович стоял и смотрел на меня в упор. Я сидел, но все остальное было так же: я тоже смотрел на него и тоже в упор. Ну ей же богу, я не понимал, чем провинился и провинился ли вообще.

Наконец губы его разжались:

— Прекрати это.

— Почему? — нахально спросил я.

Нет, я человек разумный и готов соблюдать все, что полагается, если мне внятно объяснят, зачем это нужно и почему это нельзя. Инструкции, например, я выполняю и правила техники безопасности тоже, потому что мне объяснили, зачем это нужно. И шпильки в розетку не засовываю, потому что понимаю, что делать этого нельзя. Я даже готов понять, почему мне, безденежному и безродному парню без образования и деловых перспектив, нельзя крутить любовь с хорошенькими юными племянницами богатых людей. Но с Леной-то почему нельзя? Я хотел ясности.

— Не вздумай. — Папаня повторил формулировку, которую я уже слышал, когда речь зашла о Юле. — Не смей.

— Но почему?

Если бы я был так же настойчив в овладении знаниями, то, наверное, уже стал бы профессором или даже академиком.

— Это не обсуждается. Я так сказал.

Он шел по длинному коридору, а я стоял на пороге столовой и смотрел ему вслед. Михаил Олегович открыл дверь своего кабинета (в прошлом месяце он мне там выдавал зарплату), через минуту вышел оттуда с папкой в руках, и я сообразил, что он вернулся среди дня домой за какими-то забытыми утром бумагами. Проследовав мимо «аппендицита», где находились прихожая и входная дверь, он вошел еще в одну комнату, откуда не выходил довольно долго. Минут пять, наверное. Неужели это комната Лены? И он не пожалел времени и сил, чтобы устроить ей выволочку? Вот бы мне послушать, что он ей говорит, может, я бы понял наконец смысл его запрета и причину неудовольствия.

Сказать, что я разозлился, — это ничего не сказать. Вместе с злостью во мне бушевало целое варево из недоумения, раздражения и разочарования. Я уже придумал себе этот день, мое воспаленное и воодушевленное утренним свиданием воображение нарисовало мне красочную, наполненную радостью картину развития наших с Еленой отношений — и такой облом!

Меня настолько выбило из колеи, что я пришел в себя только на следующий день. Занимаясь утром с Даной, я твердо решил изыскать возможность спокойно поговорить с Еленой. В квартире это практически невозможно, значит, надо попытаться поймать ее на улице. Посадить в машину, отвезти куда-нибудь, в кафе, например, или, если получится, к себе домой, и все прояснить. Сказано — сделано. Я забросил попытки набрать физическую форму, перестал играть в свою «стрелялку» и смотреть боевики по видаку. Едва закончив занятия или вернувшись из стрелкового клуба, я выходил из квартиры, садился в машину и ждал. Конечно, я предвидел возможность нештатной ситуации, например, если меня кто-нибудь увидит сидящим в машине, и не один раз.

Ну, на первый случай можно будет сказать, что у меня несколько дел и я пока раздумываю, с какого из них начать и, соответственно, в какую сторону ехать. Или что жду звонка, после которого станет понятно, куда мне направляться. Но это на первый случай. А на второй? И третий? На всякий пожарный я отъезжал чуть в сторону и парковался в таком месте, с которого отлично просматривался подъезд дома, но где меня самого, сидящего в машине, разглядеть довольно трудно.

Ждал я примерно неделю. И дождался.

Елена вышла из подъезда. Только не из того дома, где жили Руденко. Она вышла из дома, где жил Владимир Олегович со своей невзрачной женой Музой.

Меня отправили в нокаут. Так вот куда она бегает, когда говорит, что просто гуляет! Вот почему она не хотела, чтобы я гулял вместе с ней! И вот почему ее прогулка вместо пятнадцати минут длилась так долго. И вот в чем причина поведения папани. Он знает, что родственница его жены спит с его братом, и ставит блок перед его соперником. Ну а как же, брат все-таки, родная кровь.

Мысли носились в голове беспорядочно, как взвихренный порывом ветра песок, и мне никак не удавалось слепить из этого песка оформленный куличик. Сорвавшись с места так резко, что чуть не сшиб капотом гуляющую с собакой тетку, я помчался домой. До вечерних занятий еще много времени, и мне нужно как-то прийти в себя. Я метался по квартире, молотил кулаками все более или менее безвредные предметы вроде подушки или матраса, отжимался, несмотря на боль в спине, и глухо рычал.

Через некоторое время мне стало полегче. Очень хотелось выпить, но я понимал, что придется терпеть до вечера. Я, конечно, мужик безбашенный в определенных вопросах, но за руль нетрезвым не сяду никогда и ни при каких обстоятельствах. Это как совать шпильки в розетку нельзя, потому что хочется еще пожить. Не думайте, что в клубах, где я весело провожу время, я пью исключительно воду без газа. Я пью все, что полагается, и набираюсь иногда по самое не балуйся, а потом просто плачу деньги за водителей, которые везут меня домой на моей же машине. Во всех уважающих себя клубах есть для этого специальная служба.

Ну, раз спиртного пока нельзя, ограничимся кофе. Песок в голове улегся, мысли потекли более упорядоченно. Елки-палки, лучше бы они этого не делали. Потому что, едва удалось немного успокоиться, я вспомнил все, что мне говорили про Лену. В том числе и то, что она поселилась в квартире Руденко, будучи беременной. И тут же к этой информации стали прилепляться мои собственные наблюдения. Муза Станиславовна за все месяцы, что я работаю у Руденко, ни разу к ним не пришла. Во всяком случае, я ни разу этого не видел, а вот ее муж посещает семью брата регулярно. Муза — скромная некрасивая тетка, выглядящая чуть старше своих лет, неухоженная, нехоленая и безвкусно одетая; Лена молодая и очень красивая. У Владимира и Музы нет детей, потому что «тетя Муза слабенькая, очень болеет», а у Лены ребенок есть. Идем дальше: Лене явно не понравился разговор о ее родственниках, который я затеял во время поездки, она не хотела этот разговор поддерживать и постаралась побыстрее его прекратить. При этом у нее испортилось настроение. Лариса Анатольевна относится к ней... да хрен ее знает, как она относится на самом деле, но только не как к родственнице, это уж точно. Они вообще друг с другом не разговаривают. А ведь могли бы, например, об общей родне поговорить, о Костике. И финальный аккорд этой симфонии — запрет хозяина заигрывать с Еленой и вступать с ней в личные отношения. Разве не достаточно для того, чтобы сделать совершенно однозначный вывод? По-моему, вполне достаточно.

Итак, Владимир Олегович изменяет своей жене Музе, что для меня казалось само собой разумеющимся. Мужики изменяют даже очень красивым и молодым женам, а уж таким-то, как Муза, — сам бог велел. Его любовница беременна, ждет от Владимира ребенка, но развестись с Музой и жениться на Елене он по каким-то причинам не может или не хочет, и он договаривается с родным братом Михаилом и его женой поселить Лену в квартире Руденко, выдав ее за родственницу Ларисы. Проверить невозможно, Лариса не москвичка, ее родни здесь нет и, видимо, не бывает. А что? Идея богатая. Любовница под боком, крыша над головой у нее есть, еда тоже, ребеночек рождается и растет, ни в чем не нуждаясь, и счастливый папаша имеет полную возможность с ним постоянно видеться и принимать посильное участие в воспитании. Михаил — человек богатый и благородный, ему денег на Лену с Костиком не жалко, как-никак Володя родной брат, а Костя получается родным племянником. И само собой разумеется, что никаких амурных похождений со стороны Елены быть не должно, у нее свой мужик есть, и сынишка от него растет.

Вот, значит, как выходит, братья Руденко. И что мне теперь делать со своей влюбленностью? На фиг послать? Или встать в боевую стойку и начать с Владимиром Олеговичем поединок за прекрасную Елену? В тот момент я как-то не задумывался над тем, есть у меня шансы победить в этом поединке или нет, я думал только о том, нужен ли мне вообще этот бой. Тогда, сидя в своей съемной квартире и разбираясь с самим собой, я искренне был уверен, что нужен.

Но мои так по-дурацки устроенные мозги упорно цеплялись за возможность договориться миром и до рукопашной дело не доводить. Они искали доводы в пользу того, что все не так. Все совсем не так, и я ошибся, и мои удручающие умозаключения — не более чем результат случайных совпадений и неверно интерпретированных фактов.

Поэтому вечером, разминая пухлую, обросшую жиром спину Даны, я спросил:

— Ты вчера, кажется, опять какую-то картину описывала, когда к дяде с тетей ходила?

— Ага, — выдавила она, не поднимая головы.

— И какая была картина?

— Портрет мужчины.

— Какого?

— Не знаю. Картина так называется — «Портрет мужчины».

— А кто написал?

— Массейс.

Никогда не слышал. Что там описывать-то, в портрете? Ну, лицо и лицо, тем более неизвестно чье.

— И что ты написала? — полюбопытствовал я, постепенно подбираясь к главному.

Дана приподняла голову и подсунула под подбородок сложенные ладошки.

— Я пыталась придумать, почему человек на портрете держит в одной руке перо, распятие и бутон розы. Из сюжета картины это впрямую никак не просматривается, но можно строить предположения, опираясь на детали. Там все очень интересно. — В голосе девочки зазвучало возбуждение исследователя. — Представляете, в одной руке у него перо, распятие и бутон, в другой —

сложенная в несколько раз бумага, похожая на документ, на столе стоит чернильница, а над головой у этого человека нимб. Вообще непонятно, да? Кто он? Что за документ держит? Почему нимб? При чем тут роза? Мне тетя Муза велела описать полотно с точки зрения живописи, ну там, техника, перспектива и все такое, а дядя Володя предложил поразмышлять над содержанием и придумать историю про этого человека.

— Неужели придумала? — искренне удивился я.

Мне бы ни за что не придумать. Перо, роза и распятие. Черт-те что, честное слово. Накрутят, навертят, а потомкам разбираться.

— Ну... что-то смогла. Не все, конечно, — призналась Дана.

— Тете Музе понравилось?

— Она еще не видела то, что я написала. Она только через четыре дня вернется.

— Да? — Я изо всех сил постарался не выдать себя, хотя руки предательски дрогнули. — Она уехала?

— Ага, в Петербург, на конференцию по атрибуции картин.

— Атрибуция? Это что за зверь?

Мне не было интересно, что такое атрибуция, но мне нужно было время, чтобы прийти в себя. Пусть Дана объясняет, я не слушал, а обдумывал полученную информацию. Значит, Музы Станиславовны в Москве нет, а Елена в это время бегает к ее мужу. Что ж, все сходится. Все так и должно быть. Жаль только, что приходится расставаться с надеждой на совпадения и всякие прочие смягчающие ситуацию обстоятельства.

Объяснение пришлось дослушать, после чего я продолжил свои изыскания.

— Я смотрю, твоя тетя здесь совсем не бывает. Почему она к вам не приходит?

— Не знаю. Она очень занята. И вообще, я же к ним все время хожу.

Очень логично. Тебя послушать, моя дорогая, так во всей семье Руденко есть смысл общаться только с тобой, а поскольку Муза и без того имеет возможность с тобой общаться, то зачем ей сюда приходить? Не лопнешь от самомнения-то? Впрочем, что это я на девчонку набросился? Ей же только пятнадцать лет, она еще, в сущности, ребенок.

Но важно другое: не существует официальной и всем понятной причины, по которой Муза не приходит сюда. Выходит, я все-таки прав и все дело в Лене.

Но я боец, по крайней мере раньше им был, и сдаваться так легко не собирался. Я нравился Елене, это совершенно точно, я не мог ошибиться, в противном случае она не вызвалась бы поехать со мной и не смеялась бы моим не очень-то остроумным шуткам. Я ей нравился, может, не так сильно, как она мне, но я не был ей противен или скучен. А этот нежный и благодарный взгляд? До сих пор забыть его не могу.

Поскольку я дважды видел Лену на улице, то теперь знал, какую куртку она носит, и, заглянув в длинный встроенный шкаф в прихожей, мог определить, дома она или нет. На другой день, привезя Дану с тренировки и убедившись, что куртка на месте, я подошел к той двери, в которую заходил папаня, и негромко постучал.

Дверь открылась, но внутрь, в комнату, меня не впустили.

— Что-то случилось? — встревоженно спросила Лена.

Она стояла передо мной такая красивая, в брюках и свободном длинном свитере, а солнечные лучи, падающие из окна у нее за спиной, словно проходили сквозь ее русые волосы и делали их золотыми и какими-то прозрачными. Ни до, ни после я не любил ее так сильно, как в этот момент.

— Давай поговорим спокойно.

Я сделал попытку войти, но она оперлась рукой о косяк и с места не сдвинулась.

— Павел, не надо. Оставь все как есть.

— Но почему? Что нам мешает? Объясни хотя бы, почему Михаил Олегович так болезненно реагирует.

— Я ничего не буду тебе объяснять.

— Можно, я все-таки войду?

— Нет. — И добавила уже мягче: — Иди, Павел, пожалуйста, иди.

Она меня не впускала. Наверное, там, в комнате, у нее на видном месте стоит фотография любовника, и она не хочет, чтобы я ее заметил. Нет, не может быть, ведь в этой же комнате живет Костик, которому надо как-то объяснять, почему мама хранит фотографию дяди-Мишиного брата. Да и Нина здесь уборку делает, и вообще, мало ли кто может войти. Папаня и его жена в курсе, но все остальные-то всерьез полагают, что Лена — родственница Ларисы и к Владимиру не имеет никакого отношения. Значит, дело не в фотографии. Тогда в чем? Неужели она так боится папаню? Боится, что кто-нибудь увидит, как мы разговариваем на пороге ее комнаты, а уж если меня впустить, то полный караул.

— Хорошо, если ты не хочешь разговаривать здесь, давай встретимся на улице. Скажи когда. Я буду тебя ждать в машине.

— Не надо, — она опустила глаза. — Ничего этого не надо, Павел. Ты очень хороший, ты славный... Не обижайся на меня. Я не могу.

Все ясно. Все сказано. Но меня уже потащило.

— Ты — любовница Владимира? — задал я вопрос в лоб. — И Костик его сын, да?

— Думай что хочешь, — резко ответила она, не поднимая глаз, и захлопнула дверь перед моим носом.

Первый раунд я проиграл, услышав, что Музы нет в Москве, второй только что. Но оставался третий. Может быть, мне не удастся отправить противника в нокдаун, но есть надежда выиграть по очкам.

Правда, третий раунд едва не сорвался. Вечером, когда я уже собрался уходить домой, меня перехватил папаня.

— Зайди-ка ко мне, — потребовал он.

Мы пошли в его кабинет.

— Сегодня мне звонил наш участковый. Отбой. Того типа поймали наконец. Дану можешь больше не провожать.

Значит, в поимке маньяка обошлись без тебя, Фролов. Как ни был я зол и расстроен, но все равно не удержался от улыбки, вспомнив, как еще совсем недавно представлял себе свое героическое участие в этом деле и вытекающие из него романтические последствия. Может, мне в писатели податься? А что? С воображением у меня все отлично, правда, с образованием беда, что-то я не слыхал, чтобы люди, имеющие за плечами только среднюю школу, выбивались в писатели, но кто-то же должен быть первым. Почему бы не я? Времени у меня будет навалом, потому что если врач не ошибся, то зарабатывать деньги спортом я все равно не смогу.

— Чего ты улыбаешься? Тебе смешно? — спросил папаня с подозрением.

— Просто радуюсь, что он больше никого не убьет.

Мне показалось, что вывернулся я довольно ловко. Но насчет того, чтобы не провожать Дану, это папаня поторопился. Мне эти проводы позарез нужны. Во всяком случае, пока не представится возможность поговорить с Владимиром.

— Я все-таки буду провожать Дану, если вы не возражаете, — сказал я. — Знаете, как-то спокойнее. Мне это не трудно. И потом, я заставляю ее подниматься на шестой этаж пешком, ей это полезно. А без меня она снова станет ездить на лифте.

— Ну, как знаешь. — Папаня пожал плечами и сделал выразительный жест, который на всех языках мира означает одно и то же: «Свободен, можешь идти».

Через два дня состоялся третий раунд. Дана собралась навестить дядюшку, и мы отправились в соседний дом. У меня было достаточно времени, чтобы обдумать тактику боя, и я чувствовал себя вполне подготовленным.

— Здорово, — я приветливо улыбнулся открывшему дверь Володе и протянул руку, которую он пожал, — вот привел твою любимицу. Чаем угостишь?

— Заходи. — Он посторонился, пропуская нас в квартиру.

Снег валил с самого утра, и мы с Даной долго вытирали ноги перед порогом и отряхивали мокрые куртки.

— Дануська, я посмотрел твою работу по Массейсу, ты молодчина, — сказал Володя. — Сегодня тебе задание перевести свой текст на английский.

— На какой?

Интонация заданного Даной вопроса показалась мне странной. С такой интонацией обычно спрашивают, какой чай налить, черный или зеленый. Но вот что касается иностранного языка... Чего-то я недопонял.

— На английский, — ответил он.

— Может, лучше на америкен? — заныла Дана.

— Нет, кукла, на америкен ты переводила текст по Тициану, а теперь давай-ка тряхни классическим английским.

Только тут до меня доперло, что речь идет об английском и американском вариантах, которые, как известно, отличаются друг от друга всякими междометиями и идиомами, а также произношением. Сам я в этом не разбираюсь и английского почти совсем не знаю, но те, кто знает, что-то такое рассказывали.

— У вас Дана английский в двух вариантах изучает? — спросил я, оказавшись на кухне.

— Да, Муза с ней занимается. Пригодится.

Что-то он сегодня немногословен, будто расстроен чем-то. Уж не рассказом ли прекрасной Елены о моих домогательствах? Ничего, подожди, то ли еще будет. Я сейчас сам тебе все расскажу и посмотрю на твою реакцию. А чего хитрить? Иногда прямые удары намного эффективнее всяких там финтов.

— Володя, я с тобой посоветоваться хотел. Понимаешь, какое дело... — Я изобразил смущение. — Мне Лена очень нравится.

— Красивая женщина, — коротко констатировал он, и было непонятно, то ли он с пониманием относится к тому, что она мне нравится, то ли имеет в виду что-то совсем другое.

— Я начал к ней клинья бить, и все вроде на мази было, как вдруг твой братец нас застукал и устроил скандал. Не знаешь почему?

— Нет. Могу только догадываться.

— Ну и почему?

— Вероятно, Миша считает, что поскольку Лена живет полностью на его обеспечении, она должна вести себя прилично. Если она собирается устраивать собственную личную жизнь, то пусть тогда ее обеспечивает кто-то другой. Никакого иного объяснения я дать не могу.

Во мастер, а? Нет, вы только посмотрите на него! Врет как сивый мерин и при этом не сказал ни слова неправды. Учиться у него и учиться.

— Но что неприличного в том, чтобы встречаться со мной? Она не замужем, свободная женщина, почему мы не можем быть вместе?

— Пожалуйста, предложи ей переехать к себе, возьми на себя заботы о ней и ее сыне, в том числе и материальные, найди возможность зарегистрировать ее в Москве. Ты же не хочешь, правда? Или не можешь. Ты хочешь спать с женщиной, а честь кормить и одевать ее и ее сына ты благородно предоставляешь другому. Это, по-твоему, правильно?

Черт! К такому повороту я готов не был. И возразить-то нечего. То, что говорил Владимир, звучало совершенно по-идиотски, но было настолько идеально правильным, что и аргументов-то не найти. Я рассвирепел до такой степени, что крышу у меня моментально сорвало. Тут все соединилось: и приговор врачей, и отсутствие спортивной перспективы, и то, что я понял про Лену, и моя растоптанная влюбленность, и моя злость на Володю за его разговоры про предназначение и про то, что у меня ничего не получилось, и ощущение полной беспомощности от его последних слов. Получился коктейль Молотова, который, само собой, немедленно рванул.

— Но раз тебе можно, то почему мне нельзя? Ты же именно так и поступил, сделал Лене ребенка и подкинул ее брату, мол, на, братец, содержи мою любовницу вместе с сыном, корми их, одевай-обувай, а я буду, когда мне захочется, с ней спать. Что, нет? Не так?

— Не кричи, — спокойно произнес Володя, — Дана услышит. Все то же самое, только на три тона ниже. Откуда ты это все взял?

— Я видел, как Лена бегает к тебе, когда твоей жены нет дома. — Я сбавил тон и начал яростно шипеть.

— И что с того? Вот сейчас моей жены нет, она

в командировке, а здесь и Дана, и ты. Я что, сплю с вами обоими? Или по очереди?

— Делаешь вид, что не понимаешь, да? Умный, да? Думаешь, я не допираю, почему твоя жена никогда туда не ходит? Она все знает про Лену, и ей неприятно с ней встречаться. Ну, может, не знает точно, но догадывается. И мирится с этим, потому что понимает, что она старая и некрасивая, а Ленка — молодая красотка, и пусть лучше ты будешь трахать ее, чем неизвестно кого. Хоть какая-то гарантия, что СПИД в дом не притащишь.

Был бы он нормальным мужиком — должен был бы меня прибить на месте. Конечно, вряд ли у него это получилось бы, все-таки даже при моих травмах я намного сильнее и опытнее, но попытаться он должен был. Но Владимир Олегович Руденко нормальным не был, потому что он молча выслушал весь поток моей облеченной в слова бурлящей ярости, а потом, когда поток иссяк, подлил мне еще чаю.

— За то, что ты посмел сказать о моей жене, я должен был бы немедленно выгнать тебя и больше никогда не подавать тебе руки. — Он говорил негромко и как-то задумчиво. — Но тебя извиняет то, что ты влюблен и от любви потерял голову. Я не намерен ничего тебе объяснять. Просто поверь мне: все не так. Все не так, как ты думаешь.

— А как?

Я все еще кипел, но уже не настолько, чтобы не понимать, что я, кажется, наговорил лишнего.

— Я уже сказал: я не стану ничего тебе объяснять. Если тебе недостаточно моего слова — что ж, ничего не поделаешь.

— Мне недостаточно.

Он молча пожал плечами, точь-в-точь как Дана, когда ее зажимают страх или смущение. Да, гены в форточку не выкинешь!

— Если ты не врешь и все действительно не так, тогда скажи, что мне делать, — потребовал я. — Почему твой брат против? Почему запрещает мне крутить роман с Леной?

— Я уже объяснил тебе. Больше мне нечего добавить.

Но я не отставал.

— Зачем она приходит к тебе, если вы не любовники?

— Затем же, зачем и ты пришел. Ты же пришел, сидишь, чай пьешь, разговариваешь со мной, вопросы задаешь.

— И она тоже чай с тобой пила?

— Нет, — он слабо усмехнулся, — она пила кофе.

— И часто она приходит к тебе кофейку попить? — ехидно осведомился я.

— Когда как. Иногда часто, иногда редко.

Он отвернулся, несколько секунд смотрел в темное окно, потом перевел глаза на меня.

— Оставь ее, Паша. — Его голос звучал устало и безразлично. — Не трогай ее. У тебя ничего не выйдет. Только ее измучаешь и сам изведешься.

— Откуда ты знаешь, выйдет или нет? — Я злобно ощерился. — Думаешь, ты настолько лучше меня, что бесполезно с тобой тягаться?

Володя снова помолчал некоторое время.

— Скажи, Паша, ты всегда так плохо себя контролируешь или только сегодня?

— Да пошел ты!

Я оттолкнул стул, выскочил в прихожую, всунул ноги в ботинки, схватил куртку и выскочил на лестницу. Вот и пойми теперь, выиграл я свой третий раунд или проиграл.

Уже подъезжая к дому, я перестал кипеть, трезво осмыслил ситуацию и с огорчением вынужден был признать, что все-таки проиграл. И чего я впал в такое бешенство? Просто я не привык, у меня обломов с девушками сроду не было. И еще я не привык, когда все так сложно. Ведь оно как бывает? Либо ты девочке нравишься, и тогда она идет с тобой, либо не нравишься, либо нравишься, но она занята, и она сразу как-то необидно дает это понять, или твои друзья вовремя подскажут, так что до прямого отказа дело не доходит. По крайней мере, в моей тусе все происходило именно так. А тут... Фигня какая-то. Она мне нравится, я ей нравлюсь, но почему-то нельзя. Или я ей не нравлюсь, но она зачем-то делает вид, что это не так, улыбается, сама предлагает поехать со мной на машине и разрешает гладить руку. Если Лена занята, если она Володина любовница, то зачем делала мне авансы? А если я ошибся и она не занята, то почему Володя так уверен, что у меня ничего не получится?

Отражение 1

МУЗА

Какой смешной мальчик, боже мой, какой смешной и трогательный! Подумать, что Леночка — любовница моего мужа... Впрочем, Павла трудно винить, ничего другого он подумать и не мог. Но как же я хохотала, когда мне поздно вечером позвонил Володенька и рассказал о своем разговоре с Павлом! Он сказал, что не мог дотерпеть до моего приезда и решил поделиться сразу же, хотя я возвращаюсь уже завтра. Извинился, что звонит так поздно, но сначала он ждал, пока Дануська закончит перевод, потом повел ее домой и там еще какое-то время задержался.

Сколько буду жить на этом свете — буду благодарить бога за то, что он послал мне Володю. Я совсем не любила его, когда выходила замуж, и вообще, мне было совершенно все равно, за кого выходить, просто так было надо, так принято, женщина должна быть замужем, а родители день и ночь твердили о том, какой замечательный мальчик вырос у Олега Семеновича Руденко, какой красивый, умный, учится в институте на повышенную стипендию, то есть получает одни пятерки, и как он меня любит и мечтает на мне жениться. Вот я и согласилась. Если уж обязательно надо иметь мужа, то пусть лучше будет красивый, умный и любящий. Я знала, что наш брак долго не продлится, но быть разведенной — совсем не то же самое, что быть старой девой. Олег Семенович был заместителем моего папы, оба — партийные функционеры, и можно было не беспокоиться о том, что будущий муж окажется скрытым уголовником или каким-нибудь алкоголиком. Семья «своя», проверенная, все гарантии налицо.

Когда мне было шестнадцать лет, меня изнасиловали. Не люблю об этом вспоминать и никому не рассказываю. Я возвращалась поздно вечером с подготовительных курсов, их было четверо, и все мое сопротивление, наверное, выглядело в их глазах смешным и глупым. Что я могла? Царапалась, кусалась, пыталась даже кричать, но рот мне зажали крепко и так же крепко держали руки и ноги.

Родителям я, конечно, все рассказала, они долго совещались в своей комнате, потом вызвали какого-то «своего» врача, который меня осмотрел и велел лежать и лечиться. Синяки, ссадины, фингал под глазом. В милицию никто не пошел — стыдно. И мне стыдно, и родители огласки не хотели. И ведь моей вины в этом не было, но сам факт того, что меня отымели четыре грязных пьяных бугая, делал меня саму словно бы нечистой.

Через полтора месяца стало очевидным, что я беременна. И снова вопрос: куда идти? К какому врачу? Мне шестнадцать, чистить будут «под маской», то есть практически наживую, без наркоза, а это боль непереносимая, сообщат в школу и родителям на работу, будут позорить перед всеми, а если сказать правду, мол, изнасиловали, сразу встанет вопрос: почему не заявили? Эдак каждая малолетняя проститутка будет требовать сделать ей аборт с хорошим обезболиванием, потому что ее, дескать, изнасиловали. Документ из прокуратуры или из милиции должен быть.

В общем, снова нашли «своего» доктора, родители деньги ему заплатили, и он все сделал, даже с уколом, я уснула и ничего не почувствовала. Но что-то пошло не так, где-то он ошибся, и, хотя он промолчал и моим маме с папой ничего не сказал, скрыл, медсестричка, которая ему помогала меня чистить, предупредила: детей не будет. Никогда. И взяла с меня слово, что я доктора не подведу и родителям не скажу.

Я слово сдержала. Они до сих пор не знают точно, почему у нас с Володей нет детей, только иногда вздыхают и горестно предполагают, что, наверное, дело в раннем аборте. А Володя знает. Я ничего от него не скрываю.

Когда тебе в шестнадцать лет говорят, что у тебя не будет детей, это вовсе не выглядит страшным. О детях в таком возрасте вообще не думаешь. Думаешь о любви, прекрасной, страстной и на всю жизнь. Я была обыкновенной девочкой и тоже о ней мечтала. Правда, я никогда не была красавицей, но благодаря папиным связям была очень модно одета и внимание мальчиков все-таки привлекала. На первом курсе за мной ухаживал очень славный парень, третьекурсник, и мне даже казалось, что я влюблена в него по уши, но когда дело дошло до главного... Этого «главного» мне вовсе не хотелось, но я понимала, что «так надо», если я хочу удержать своего возлюбленного и вообще быть «на уровне».

Это было ужасно. Больно. Страшно. Перед глазами все время стояли те четверо, и мне казалось, что меня снова насилуют в темном пустом сквернике, и я плакала, отбивалась и просила: «Не надо, не надо, перестань!» Мой поклонник был разочарован и больше ко мне никогда не подходил.

Мне было двадцать, когда в точности то же самое произошло во второй раз, уже не со студентом, а с молодым неженатым научным сотрудником одного московского музея, куда мы приходили на практические занятия. Мне казалось, что у нас с ним так много общих интересов и он такой образованный, такой тонкий и вообще совершенно замечательный. Но я снова кричала, плакала, отбивалась, и мне опять было больно и страшно. Мой тонкий и образованный возлюбленный назвал меня дурой и психопаткой и перестал звонить.

Я внимательно вслушивалась в разговоры подружек, вчитывалась в книги и всматривалась в кинофильмы, пытаясь понять, что же со мной не так. Почему все так стремятся к сексу, а я его совсем не хочу? Что должно произойти, чтобы я тоже этого захотела? Говорить на такие темы с родителями как-то не принято, а с ровесниками — не хотелось, чтобы не сочли неполноценной и не начали издеваться. Сегодня профессия сексопатолога весьма и весьма востребована, а тогда, в середине восьмидесятых, обратиться к этому специалисту было едва ли не более стыдным, чем лечиться у психиатра или венеролога, поэтому до всего мне приходилось докапываться самостоятельно.

Фригидность, спровоцированная психотравмирующей ситуацией, — вот и весь ответ, который мне удалось с грехом пополам сформулировать. Что с этим делать, я не знала. И решила пустить все на самотек: как будет, так и будет. Знать, судьба моя такая...

Володю Руденко я знала практически с детства, наши родители дружили семьями, а мы с ним были ровесниками. И когда мама с папой начали усиленно сватать мне его, я согласилась. Мне было все равно. Я не хотела его, но я не хотела и никого другого. Я отдавала себе отчет в том, что не смогу быть для него ни полноценной женой, ни матерью его детей, поэтому он, вероятнее всего, очень скоро со мной разведется.

Мы начали встречаться, я изо всех сил делала вид, что влюблена, что он мне очень нравится, а когда мы оказались в постели, я сказала себе: терпи, Муза, молчи и терпи. Я очень старалась не расплакаться, не закричать и не отталкивать его, хотя мне опять было больно. У меня получилось.

Я все вытерпела и была уверена, что Володя ничего не заметил и остался вполне доволен.

Но, как оказалось, старания мои пропали втуне.

— Тебе было плохо. — Володя не спрашивал, он утверждал, и я на какое-то мгновение растерялась. — Не пытайся меня обманывать, тебе было плохо и, кажется, даже больно. С тобой это всегда так или я сделал что-то неправильно?

— Всегда, — вырвалось у меня прежде, чем я успела обдумать ситуацию.

— И ты знаешь почему? Знаешь причину?

Я молча кивнула и вдруг расплакалась. Он долго утешал меня, успокаивал, гладил по голове и голым плечам, пока слезы не кончились. А когда они кончились, я вдруг рассказала ему все. Он был таким славным, таким добрым, и я так давно его знала, что решила не обманывать его и сказать правду, пока еще не поздно, пока еще мы не женаты и все можно переиграть и отменить.

— Это ужасно, — тихо проговорил он, по-прежнему обнимая меня. — Бедная моя девочка. Сколько же ты перенесла...

— Кто скажет родителям? Ты или я? — Я посчитала, что пора переводить разговор в практическое русло. К тому же, облегчив совесть, я тут же начала раскаиваться в собственной откровенности.

Он отстранился и непонимающе посмотрел на меня.

— О чем?

— О том, что свадьбы не будет. Ты сам скажешь? Или мне сказать?

— Ты не хочешь выходить за меня?

— Нет, наверное, это ты теперь не захочешь на мне жениться. Прости, Володенька, ты так меня любишь, а я видишь какая оказалась... Неполноценная.

— Не говори ерунду. — Он улыбнулся и снова обнял меня. — Ведь ты меня любишь?

— Очень. Очень люблю.

Это было неправдой, но правду я ему сказать не посмела. Все-таки это было бы чудовищно жестоко, ведь до этого я постоянно говорила ему, что люблю.

— И я тебя люблю. Значит, мы будем вместе.

— Но тебе будет плохо со мной!

— С чего ты взяла? Нам вместе будет очень хорошо.

— Я не смогу быть твоей женой в полном смысле слова.

— Сможешь. Пусть не сразу, но сможешь. А мы никуда и не торопимся, верно? Жизнь длинная, мы все успеем.

— Но у меня не может быть детей.

— Ну, что ж поделать... В принципе, это еще неизвестно, врачи часто ошибаются, и не только в плохую сторону, но и в хорошую. Если судьба захочет — дети будут, а нет — значит, нет. Не думай об этом, Муза, думай о том, что мы любим друг друга и скоро поженимся.

Я не понимала, зачем он идет на это. Единственный ответ, который приходил мне в голову, был коротким и всеобъемлющим: ЛЮБОВЬ. Он так меня любил, что готов был жениться на мне, невзирая ни на что.

Несмотря на признание, меня постоянно преследовало ощущение, что я обманываю Володю, ведь я рассказала ему все, утаив самое главное: я не любила его. А может быть, это не было главным?

Незадолго до свадьбы, когда я в очередной раз завела разговор о том, что еще не поздно передумать и пусть он найдет себе более подходящую жену, пригодную для телесных радостей и материнства, Володя сказал:

— Я в одной книжке прочитал совершенно замечательные слова: брак — это договор двух людей о совместном противостоянии жизненным трудностям. Понимаешь, Муза? Не о постели, не о сексе, не о продолжении рода, а о совместном противостоянии. Плечо к плечу, спина к спине, локоть к локтю и полное взаимное доверие. Да, тебе не нравится секс. Но разве это означает, что мы с тобой не можем или не должны вместе противостоять трудностям жизни?

Нам было по двадцать два года, я заканчивала институт, Володя — университет, вроде бы все одинаково, но мне казалось, что он намного старше, умнее и мудрее меня. И я ему поверила.

Мы поженились. Наши родители были счастливы. В течение первого года Володя очень старался меня вылечить и, как он сам выражался, разбудить. Он был нежен, терпелив, но у нас ничего не получалось. И хотя я изо всех сил притворялась, чтобы его не разочаровывать, ни малейшего интереса к сексу у меня так и не появилось. Скучно, противно и утомительно. Правда, уже не больно. Но все равно...

Я была уверена, что ему надоест рано или поздно бороться с моей болезнью и он меня бросит. И в какой-то момент, в очередной раз обдумывая перспективу неминуемого, как мне казалось, развода, я вдруг поняла, что ближе Володи, роднее его нет никого на свете, и если он меня бросит — я не переживу. При мысли остаться без него мне стало по-настоящему больно. Я точно знала, что это — не любовь, потому что нет страсти, нет физического влечения, но что это такое, что привязывает меня к нему, я так и не поняла.

Прошел год, пока он не пришел к выводу, что его попытки разбудить во мне сексуальность приносят мне одни мучения. Перед этим я по настоянию родителей, жаждавших внуков, сходила к врачам, прошла обследование и, когда Володя рассказал мне о результатах, испытала облегчение. Детей у меня все равно не будет, так что можно не насиловать себя, изображая акт любви. Все остальное значения не имело. Володя говорил про какое-то лечение и про какие-то гормоны, но я его почти не слушала, потому что, даже если гормонов будет достаточно, я все равно не хочу никакой близости. Мне все равно будет противно и страшно. И с этим ничего нельзя поделать. Не стану я лечиться, толку не будет, а вред может оказаться огромным.

Мы продолжали спать в одной постели, но Володя перестал меня трогать. Нет, он по-прежнему обнимал меня и целовал то в щеку, то в лоб, то в закрытые глаза, и в его поцелуях мне чудилась настоящая нежность, но все это было так... по-дружески, что ли, по-родственному. На близость он больше не претендовал.

Но я была нормальной женщиной, я имею в виду — разумной, и я понимала, что молодой здоровый мужчина не может обойтись без секса, а если сможет, то это вредно для здоровья. И я каждую минуту готова была к тому, что у него появится другая женщина.

Она появилась. Очень скоро. Даже скорее, чем я предполагала. Володя делал все, чтобы я об этом не узнала, он был по-прежнему нежен и добр, и по-прежнему мы могли разговаривать часами, и нам никогда не было скучно вдвоем. Но она была, я знала точно. Я чувствовала это по тому, как изменилось его поведение. И с замиранием сердца ждала каждый день, что он не придет домой, останется у нее навсегда. Или придет и скажет мне... и соберет вещи. Страшнее часа в моей жизни не будет. Если он меня бросит, я умру.

Но время шло, и ничего не происходило. Мы

проводили вместе очень много времени, мы ездили в отпуск, ходили по театрам и гостям, обсуждали его и мою работу, общих знакомых и прочитанные книги, и со временем я успокоилась. Да, другая женщина есть, может быть, все та же, а может, уже другая, он с ней спит, но ко мне это не имеет ни малейшего отношения. Мы с ним заключили договор о совместном противостоянии жизненным невзгодам и никогда друг друга не предадим.

Иногда мне становилось интересно, кто эта женщина, какая она, как выглядит, как одевается? Как ее зовут? Сколько ей лет? Какой у нее характер? Но этот всплеск любопытства быстро проходил, и мне снова становилось безразлично. Пусть она будет, если Володе с ней хорошо, лишь бы он меня не бросал.

Я не знаю, кто эта женщина. Но совершенно точно знаю, что это не Лена. Леночка... Господи, как смешно! Ну как могло Павлу такое в голову прийти? Смешной трогательный мальчик. Влюбился.

Отражение 2

ВЛАДИМИР

Нет у меня на свете человека ближе моей Музы, и я, конечно, не смог утерпеть и позвонил ей, как только вернулся домой. Мы женаты уже шестнадцать лет, и за это время во мне укоренилась привычка немедленно все ей рассказывать и потом долго обсуждать любое событие. Ну, почти все. Спасибо судьбе, что она послала мне такого друга, умного, тонкого, преданного и любящего. Просто удивительно, что при всех своих особенностях она не разлюбила меня за столько лет. А ведь могла бы. Зачем я ей? Что ее держит рядом со мной? Постели нет, детей нет. Другая давно бы ушла.

Наверное, жизнь могла бы сложиться совсем по-другому, и я женился бы не на Музе, а совсем на другой девушке. Как бы я в этом случае жил теперь? Неизвестно. Скорее всего, хуже. Хотя кто знает...

Боже мой, как я любил Надежду! С ума сходил, думал о ней каждую минуту, начинал трястись часа за два до встречи. Мне было восемнадцать лет, я учился на втором курсе, ей — тридцать девять, она была замужем и имела двоих детей. Она была моей первой женщиной. То есть у меня, само собой, сексуальный опыт уже имелся, но с девицами, ровесницами, которые в науке любви еще мало что понимали и занимались ею не столько из большого желания, сколько для взросления как в чужих глазах, так и в собственных.

Надежда была совсем другой. Настоящей Женщиной, с большой буквы. Зрелой, опытной, мудрой. Она научила меня всему.

Мы встречались уже давно, и каждый раз вставала острая проблема места для уединения. Иногда это бывали квартиры ее подруг, иногда мне оставляли ключи мои приятели, иногда я даже осмеливался прийти к ней домой, когда муж ее уезжал в командировку, а дети находились у бабушки. И вот настал момент, когда место найти не удалось. Ну, вот никак не складывалось ни у ее знакомых, ни у моих. И муж никуда не уехал. А я сгорал от страсти и больше ждать не мог. В конце концов, я ведь не бездомный, тут главное — точно поймать момент, когда родителей и брата с сестрой не будет дома.

Удача мне улыбнулась, отец пришел домой с работы и радостно сообщил маме, что достал два билета в «Современник» на завтра на новый спектакль, где заняты знаменитые и любимые всей страной актеры. Мама радостно заахала, она этих актеров просто обожала, и стала возбужденно обсуждать с Валентиной, какое платье ей надеть в театр. Я тут же подкатился к Михаилу:

— Миш, ты завтра когда придешь?

— Не знаю, а что?

— Ну, у тебя есть какие-нибудь планы на завтрашний вечер?

— Да нет пока. Может, завтра появятся. Все от Ларки зависит, я-то заканчиваю работу в шесть, а у нее рабочий день ненормированный. Если рано освободится, то сходим с ней куда-нибудь. Ты говори, чего надо.

Михаил в то время уже встречался с Ларисой и всерьез готовился к свадьбе.

— Миш, ты не мог бы завтра уйти куда-нибудь? — спросил я напрямик. — И Валю с собой взять.

— Ох ты! — Он хитро прищурился и щелкнул пальцами. — Да у тебя свидание, что ли, шпендрик? Бабу собрался привести?

Это было грубо, но по сути правильно, поэтому я не стал ничего уточнять и просто кивнул.

— И кто она? Я ее знаю?

— Нет.

— Хорошенькая? Где познакомился? — с жадным любопытством выпытывал Миша.

— Мишка, ну что ты, честное слово! Я с тобой как с человеком разговариваю. Ну? Поможешь или нет?

— Да я ради родного брата!.. Конечно, помогу. Не беспокойся, все будет в лучшем виде. Предки в театр, я у Вальки все разведаю, может, она куда-нибудь собирается завтра вечером, а если нет — уведу. На крайняк в кинцо сходим вдвоем. Или втроем с Ларкой. Не бзди, шпендрик, все будет тип-топчик. Ну надо же, ёкарный бабай, братец-то вырос, а я и не заметил.

Через некоторое время он снова появился в нашей с ним комнате. Вид у него был заговорщический.

— Я все устроил. Валька завтра придет часов в пять, а в шесть тридцать мы с ней встречаемся возле «Ударника», там какое-то новое французское кино с Бельмондо. Двухсерийное. Так что считай: сеанс начинается в семь, заканчивается в девять тридцать, плюс полчаса на дорогу. До десяти время гарантировано. А если Ларка с нами пойдет, так мы сначала ее домой отвезем. Правда, с предками сложнее, спектакль заканчивается в девять пятнадцать, я звонил в театр, узнавал. Но все равно на дорогу у них минут тридцать уйдет, не меньше. Короче, шпендрик, крайний срок — девять тридцать, это с гарантией.

Я был счастлив. Уже завтра... Я больше ждать не мог.

И наступило завтра. Ровно в шесть вечера я встречал Надежду возле ее работы. Рядом ждало такси, которое я поймал заблаговременно. В те времена пробок было несравнимо меньше, и на машине передвигаться можно было с довольно большой скоростью. Кроме того, мне казалось чудовищно пошлым везти свою любимую на интимное свидание на метро и автобусе.

Мы действительно доехали довольно быстро и, едва переступив порог квартиры, забыли обо всем на свете.

Но свет, как оказалось, не забыл о нас. Он зажегся в самый неожиданный момент. Дверь комнаты оказалась распахнутой настежь, и на пороге грозно выстроилась вся наша семья: родители, Миша и Валентина.

— Ну, пап, ты только посмотри, — язвительно произнес Михаил. — Ты посмотри, кого он привел в наш дом. Ты еще постарше никого не мог найти? У нее внуки есть или уже правнуками обзавелась?

— Помолчи, — оборвала его мама. — Владимир, скажи своей даме, чтобы она немедленно оделась и покинула этот дом. А вам, дорогая моя, должно быть стыдно, вы совращаете детей. Скажите спасибо, что я милицию не вызвала. И имейте в виду: если вы не оставите в покое моего сына, я сообщу вашему мужу, как интересно вы проводите свой досуг, вместо того чтобы заниматься воспитанием детей. У вас ведь двое детей, мальчик и девочка, не так ли? И адрес ваш я записала.

Мама демонстративно швырнула Надежде ее паспорт.

— И не разбрасывайте свои вещи где попало.

Я понял, что Надя оставила в прихожей сумочку, куда мама беспардонно залезла.

Ни папа, ни Валентина во время этой безобразной сцены не произнесли ни слова. Отец стоял хмурый и набычившийся, Валька же бесстыдно пялилась на Надежду, не скрывая любопытства.

Мне хотелось умереть от стыда и боли. Стыдно мне было не перед родителями, не перед братом и сестрой, а перед Надеждой, ведь она доверилась мне, пришла в мой дом, положившись на мои уверения в полной и гарантированной безопасности, а я — так получилось — ее обманул. Я оказался слишком доверчивым и легкомысленным, посвятив Михаила в свои проблемы. Я всегда знал, что он относится ко мне как к малолетнему недоумку, но не предполагал, что он способен на такое.

Перед глазами стояла пелена, меня трясло, и я совсем не помню, как мы одевались на глазах у всех — никто из членов моей семьи даже и не подумал выйти из комнаты и оставить нас в покое. Не помню, как Надя ушла, не помню, что я ей говорил, да и говорил ли что-нибудь. Очнулся я только тогда, когда начался разбор полетов. Вся семья собралась в гостиной, которая выполняла одновременно и функцию комнаты родителей. Основным докладчиком выступил отец.

— Ты ведешь себя абсолютно безответственно, — начал он ледяным голосом. — Как ты можешь позволять себе вступать в интимные отношения с замужней женщиной, матерью двоих детей? К тому же она намного старше тебя. На двадцать один год! Уму непостижимо! Ты хоть понимаешь последствия своих поступков?

Последствий я не понимал. Какие могут быть последствия, если два человека любят друг друга? Дети, что ли? Так мы предохранялись, на это даже у меня ума хватало. Зато последствия того, что произошло, я понимал очень хорошо. Я больше не увижу Надю, она не захочет иметь дело с человеком, подвергшим ее такому позору и унижению. Что может быть хуже этого?

Я молчал. Отец интерпретировал мое молчание по-своему.

— Вижу, что ничего ты не понимаешь. Так я

объясню тебе, если ты такой идиот. Ложиться в постель с женщиной можно только тогда, когда ты намерен связать с ней свою жизнь и она отвечает тебе взаимностью. Все остальное — это блуд, разврат и проституция. Это недостойно приличного и разумного человека. Ты намерен жениться на ней? Она собирается разводиться? Отвечай!

— А хотя бы и так. — Мне казалось, что я говорил дерзко и уверенно, но, наверное, мои слова прозвучали растерянно и виновато. Не знаю.

— Прекрасно! Тебе восемнадцать лет, ты студент, живешь фактически на нашем с матерью иждивении, потому что твоей стипендии хватает только на твои карманные расходы. И вот у тебя появляется жена и двое ее детей, десяти и тринадцати лет.

Даже это им известно! Впрочем, чего удивляться, они же внимательно изучили Надин паспорт, в который вписаны ее дети с именами и датами рождения. Хорошо подготовились.

— Как ты собираешься их всех содержать? — продолжал между тем отец. — На что вы будете жить? И где вы собираетесь жить? Здесь, в нашей трехкомнатной квартире, где мы впятером с трудом помещаемся? Или ты, может быть, рассчитываешь, что муж твоей дамы оставит ей жилплощадь, на которой вы благополучно поселитесь, и будет платить алименты, на которые вместе с ее зарплатой вы прокормитесь вчетвером? Если ты думаешь именно так, то мне стыдно, что у меня вырос такой сын. Я всегда знал, что настоящего человека, достойного мужчины из тебя не получится. Ты — выродок, не понимающий элементарных основ человеческой порядочности. Если твоя Надежда Петровна обманула доверие собственного мужа и предала его, то она не имеет никакого права претендовать ни на площадь, ни на алименты. Она должна уйти, оставив ему все, и не делить ни имущество, ни квадратные метры. Я готов считаться с чувствами, я допускаю, что между вами настоящая любовь, но я не желаю мириться с тем, что мой сын или его избранница поступят низко и гадко, обобрав ни в чем не повинного человека. И, наконец, последнее. Как ты собираешься воспитывать ее детей? Ее старший ребенок всего на пять лет моложе тебя. По возрасту ты годишься Надежде Петровне в сыновья, если бы она родила в двадцать лет, ее ребенок был бы твоим ровесником. Разве ты сможешь заменить детям отца? Разве они будут тебя уважать и слушаться? Каким авторитетом ты будешь у них пользоваться? Ты сам еще ребенок и не имеешь ни малейшего права брать на себя ответственность за чужие жизни.

Ответить мне было нечего. Если бы отец говорил только о том, что Надя намного старше меня и лучше мне найти подходящую хорошую девушку, я бы нашел, что ему сказать. Но он произносил слова, против которых нечего было возразить. Во всяком случае, я в своем тогдашнем состоянии никаких аргументов не нашел. Мы с Надей не говорили о будущем и даже не думали о нем, нам просто было очень хорошо вместе, и ни о каком разводе и последующей женитьбе речь не шла. У нее была крепкая стабильная семья, разрушать которую никто не собирался, но разве я мог сказать об этом вслух? Ведь отец выразился совершенно определенно: секс без намерения создать семью есть не что иное, как блуд, разврат и проституция. И хотя я, конечно, не был с этим согласен, как и большинство людей на этом свете, я не мог допустить, чтобы о моей Наденьке родители высказывались в подобных выражениях. Мало того, что они будут ТАК о ней думать и говорить, они ведь и в самом деле могут сообщить ее мужу или куда-нибудь в партком.

Отец и мама костерили меня еще долго, и из их слов я вынес твердое убеждение, что если я еще хоть раз себе позволю — они немедленно примут меры. Мне было наплевать, что будет со мной, но для Нади эти меры имели бы необратимые катастрофические последствия. Конечно, я был очень молод, но все-таки понимал, что должности моих родителей и их возможности обеспечат всю жестокость и неотвратимость подобных мер.

Наконец меня оставили в покое, и только тут я задумался: а как вообще это все могло произойти? Я понимал, что все дело в Михаиле, ведь он и только он знал, что я собираюсь привести домой женщину, но не понимал, почему он поставил в известность родителей. Зачем? Как он узнал, что Надя старше меня? Я был уверен, что, если бы речь шла о «подходящей девушке», ничего подобного не произошло бы. Мишка — тупой и коварный гад, он никогда не упускал повода поиздеваться надо мной, он мог бы заявиться домой и ввалиться в комнату, чтобы смутить меня и поставить в неловкое положение, но — один. Без родителей. Без наших идеологически правильных родителей, которые не стали бы терзать и унижать незнакомую девушку, потому что мало ли кого я привел, а вдруг это дочка большого начальника? Таких дочек на моем факультете училось видимо-невидимо. Нет, если они пришли вместе с Мишкой, значит, были уверены, что даму я привел совершенно «неподходящую».

И как ни противно мне было смотреть на брата и разговаривать с ним, я все-таки спросил:

— Почему, Миш? Зачем ты это сделал?

Михаил расхохотался.

— Да потому, что ты идиот! Ты придурок! Ну кого ты мог себе найти? Только такое угробище. Тебя спасать надо было от тебя же самого, пока ты глупостей не наделал. Еще спасибо мне скажешь, когда поймешь. Хотя ты такой дурак, что можешь и не понять никогда.

— Не смей! — вспыхнул я.

— Да брось ты! Мне было интересно, кого ты приведешь, я с Валькой договорился, мне ж с работы раньше шести не уйти никак, а она тебя от самого института пасла, ради такого дела последнюю пару прогуляла, таскалась за тобой по всему городу, пока ты свою ненаглядную старушку не встретил. И сразу же мне позвонила, доложила, я специально с работы не уходил, ее звонка ждал. Ну, я — ноги в руки и бегом к театру, перехватил предков на входе, так, мол, и так, спасать надо нашего шпендрика, его какая-то пожилая тетка окрутила, он ее уж и домой привел, того и гляди до беды недалеко.

— Не смей называть ее старушкой!

— А как мне ее называть? Телкой, что ли? Да ты разуй глаза, недоумок! Ну что в ней хорошего? Старая, низенькая, вся корявая какая-то, брюхо висит, на роже морщины — тьфу! Смотреть не на что. Может, ты думаешь, что она дает как-то необыкновенно? Так не обольщайся, все дают одинаково, и у всех вдоль, а не поперек. Хотя, конечно, откуда тебе это знать? Ты еще маленький, мало чего в жизни видел. Но ты мне поверь, я знаю, о чем говорю.

Почему я его не убил в тот момент? А ведь хотелось, и еще как хотелось! Но я стерпел. Понимал, что изменить ничего нельзя. Убью я Мишку, или просто ударю, или перестану с ним разговаривать — Надю этим все равно не вернуть. По сравнению с этой бедой все остальное меркло и казалось несущественным и незначительным.

У меня хватило выдержки не позвонить Наде домой в тот же вечер, я дождался утра и позвонил ей на работу. Голос у нее был печальный и тусклый.

— Не надо, солнышко, — тихо сказала она в трубку, прервав мои попытки попросить прощения. — Не казнись. Ты ни в чем не виноват. Не звони мне больше.

Я не настаивал. Угрозы отца представлялись мне более чем реальными, и мне не хотелось подвергать Надежду такому неоправданному риску.

На то, чтобы прийти в себя, мне потребовалось чуть больше года. Но я их не простил. Никого. И продолжал любить свою Надю и думать о ней, хотя и понимал, что это ни к чему не приведет.

Прошло время, и родители стали подумывать о том, чтобы меня женить. У Мишки и Ларисы рос Тарас, Валентина тоже вышла замуж и родила дочку Юлю, оставался я, пятикурсник, в скором будущем — выпускник университета, молодой специалист.

— Вот женишься — и можно умирать спокойно, — то и дело говорила мама. — Все дети с семьями, никто один не остался.

Мне было все равно. Мне никто не был нужен, кроме Нади, и меня устроила бы любая жена. Я бы жил с ней как полагается и делал бы все, что требуется. Если не Надя, то какая разница — кто?

— Вот у Станислава Сергеевича такая чудесная девочка выросла, — говорили родители. — Она с детства в тебя влюблена, между прочим. Разве ты не замечал?

Дочку Станислава Сергеевича, Музу, я знал много лет, но внимания на нее не обращал. Наши родители дружили семьями и всегда приводили с собой детей, когда ходили друг к другу в гости или выезжали на дачный пикник. Муза была невзрачной некрасивой девочкой, бледной до прозрачности и худосочной, хотя и умненькой, много читала, интересовалась живописью и собиралась, если память мне не изменяла, стать искусствоведом. Никаких признаков ее особого отношения ко мне я не наблюдал. Хотя, если честно, не присматривался. В чем и откровенно признался родителям.

— Ну что ты, Володя, — убежденно твердила мама, — это же просто в глаза бросается! Как она на тебя смотрит, как улыбается, когда разговаривает с тобой! Она с ума по тебе сходит, а ты не замечаешь. Между прочим, лучшей жены тебе не найти. И умница, и порядочная, чистая девочка, и профессию будет иметь достойную, и семья у нее прекрасная.

Все это было шито белыми нитками, я не сомневался в том, что отец и его начальник Станислав Сергеевич просто решили наилучшим образом скрепить свой деловой союз и породниться. Внутриклановый брак. Перестройка шла полным ходом, и руководители промышленных отделов райкомов и горкомов партии почуяли, что можно многое прибрать к рукам, если проявить должную ловкость и хватку.

Я был глуп и слаб, я был приучен к послушанию и не умел бороться. Что ж, если мне не удается жить по своим собственным правилам, я буду жить по вашим. Муза так Муза, мне все равно.

— Вот билеты, — отец протягивал мне конверт, — позвони Музе и пригласи ее в театр. Она будет счастлива.

Я звонил, приглашал, и, к моему удивлению, она соглашалась. Мы начали встречаться, родители с обеих сторон нам усиленно покровительствовали, и спустя какое-то время дело дошло до подачи заявления в загс. Ложиться с Музой в постель мне не хотелось совершенно, и я тайно радовался, что девушка не подает никаких специфических сигналов и не делает прозрачных намеков, но тут уж отступать было некуда. В конце двадцатого века ждать первой брачной ночи просто смешно. Да и, в конце-то концов, потом все равно придется, так что нечего тянуть. И хотя Муза меня физически абсолютно не привлекала, я был уверен, что справлюсь.

Я-то справился, а вот она... Но я все равно на ней женился, потому что ее фригидность была мне на руку: не придется слишком часто напрягаться. А если повезет — то и вообще не придется. Личную жизнь свою я как-нибудь устрою. Во всем остальном Муза была просто замечательной, и мы стали настоящими друзьями.

Супружеский долг я исполнял хотя и не часто, но честно, мне не хотелось, чтобы Муза поняла, что как женщина она мне совсем не нравится. Ведь она так меня любила! Я не мог и не хотел ее обижать. И потом, надо было все-таки попробовать завести ребенка. Мало ли что ей медсестра сказала, все ошибаются, даже самые умные и опытные. Но беременности не получалось. Родители — и те, и другие — наседали с требованием сходить к врачу и пройти обследование, а если нужно — то и лечение.

С врачом нам повезло, вернее, повезло главным образом мне, потому что это оказался молодой мужчина, веселый и открытый, с которым у меня сразу наладился неформальный контакт. Муза сдала кучу анализов, прошла массу каких-то обследований, а через некоторое время этот врач позвонил мне и попросил приехать, но без жены.

— Слушай, — без обиняков заявил он, — у тебя, похоже, проблемы. У вас вообще как с половой жизнью?

— А что? — Я был на всякий случай осторожен.

— Да твоя жена, судя по анализам, не должна это дело любить. Ведь так?

— Так, — признался я.

— У нее почти полностью отсутствует гормон, который отвечает за либидо. Это врожденное. И потом, у нее малокровие. Ты же видишь, какая она бледная. У нее просто ни на что нет сил. Пусть она сходит к гематологу, он ей пропишет препаратики. И гормональное лечение надо бы пройти.

Я представил себе Музу, настойчиво жаждущую близости, и вздрогнул. Нет уж, пусть будет как есть. Но ребенок...

— Лучше не надейся, — посоветовал веселый доктор. — Даже если твоя жена ухитрится забеременеть, она плод все равно не выносит. Ни при каких обстоятельствах. Матка в очень плохом состоянии.

Я возвращался домой и думал, как себя вести с Музой, что ей сказать. И говорить ли вообще. Скрывать правду было бы нечестным, и я решил рассказать все как есть. Детей не будет. Радости секса под вопросом, то ли будут, то ли нет, гормональная недостаточность врожденная, лечение чревато ощутимым побочным действием, хороших препаратов последнего поколения в нашей стране пока нет и когда будут — неизвестно, их надо привозить из-за границы, а для этого нет ни денег, ни возможностей. Малокровие надо лечить.

Я шел и мысленно проговаривал то, что собирался сказать, и пытался представить, что будет чувствовать любящая меня женщина, когда это услышит. И в этот момент понял, что дороже моей Музы у меня нет никого на свете и я никогда не смогу причинить ей боль. Я никогда ее не оставлю, что бы ни случилось. Не будет со мной рядом другого такого же умного, тонкого и преданного друга, как она. А с сексом я как-нибудь разберусь, не пропаду.

Разговаривая с женой, я старался быть мягким и деликатным, ничего не скрывая, но максимально скругляя острые углы. Муза слушала рассеянно, и порой мне казалось, что она вообще меня не слышит. Я представлял себе, как ей больно от моих слов, и у меня темнело в глазах. Я ни на чем не настаивал, чтобы она, не дай бог, не почувствовала себя неполноценной и не подумала, что я не буду любить ее такой, какая она есть. Я ее и не любил в том смысле, какой принято вкладывать в это слово. Я любил ее по-другому. И до сих пор люблю. И буду любить до самой смерти.

Спустя несколько месяцев я случайно встретил на улице Надежду. Она недавно развелась, муж ушел к другой женщине, помоложе. Узнав, что я теперь женат, она тепло улыбнулась:

— Вот и молодец, солнышко, вот и хорошо.

Она рассказывала мне о детях, я ей — о своей научной карьере, об аспирантуре и диссертации, но наши глаза вели свой разговор, в котором все было предельно понятно.

Мы начали встречаться. Не очень часто, примерно раз в две недели. Музу я больше не трогал. Я делал все, чтобы она ни о чем не догадалась, я берег ее, и мне это удалось. Сейчас Наде уже пятьдесят девять, у нее внуки, но другой женщины мне не надо. Мы встречаемся до сих пор, и все эти годы Муза ни о чем не догадывалась. Она этого не переживет.

Со временем я перестал быть молодым, глупым и послушным, я здорово изменился, но память надежно хранила все прошлые обиды. Я никого не простил. Если вы хотите, чтобы я жил по вашим правилам, то и вы по ним живите, а я посмотрю, как у вас это получится.

Отец умер, но успел пристроить Михаила в свой бизнес. Мишка — молодец! — оказался к деланию денег приспособленным, быстро развернулся, расширился, размахнулся. Подошел момент — и начались разговоры о постройке загородного дома. «Вот и приступим», — решил я. А как же мама? Она совсем одна и совсем старая. Если ты богат настолько, что можешь позволить себе просторное жилье, то должен взять маму к себе. Но она не сможет жить за городом...

Я никогда не беседовал с Михаилом один на один, я был коварен и расчетлив, сначала я готовил маму, а второй этап проводил в ее присутствии, чтобы Мишка не мог меня послать подальше и называть вещи своими именами. Ну а как же? Мать надо беречь, уважать и делать только так, как удобно ей, а не тебе, даже если тебе это не нравится. Попробуй возрази. Особенно при маме.

Мне очень хотелось, чтобы Михаил поселился поближе ко мне и я мог бы своими глазами наблюдать, как они там живут «по их правилам». И мне удалось это устроить, опять же через маму, которая не переставала удивляться, каким я стал заботливым и любящим сыном, когда вырос и поумнел.

Мишкин характер был мне хорошо известен,

и я не сомневался, что он регулярно изменяет своей жене Ларисе. Потребовалось совсем небольшое усилие, чтобы собрать информацию и все выяснить. Я присматривался и ждал, Мишкина тогдашняя любовница оказалась девочкой откуда-то с периферии, смазливенькой и надеющейся при помощи внешности найти богатого папика, который будет ее содержать. Девочка где-то ошиблась, а может быть, видя Мишкино непостоянство, сознательно попробовала привязать его ребенком, но так или иначе она забеременела — и тут на арену вышел я. Весь в белом. Как же так, Михаил? Девочка совсем одна в Москве, без денег, без профессии, без собственного жилья, она носит твоего ребенка, она тебя любит. А порядочность? А чувство ответственности? Аборт? Да как у тебя язык повернулся сказать такое! Убить живое существо! Материнство — это святое, и в воспитании ребенка обязательно должен принимать участие отец... А ты как думал, мой дорогой? Спать с ней ты готов, а помогать, когда появится ребенок, это без тебя, что ли? Я припомнил все, что говорил когда-то наш с ним отец, я повторял его слова практически дословно, нагло глядя прямо в глаза брату. У меня когда-то не нашлось аргументов против этих слов. Не нашлось их и у Михаила. Он тоже не забыл той сцены, когда все они выдворяли Надю из нашей квартиры, но ему и в голову не приходило, что я повторяю ее умышленно. Он понимал, что я все помню, и если сейчас он начнет спорить и опровергать мои доводы, то будет выглядеть двуличным и лицемерным в глазах младшего брата. И потом, я снова позаботился о свидетелях, я улучил момент, когда он был у Елены, и заявился прямо к ним. Что он мог возразить мне в ее присутствии? Да ничего. Я дожимал его до тех пор, пока он не согласился. Он, правда, пытался барахтаться и торговаться, но я был непреклонен: ребенок должен расти рядом с отцом, пусть и не зная, что это его отец. Любой нормальный отец должен стремиться видеть своего ребенка как можно чаще. Елена должна жить вместе с Михаилом, только в этом случае отец и сын смогут общаться ежедневно и отец будет иметь возможность видеть и немедленно удовлетворять все потребности матери и ребенка, чего бы они ни касались: здоровья, питания или общения. Бог мой, какой великий демагог во мне пропал! К тридцати трем годам я стал поистине мастером аргумента, на который невозможно возразить.

Оставался самый трудный момент: Лариса. Поселить Елену в Мишкиной квартире можно было только под видом родственницы, но выдать ее за свою родню Мишка не мог — это вызвало бы у мамы недоумение и массу вопросов, на которые нет ответа. Значит, выдать любовницу можно только за родственницу Ларисы, но для этого надо, чтобы Лара была в курсе.

— Это невозможно, — твердил Мишка. — Как ты себе это представляешь?

— А изменять жене — возможно? — задавал я

ответный вопрос. — А спать с женщиной, не имея намерения связать с ней жизнь, возможно? А уйти от ответственности за ребенка возможно?

Мишка все помнил, поэтому возражать не смел. Надо отдать ему должное, в каких-то вопросах он очень силен. Сцепив зубы, он все рассказал Ларисе. Я знал, что расскажет. Не сомневался. Наш отец был деспотичен и прочно занимал позицию главнокомандующего, и Мишка — самый старший из нас — успел больше всех натерпеться от домашней тирании. И теперь, когда отца не стало, самым важным для моего брата стало отстоять свое положение Главного. Как он скажет — так и будет. И никто пикнуть не смей. Подозреваю, что, разбираясь с Ларисой, он даже испытал некоторый кайф: вот, мол, я какой, бабу свою беременную в своем доме поселяю рядом с собственной женой, и никто мне не указ. Конечно, я ему помог, я тоже поговорил с Ларисой, объяснил, что она может гордиться своим мужем, который в минуту слабости совершил глупость, но готов нести за это ответственность и все последующие тяготы. Ее муж не трус и не подонок, и это должно ее радовать. Она сама мать, у нее двое детей, так неужели она допустит, чтобы беременная женщина оказалась брошенной на произвол судьбы?

Уж не знаю, как там она радовалась, но беременная Елена вошла в Мишкин дом под видом дальней родственницы Ларисы. Проверить это невозможно. Мама ничего не должна знать, она так уверена в Мишиной порядочности и в том, что он — достойный семьянин. Известие о том, что он изменяет жене и у него внебрачный ребенок, маму убьет, у нее и так сердце больное. И вообще никто не должен знать, кроме Миши с Ларисой и меня с Музой. От Музы у меня секретов нет. Почти нет.

Следующей на очереди была Валентина. Здесь тоже долго ждать не пришлось, она от своего мужа давно уже гуляла по-черному, нужно было только сделать так, чтобы об этом узнала мама. У мамы были ключи от Валькиной квартиры, потому что периодически она приезжала пожить с внучкой Юлей, когда Валя с мужем уезжали в отпуск. Выяснить, когда Валентина отправит мужа в командировку, Юльку — на дачу с подружками и приведет домой очередного любовника, труда не составило, а мама с удовольствием согласилась нанести дочери незапланированный визит: я повез ее в канун Нового года покататься вечером по Москве, посмотреть праздничную иллюминацию и неожиданным сюрпризом зайти к Валюшке, подарить новогодний подарок. Я купил подарок — красивую массивную вазу из венецианского стекла, а мама взяла ключи на тот случай, если дочери дома не окажется.

Но она была дома, чему я лично совсем не удивился. Не одна. Совсем раздетая, в компании красавца с роскошными бицепсами и в совершенно недвусмысленной позе. Мама оторопела, ее лицо исказилось от негодования, она уже со-

бралась было высказать все, что полагалось, насчет «блуда, разврата и проституции», но я кинулся на выручку сестре и стал горячо убеждать
маму, что это — Большая Любовь, которой противостоять невозможно и которая бывает только
раз в жизни, что мужчина, который лежит с Ва-
лей с постели, свободен и собирается на Валечке
жениться, что она никак не может набраться
смелости поговорить с мужем, но поговорит с
ним обязательно в ближайшее же время.

— Я не могу допустить мысли, что моя дочь —
шлюха, — с достоинством произнесла наша идеологически правильная мама. — Если ты действительно любишь этого человека, то не имеешь
права продолжать жить с мужем, на его площади
и за его деньги. Немедленно собирай свои вещи,
вы с Юлечкой будете жить с нами.

Валентина никогда особым умом не отлича-
лась, поэтому сдалась даже быстрее, чем Михаил.
Наплевать на мать и ее мнение ни брат, ни сестра не посмели — не так мы были воспитаны.
Единственное, что Вальке тогда удалось, — это
выпросить отсрочку, хотя бы до возвращения дочери с дачи. Мать согласилась. Сестра рассчитывала, что за пару дней волна уляжется и мать перестанет настаивать на немедленном разрыве с
мужем, но не такова наша мама! Она звонила Ва-
ле каждый час и требовательным тоном вопро-
шала, собрала ли она вещи и не прихватила ли
по рассеянности что-нибудь из мужниных цен-
ностей.

— Ты не имеешь морального права ни на что, кроме своей и Юлиной одежды, — твердила мама по телефону. — И когда будешь разговаривать с мужем, не забудь: никаких алиментов, никакого дележа имущества.

Мама тоже все помнила. Поэтому не имела «морального права» говорить что-то другое, хотя думала она, вполне возможно, совсем не так. Но ведь сохранить лицо перед собственными детьми — это так важно! А может быть, она была вполне искренна. Кто знает...

Мишку прямо перекосило, когда он узнал, что Валя с дочерью будут жить у него. Но что он мог возразить? Квартира огромная, четыре бывшие коммуналки, шестнадцать комнат. И денег у него много. Разве можно при таком раскладе отказать сестре и выгнать ее на улицу? Родственников надо любить и помогать им. Так мама учила.

Теперь они живут все вместе, «по их правилам». По тем самым правилам, которые сломали мою жизнь. А я смотрю на них со стороны и забавляюсь. Лена, дурочка, только теперь поняла, в какой капкан попала. Хотела, чтобы ее содержали? Чтобы жить не работая и ни в чем при этом не нуждаясь? И чтобы отец ребенка не бросил? Пожалуйста, вот тебе твое исполненное желание, на блюдечке с золотой каемочкой. Ну и каково тебе теперь? Ни вздохнуть, ни выдохнуть, лишний раз глаза поднять боится. Ларка ее ненавидит, все остальные недолюбливают. А ведь сама согласилась. Могла бы и отказаться. На что рассчитывала, спрашивается? Что Михаил поживет рядом с двумя бабами и в конце концов выберет ту, которая моложе? Или что он найдет ей богатого мужа и сплавит с рук, чтобы избавиться побыстрее? Как же, разбежался. Мишка своего из рук не выпустит, что его — то его. Собака на сене. Неужели до сих пор не поняла? Старая истина: никогда не желай чего-либо слишком сильно, ибо твое желание может исполниться самым неожиданными образом. Вот и исполнилось...

Прибежала ко мне, как маленькая, советоваться. Павел такой симпатичный, он ей нравится, а Миша рассердился, сцену устроил. Я ее понимаю, ей что Павел, что дворник наш дядя Леша — теперь все едино, лишь бы женился и забрал от этой кормушки, где еду подают на блюдечках с золотой каемочкой. Павел — это личность неординарная, самородок, только сам этого не понимает и разменивается на всякую дурь. А Лена просто интерес свой блюдет, хочет из мышеловки вырваться любым способом, даже путем обмана и предательства влюбленного мужчины. Пришлось ей целую лекцию прочитать на тему о том, что она должна думать только об интересах ребенка, а не о своих собственных, и коль уж она живет на деньги Михаила, то должна с этим считаться и себя соблюдать. В общем, в очередной раз прогнал идейно выдержанную демагогию. А Павла жалко, он действительно хороший парень и не понимает, что собой представляет Лена и на чем основан ее интерес к нему. Но я не мог сказать ему правду. Очень хотелось, но нельзя. Слово дал.

Но Мишка и в самом деле как собака на сене. Бедный Паша! Угораздило же его в Лену влюбиться. Конечно, Миша рассвирепел. Мое! Не трожь! И не твое дело, что я сам не пользуюсь, все равно это мое. За это моими деньгами плачено. И не только деньгами, но и трещиной в отношениях с женой, и постоянным семейным напрягом.

А я развлекаюсь себе потихоньку, используя маму на полную катушку. Дети не должны ездить на машине с водителем, это непедагогично. В доме не должно быть много прислуги, достаточно одной домработницы, она вполне справляется с работой горничной и повара. Лариса не должна ездить с охранником, достаточно только водителя. Еще один бриллиант в дополнение к трем имеющимся — ненужная роскошь, излишество. И так далее. Маме мои доводы понятны, она с ними совершенно согласна и смело озвучивает их Мишке и его жене, а им и возразить-то нечего. Лариса не смеет моей маме заявить, что все ее приятельницы имеют штат прислуги как минимум в пять человек и всюду появляются в сопровождении плечистых бодигардов, и ей тоже хочется в грязь лицом не ударить. С нашей мамой это не пройдет. Только хуже выйдет. Ох, как Ларка меня ненавидит! Ей кажется, что, если бы не я, Миша бы под ее дудку плясал. Обольщается, бедняжка. Если бы не я и не мама, Мишка бы вообще вразнос пошел и давно бросил бы ее с двумя детьми и женился на молодой длинноногой красоточке. Только мамино присутствие на этом свете держит его в узде, а мамиными устами говорю на самом деле я, его младший брат. В общем-то мне на Ларку наплевать, хотя она неплохая баба. Но я очень люблю Дануську и стараюсь только ради нее, а так... Пусть бы разводился и женился на ком хочет.

В какой-то момент мне стало скучно, ничего не происходило, и я придумал благотворительную помощь молодым поэтам. Боже мой, как смеялась моя Муза! Она все знает про меня и мои отношения с родными, она полностью в курсе всех моих затей, она — мой первый и главный советчик, моя поддержка и опора. Ее это все забавляет не меньше, чем меня самого. Мы вместе — как сейчас помню, валяясь на диване и хохоча — разрабатывали стратегию: что сказать маме, как подать идею, какие аргументы привести. Я очень просил Музу пойти вместе со мной к маме, все-таки она искусствовед, и ее слово было бы весьма весомым, но она, как обычно, отказалась. Она старается не ходить в дом к Мише без острой необходимости. Ну, если день рождения или семейный праздник — тогда она пойдет, а так — нет. Ей там некомфортно, ей кажется, что на нее все смотрят с насмешливым сочувствием, потому что она такая некрасивая и вещи на ней сидят плохо. В общем, ей все правильно кажется, и барыня Лариса, и дурочка Валентина, и мерзавка Юлька именно так на нее и смотрят, они действительно считают Музу некрасивой и убогой, и вещи на ее нескладной фигурке сидят действительно плохо и никакого вида не имеют, и лицо у нее не такое ухоженное, и волосы не в дорогом салоне подстрижены, и маникюра нет. Я не заставляю свою жену ходить в гости к моему брату, если ей не хочется. Так что разговор с мамой пришлось проводить мне самому. Богатые люди должны заниматься благотворительностью, они должны быть добрыми и милосердными... Поэзия — золотое зерно русской культуры, ни одна страна не дала миру столько великих поэтов, как Россия, а сегодня, в эпоху корысти и чистогана... Но благотворительность должна быть скромной и не выпячивать себя. Нельзя на этом выгадывать и снижать налогооблагаемую базу, это неприлично. Если ты добрый и милосердный, то не можешь думать о выгоде. И так далее.

Я вполне преуспел. Теперь на Мишкины деньги издается серия поэтических сборников. Меня он послал бы, это без сомнения, но маму — нет. Не так мы воспитаны.

Потом я придумал посещение кладбища. Наверное, Мишка догадывается, откуда ноги растут, но молчит. А что скажешь? Что на кладбище ездить не нужно? Попробуй скажи. Меня это не касается, я по воскресеньям работаю, это все знают, а вот Миша с Валентиной пусть покрутятся. Им полезно.

Отражение 3

МИХАИЛ

Нет, каково, а? Сидят, голубки, за ручки держатся, в глаза друг дугу смотрят. Еще не хватало! В моем доме и за мои же деньги. Не потерплю.

И снова приходит мысль о том, что все слова, производные от «терпеть», прочно вошли в мой внутренней лексикон. Я должен терпеть алкоголичку Валентину и делать вид, что ничего не замечаю, потому что, кроме меня, никто не видит и не знает, что она пьет. Я должен терпеть ее дурудочку, сексуально озабоченную кретинку, которая даже на Володьку, на дядю своего родного, смотрит похотливо и которую стыдно людям показывать. Я должен терпеть постоянное Ларкино раздражение от присутствия Лены и Костика и ее бесконечные претензии на красивую жизнь, которую я ей не обеспечиваю, и ее недовольство мамой, которую я тоже должен терпеть и которая пытается идейно руководить всей нашей жизнью и пресекает любые Ларкины попытки жить так же «красивенько», как ее подруги и дамы из нашего круга. Я должен терпеть, терпеть, терпеть... И я никак не могу понять почему. Почему моя жизнь сложилась так, что мне приходится все это терпеть? Где я ошибся? Что я сделал не так? Не понимаю. Все люди живут нормально, только мне не удается.

А теперь еще и это... Романы они тут крутить

будут, у меня под носом! Если бы Володька тогда не вмешался, все было бы по-другому. И кто мог знать, что он таким станет? Второй отец, иначе не скажешь. Даже, пожалуй, покруче папы будет. Надо же, как гены сказываются! Ведь лет до тридцати Володька был нормальным, ничего такого никто от него не слышал. А потом как подменили парня. Неужели наука ему до такой степени мозги вывернула? В двадцать пять лет стал кандидатом наук, в двадцать девять — доктором, от такого у кого хочешь крыша съедет. Да что там до тридцати, он лет до двадцати вообще полным придурком был, в нашей семье его даже за человека не держали. То есть сначала, в раннем детстве, он был как все, а когда умер Ваня, тогда все поняли, что Вовка у нас не человек, а маленький выродок. Так за выродка он и канал, пока на Музе не женился. Муза его человеком сделала. А вот наука, видать, испортила.

Ваня родился, когда мне было одиннадцать лет, Вальке — восемь, а Вовке, соответственно, пять. Когда мама с отцом привезли его из роддома, мы с Валькой и Володей сначала испугались, до того он был страшный. Голова маленькая и какая-то поперек себя шире, глаза раскосые, нос плоский, язык между губами торчит, шея короткая, пальцы как обрубки, и весь он толстый какой-то. Короче, тихий ужас. В общем-то мы все трое не имели представления о том, как должны выглядеть новорожденные, и решили, что, наверное, так и должны. Просто правда жизни оказалась не очень-то похожей на то, что показывают в мультфильмах и в детском кино.

Родители были какими-то подавленными, все время шушукались, о чем-то совещались, закрывшись от нас, но мы не обращали внимания и лезли посмотреть на малыша: интересно было. Когда Вальку привезли из роддома, мне было три года, и я вообще ничего об этом не помню. А когда родился Вовка, мне было шесть, и свои первые впечатления от новорожденного братика я помню очень хорошо. Вовка был не таким. Но сравнить мои впечатления с Валькиными не удалось, у нее с Вовкой тоже три года разницы, как и у меня с ней, и она тоже не помнит, каким он был. Что-то происходило непонятное и загадочное. Но нам ничего не говорили.

А мы и не вникали особенно. Но со временем я стал обращать внимание на то, что все идет как-то не так. Я, например, помнил, что, когда пошел в первый класс, Вовке было годик, и он однажды забрел в мою комнату и изорвал упавшую на пол тетрадку по арифметике, а где-то в мае, перед самыми каникулами, когда учебный год уже заканчивался, он уже бегал так быстро, что врезался в меня, сидящего за письменным столом за уроками, на полном ходу, из-за чего я посадил огромную кляксу и страшно злился: пришлось срочно мчаться в магазин канцтоваров, покупать новую тетрадку и переписывать все домашнее задание заново. А маленький Ваня в полтора года, когда Вовка уже носился, как механи-

ческое помело, только-только начал ходить. И еще
я помнил, что Вовка узнавал меня, когда ему было
два месяца, я хорошо это запомнил, потому что
приходили гости и все об этом говорили. А Ваня
не узнавал никого и никому не улыбался ни в два
месяца, ни в три, ни в четыре. Вовка в пять месяцев хватал погремушку так крепко, что не отни-
мешь, а Ваня и в годик еще этого не делал. И самое главное, что нас с Валькой поразило: мама
никогда не гуляла с Ваней вместе с другими ма-
мами. Сколько раз, возвращаясь из школы, мы видели в нашем скверике трех-четырех мамочек с
колясками, идущих стройной шеренгой и что-то
живо обсуждающих, и я помнил, что мама с Вовкой гуляла точно так же, в компании. А теперь
она гуляла одна. И улыбалась совсем редко. Почти совсем не улыбалась.

Наконец, спустя довольно длительное время,
родители сочли, что пора уже сказать нам правду. У Вани болезнь Дауна. Он никогда не будет таким, как другие дети. И вся наша жизнь отныне
будет идти иначе. Ваню не отдадут в ясли, и он
не будет ходить в детский садик, потому что он
не умеет проситься в туалет и не может самостоятельно кушать. Но маме и папе надо работать, поэтому днем с Ванечкой будет сидеть бабушка, мамина мама, а мы все, дети, должны ей
помогать и ее слушаться.

Сперва мы даже не поняли, в какой кошмар
превращается наша жизнь. Все малыши пачкают
пеленки, все не умеют самостоятельно кушать,

подумаешь, большое дело, немного времени пройдет — и научится. Валя же научилась, и Вовка тоже, и мне казалось, что периоды, когда вся квартира была увешана сохнущими пеленками, длились совсем недолго. Но я ошибался. Время шло, а ничего не менялось. По-прежнему Ваню нужно было кормить с ложки, и у него все выливалось и вываливалось изо рта, и меня тошнило, когда я видел, как он ест. И по-прежнему он не просился на горшок и не умел им пользоваться, и мог обделаться в любой момент и в испачканных штанишках усесться на ковер, и тому, кто первый это обнаруживал, приходилось мыть мальчика, застирывать одежду и затирать все прочие следы. У него изо рта все время текла слюна, а из носа — сопли. Ни я, ни Валя не могли пригласить домой друзей. С одной стороны, запрещали родители: Ванечка очень подвержен всяким инфекциям, в доме должно быть как можно меньше посторонних, и вообще не нужно, чтобы лишние люди знали о нашем несчастье. С другой стороны, мы понимали, что от Ваниного вида, от его слюней, соплей и испачканных вонючих штанов кого угодно может стошнить, даже самого крепкого и выдержанного человека.

Мы не могли лишний раз пойти погулять или в кино: мама строго делала нам замечание, что мы развлекаемся, вместо того чтобы помогать бабушке ухаживать на Ваней. Ваня — наш родной брат, к сожалению, очень больной, но это не его вина, и мы должны любить его и заботиться о нем. И мы усердно делали вид, что любим и заботимся.

Ваня был действительно очень больным, он постоянно простужался, и мама объяснила нам, что у детей с болезнью Дауна очень слабый иммунитет и их организм совсем не может сопротивляться вирусам и всяким инфекциям. Кроме того, у него был врожденный порок сердца — дефект межжелудочковой перегородки, поэтому с Ванечкой надо обращаться очень осторожно, ни в коем случае не кричать на него и не наказывать. И вообще не расстраивать.

Бабушка со временем окончательно переселилась к нам, потому что ей стало трудно приезжать каждый день ни свет ни заря, ведь в восемь часов все уже уходили, кто на работу, кто в школу. Квартира превратилась в ад. В одной комнате родители, в другой — бабушка с Ваней, в третьей — мы, трое детей. Мне пятнадцать, я — здоровый балбес, которому охота побалдеть под рок-музыку, двенадцатилетняя Валька, у которой на уме одни девичьи глупости, и девятилетний Вовка, которого мы с сестрой тогда еще по малости лет за человека не считали. Мы с Валькой страшно злились на родителей и на Ваню (как будто хоть кто-то был виноват в его болезни!), и хотя, как я уже говорил, изображали из себя заботливых и любящих, наедине мы в выражениях не стеснялись и называли вещи своими именами. Мы были уверены, что Вовка ничего не понимает, мы привыкли, что он младший, а значит — маленький навсегда.

Потом мне исполнилось шестнадцать, потом семнадцать, восемнадцать... И Валька взрослела. Мы стесняли и раздражали друг друга, нам позарез нужны были отдельные комнаты и хоть какая-то возможность уединиться, но такой возможности не было. Бабушка по-прежнему жила у нас, и Ваня по-прежнему ел хотя и самостоятельно, но все так же неопрятно и тошнотворно, и из носа у него постоянно текло, и туалетом пользоваться он так и не научился, несмотря на все усилия по привитию ему этого необходимого навыка. Он все так же много болел, и вся квартира, казалось, навсегда пропиталась запахами лекарств и испражнений.

Умер он внезапно. Сердце не выдержало. Ему было девять лет. Мы с Валькой усиленно выжимали из себя слезы, делая вид, что оплакиваем потерю. И тут Вовка сразил нас наповал.

— Что же вы плачете? — удивленно спросил он. — Вы же так ненавидели Ваню, он вам мешал. Вы все время говорили, что он вам надоел и у вас никакой жизни из-за него нет. Вы радоваться должны, что его больше нет. Теперь бабушка уедет, я могу жить с папой и мамой, и у вас будут свои комнаты. И ребята к вам смогут приходить.

Я в ужасе оглянулся. Слава богу, родителей рядом не было. Не было никого, и никто этого не слышал. Но Валька все равно среагировала быстрее, она такие вещи всегда влет просекала. Я еще только раздумывал над тем, как отнесутся папа и мама к Вовкиным словам, если он вздумает повторить их, а Валька уже приняла меры. Я шлепнул четырнадцатилетнего Вовку по затылку, обозвал дураком и вышел вслед за сестрой.

— ...ты представляешь? — звенел возбужденный Валин голосок. — Чего, говорит, вы плачете, радоваться надо, что Ваня наконец умер. Теперь бабушка уедет, Вани больше нет, и у каждого из нас будет отдельная комната, и мы сможем приглашать друзей в гости.

Помню, я восхитился тогда коварной изворотливостью своей сестры. Надо же так все перевернуть! И вроде все правда. Но виноватым получается уже Вовка, а не мы с ней. Меня жуть брала при мысли о том, что будет, если Вовка перескажет родителям все те слова, которые мы с Валентиной говорили в его присутствии на протяжении всех девяти лет жизни Вани. Мы-то были уверены, что он или не понимает ничего, или вообще не слышит, а он, оказывается, все отлично слышал и понимал. И — хуже того — запомнил.

Что тут началось! Отец взревел и кинулся в нашу «детскую» вправлять Вовке мозги, мама заплакала еще громче и начала капать себе сердечные капли, бабушка заверещала, что в семье вырос изверг рода человеческого...

Вовку подвергли жесточайшему остракизму. Родители не разговаривали с ним три месяца, и, разумеется, ему ничего не разрешалось, кроме как ходить в школу и в спортивную секцию. Никаких прогулок, никаких киношек — ничего. Я совершенно не понимал, почему он промолчал и даже не попытался защититься, оправдаться, объяснить, что все было не так, но при этом боялся, что он все-таки заговорит, и нет уверенности, что родители поверят Вальке, а не ему. И мы с сестрой начали упорно повторять Вовке, что он мерзавец и бессердечная сволочь, раз мог так высказаться о Ванечке. Не зря же говорят: если человеку сто раз сказать, что он — свинья, на сто первый раз он хрюкнет. Мы давили на него силой своего авторитета старших брата и сестры.

Он так и не сказал родителям, как все было на самом деле. Наверное, наши профилактические меры возымели свое действие.

Однажды он все-таки сказал мне:

— Я все равно не понимаю, за что меня наказали. Ведь я же правду сказал.

— Какую правду? Ну какую правду ты сказал?

— Что, пока Ваня был жив, всем было плохо. Всем было тяжело. И маме с папой, и бабушке, и нам. Я однажды слышал, как мама говорила бабушке, что она повеситься готова, что она больше этого не выдержит, что она не понимает, за что ее судьба так наказала, и что у нее нет сил больше терпеть эту муку. Всем стало легче, когда Ваня умер. Почему нельзя говорить такую правду? Почему за нее меня наказали?

Пришлось мне объяснять этому недоумку, что не всякую правду надо говорить вслух, потому что есть определенные правила, по которым люди живут, и правила эти нарушать нельзя. Думать ты можешь все, что угодно, а вслух говорить надо только то, что правильно. А правильно — это относиться к смерти как к большому горю, даже если от этой смерти для тебя наступают хорошие последствия.

— Но это лицемерие! Это двуличие! Так нельзя! — возмутился Вовка.

— Это не двуличие, а соблюдение правил.

Больше мы к этому никогда не возвращались. Повторяю, не могу сказать точно, какое действие на Вовку оказали наши профилактические меры, но на нас с Валькой они определенно повлияли: мы так старательно убеждали его в том, что он — дурак и сволочь, дабы отвести от себя удар, что сами в это поверили. И еще много лет относились к младшему брату соответственно. Безнравственный придурок, бессердечный эгоист, мерзавец, из которого не вырастет ничего хорошего.

И родители к нему так же относились. Они долго не могли простить Вовке сказанных в день смерти Вани слов (которых он на самом деле не говорил) и поминали ему тот эпизод при каждом удобном и неудобном случае. А для нас с Валькой все обошлось.

Теперь Володя — мамин любимчик, она нарадоваться на него не может и считает идеальным сыном, с которого мы все должны брать пример. Вот ведь как жизнь поворачивается... Или это гены так играют?

ГЛАВА 5

ПАВЕЛ

П ро Елену я рассказывал следователю без личных подробностей, не хватало еще мне признаваться в своей дурацкой, так ничем и не окончившейся любви. Однако о подозрениях своих упомянул. Кто его знает, а вдруг это важно для расследования убийства?

— Значит, ты думаешь, что Тарасова — любовница Владимира Олеговича и ребенок у нее от него, — подытожила Галина Сергеевна. — Ну что ж, это я проверю. Но странно, что никто об этом ни словом не обмолвился, я ведь всех по нескольку раз допрашивала.

— Может, не знают, — предположил я. — Или не хотят, чтобы Муза Станиславовна узнала, берегут ее, она ведь очень слабенькая.

— Возможно, возможно, — Парфенюк покивала головой. — Я смотрю, жизнь-то у вас там богатая на события. Сколько мы с тобой разговариваем, уж пятый день, почитай, а дальше первых шести месяцев твоей работы не ушли.

— Это только вначале так было. Потом все слилось.

— Вот даже как? — Она приподняла брови. — А что так?

— Все стало привычным, и я уже ни на что внимания не обращал. И вообще, у меня депрессия была. Я только о своих травмах думал и о своей загубленной жизни. Очнулся только тогда, когда...

Я запнулся. Следователь посмотрела с любопытством.

— И когда же ты очнулся, друг мой сердечный?

* * *

...когда понял, что так пить больше нельзя. Я не напивался вусмерть, как в тот раз, когда мое состояние бросилось в глаза папане, я пил умеренно, но каждый день. Сначала в клубных компаниях, потом все чаще дома, в одиночку, потому что катастрофически не высыпался и старался пораньше лечь. Приезжал с работы, выпивал и ложился спать.

Все, что я делал на работе, я делал автоматически, ни во что не вдумываясь и действительно ни на что не обращая внимания. Если бы не поездки в стрелковый клуб по вторникам, четвергам и воскресеньям, я бы даже, наверное, не мог сказать, какой нынче день недели. Я ежедневно, как полагается, заполнял «талмуд» и чертил графики, но, если вы спросили бы меня, какие показатели я туда внес, я бы не ответил. Жил будто на автопилоте.

И в один прекрасный день, сидя в столовой за обедом, услышал, как Лариса Анатольевна говорит Дане:

— Ну, детка, давай, старайся. Тебе совсем чуть-чуть осталось. В июне приедет из Лондона Тарас, вот уж он удивится, когда увидит, какая ты стала!

Я перевел глаза на Дану, но ничего особенного не увидел. Все то же, что и вчера, и позавчера.

Тогда я посмотрел в окно и понял, что июнь уже совсем скоро. Боже мой, ведь только что был декабрь, и я шел вместе с Даной к Владимиру выяснять отношения, и был глубокий снег... Это последнее, что я отчетливо помнил. А сегодня что? Я точно знал, что среда, потому что вчера возил Дану стрелять и повезу завтра, но вот какой месяц?

Отставив тарелку, я крупной рысью направился в «тренажерку» и замер перед приколотыми к доске листами ватмана. Кривая нагрузок идет круто вверх, кривая показателей веса неумолимо ползет вниз. А кстати, когда это мы начали отмечать вес на графиках? Мы же этого с самого начала не делали... Видно, в какой-то момент я изменил решение, но вот в какой? Я этого не помнил. Дана сбросила двадцать один килограмм. Ни фига себе приколы! А я-то куда глядел? Схватив «талмуд», я перепроверил цифры, заодно поинтересовавшись и датами. Оказалось, что уже середина мая.

Допился, Фролов... Надо с этим завязывать. Мое столь длительное выпадение из жизни меня здорово напугало.

Во время вечерних занятий я присмотрелся к Дане и констатировал, что, несмотря на мое беспамятство, тренировки проходили нормально. Девочка не просто сбросила вес, она ощутимо подобралась, фигура приобрела некоторые очертания, еще весьма далекие от идеальных, но всетаки больше похожие именно на женскую фигуру, а не на бесформенную кучу жира.

— Как ваша нога? — неожиданно спросила Дана.

Я растерялся.

— Нормально. А в чем дело? Я что, жаловался, что нога болит?

Я совершенно этого не помнил.

— Нет, вы сказали, что, если она не разболится, мы сегодня будем танцевать танго под музыку. То есть вы со мной будете танцевать. Не разболелась? Я диск принесла с музыкой, как вы велели.

Неужели я такое сказал? И такое велел? Забавно. Но не врет же она, в самом-то деле. Наверное, действительно сказал. А коль сказал, выполняй. Тем паче я давно уже хожу без палки и совсем не хромаю.

— Ну, давай попробуем. Ставь диск. Будем исполнять смертельный номер.

— Почему смертельный? — Девочка мгновенно напряглась. — Думаете, я такая неловкая и вам все ноги оттопчу?

Тьфу ты, елки-палки, совсем у меня тормоза отказали, забыл, что с Даной базар надо все-таки фильтровать, а не лепить подряд все, что в голову приходит.

— Потому что это будет потрясающее зрелище и все, кто его увидит, просто умрут. Либо от восхищения, либо от зависти.

— Да ну вас, — она смущенно улыбнулась. — Скажете тоже.

Диск запустился, прозвучали первые аккорды, я картинно поклонился и встал в позицию.

А получилось у нас очень даже ничего, я остался доволен. Дана ни разу не сбилась и в некоторых па продемонстрировала даже определенное изящество. Все-таки она на редкость пластичная девчонка.

— Еще разок? — предложил я. — Закрепим.

— Давайте, — она с радостью согласилась.

Второй раз получилось куда лучше. Мы повторили еще раз. Появилась уверенность. После четвертого раза — легкость. Я перебрал несколько мелодий на диске и выбрал танго с более высоким темпом.

— Рискнем?

Она решительно тряхнула головой:

— А, где наша не пропадала!

Ё-моё, да Дана ли это? Она ли это говорит? Где та забитая, стесняющаяся, робкая девочка, из которой лишнего слова не вытащишь? Где та Дана, которая как огня боялась всего нового?

С быстрым танго мы тоже справились, хотя Дана два раза споткнулась и дыхание у нее немного сбилось.

— Еще разок? — предложила она, чуть задыхаясь.

— Обязательно. Только отдышись. Кстати, давай-ка давление измерим, чтобы знать, во что нам этот темп обошелся.

Обошелся нам быстрый темп в сущую ерунду, можно было даже внимания не обращать, пульс — всего-то восемьдесят три, тогда как в состоянии покоя — шестьдесят — шестьдесят два. И давление приличное, почти не повысилось.

Во второй раз быстрое танго прошло без сбоев, и я подумал, что пора приобщать членов семьи к нашим общим успехам.

— Хочешь, позовем твоих родителей, пусть посмотрят, как ты танцуешь?

— А можно?

— Почему же нет? — не понял я.

— Ну, я же не одна буду танцевать, вы тоже будете. А вдруг вы не хотите, чтобы кто-то, кроме меня, видел, как вы танцуете.

Что это? Деликатность? Или такое своеобразное проецирование собственной застенчивости? Совсем еще недавно Дана впадала в панику при одной мысли о том, что кто-то увидит, какая она неловкая. Неужели она думает, что все люди такие, все стесняются самих себя? Но тут важно другое: она понимает, что достигла какого-то успеха, и хочет, чтобы ее родители за нее порадовались. Вот это мы с ней молодцы!

— Я не возражаю, чтобы меня видели танцующим, — рассмеялся я. — Так что, зовем?

— Зовем. Я сейчас их приведу.

Через пару минут в «тренажерку» вплыла Лариса Анатольевна, следом за ней протиснулся сияющий папаня.

— Я принесу для вас стулья, — засуетился я, но папаня жестом остановил мои гостеприимные потуги.

— Не надо, мы постоим. Ну, показывайте, чего добились.

— А смотри, Миша, как Дана хорошо выглядит, — защебетала Лариса. — Правда, совсем другой человек? И талия обозначилась. Когда она в платье, ты не видишь ничего, а ты посмотри сейчас, когда она вся обтянутая...

— Вижу, вижу. Не мешай людям, — проворчал он довольным голосом.

Я не стал рисковать и поставил музыку помедленнее. Это было что-то! Без единой ошибки, резко, четко и одновременно тягуче. Ай, молодцы!

Родители пришли в восторг и громко зааплодировали.

— Надо твою маму позвать, — заявила Лариса Анатольевна, — пусть тоже посмотрит на такую красоту. И Валентину позовем, и всех, кто дома.

Я посмотрел на Дану. Как ей такое предложение? Не забоится? Не застесняется? Но девочка, воодушевленная неожиданным успехом, согласилась повторить концертный номер для широкой публики.

Дома оказались, помимо Анны Алексеевны, Валентина Олеговна и Юля. Я подозревал, что Лена тоже дома, но ее почему-то не позвали. Впрочем, мне было все равно. Прошло несколько месяцев, и чувства не только утратили остроту, но и почти совсем забылись. То есть я помнил, что был когда-то влюблен, но не более того.

Второе исполнение прошло чуть хуже, и я понимал почему: Юлин недобрый взгляд жег нас и испепелял, на ногах будто гири повисли. Но все равно это было замечательно, и мы сорвали вполне заслуженные аплодисменты.

— Все, решено, в конце июня у Лановского юбилей, он устраивает большой прием, мы уже приглашение получили, — заявил папаня. — Приглашает с семьями. Как раз Тарас приедет. И ты, Дана, с нами поедешь. Станцуешь там — пусть все ахнут, какая у меня девочка.

— Да ты что, пап, — забормотала Дана. — Это же только для вас. При чужих людях я не смогу.

— А ты учись, у тебя еще целый месяц впереди. Завтра пришлю портного, пусть снимет мерку и шьет тебе платье.

— Пап, не надо, пожалуйста. — От страха Дана готова была расплакаться. — Я никуда не поеду.

— Глупости! Ты отлично выглядишь и прекрасно танцуешь.

Мне было так жалко девочку, что я решил вступиться.

— Михаил Олегович, ей там не с кем будет танцевать, настоящее аргентинское танго мало кто умеет...

— Глупости! — прервал он меня. — Я узнаю заранее. Если у Лановского на приеме не окажется партнера для Даны, ты поедешь с нами и будешь с ней танцевать.

Я собрался было ответить что-нибудь резкое, в том духе, что моей зарплатой поездки и танцы на приемах не оплачиваются, но вдруг перехватил полный ненависти взгляд Юли. И передумал.

— Конечно, Михаил Олегович. Со мной Дане будет спокойнее, все-таки мы сможем каждый день тренироваться, а знакомый партнер — это очень важно.

— Ну, вы продолжайте, занимайтесь, — царственно разрешил папаня и увел публику, оставив нас с Даной одних.

Дана стояла, понурившись и опустив плечи.

— Не бойся, — ласково сказал я. — Со мной не страшно. И потом, рано расстраиваться, это еще не скоро.

— Надо мной будут смеяться, — упрямо проговорила девочка.

— Никто не будет смеяться, даю тебе честное слово. Над чем смеяться-то? Выходит человек и делает то, чего никто из них не умеет. Причем делает хорошо, легко, уверенно, с блеском. Над чем тут смеяться?

— А вдруг у меня не получится? Вдруг я собьюсь и все испорчу? Получится, что я как дура...

— Так вот для того, чтобы ты не сбилась, мы и будем заниматься каждый день, пока не доведем все движения до полного автоматизма. За месяц знаешь как много можно успеть? Ого-го!

Короче, я ее уговорил.

* * *

А через несколько дней меня озадачила одна неожиданность. Причем неожиданность неприятная. Вес у Даны стал прибавляться. То есть сначала он перестал уменьшаться и стоял как вкопанный, потом стал на двести граммов больше, потом на полкило. Я схватил «талмуд» и начал внимательно просматривать все записи за восемь месяцев — именно столько мы занимались с Даной. Сопоставлял питание, питьевой режим, нагрузку — и ничего не понимал. Вес на протяжении этих месяцев стабильно снижался, а если прибавлялся, то исключительно за счет жидкости, если девочка съедала что-нибудь соленое, и уже на следующий день, после обильного питья, опускался до ожидаемой отметки. А теперь он не опускался, а, наоборот, прибавлялся, хотя готовила домработница Нина по-прежнему только то, что можно. Я ничего не понимал.

— Дана, ты все записываешь, что съедаешь? — строго спросил я, ловя ее ускользающий взгляд.

— А в чем дело?

— У тебя вес не снижается. Мы ничего не меняем ни в режиме тренировок, ни в питании, мы постепенно увеличиваем нагрузку, а вес прибавляется. Ты не беременна, случаем?

— Да вы что! — Она вытаращила на меня глаза.

— Тогда в чем дело? Ты пойми, Дана, я не собираюсь тебя наказывать или устраивать разнос, просто мы с тобой делаем общее дело, и я должен понимать, почему моя часть работы не получается. Либо я дурак, либо ты свою часть не выполняешь. Если ты все выполняешь как положено, значит, я где-то ошибаюсь, и тогда я буду искать эту свою ошибку и исправлять ее. Но я должен понимать точно, в чем причина, в тебе или во мне.

Она глубоко вздохнула и призналась. Она нарушает режим, она ест пирожки и пирожные.

— Зачем, Дана? — Ее признание повергло меня в отчаяние. Я-то был уверен, что тягу к сладенькому и вкусненькому мы благополучно преодолели. Может, за месяцы беспамятства я что-то проглядел, не заметил или, того хуже, забыл? — Ну зачем? Почему?

— Юля... Она меня жалеет, ей кажется, что я такая несчастная, раз мне ничего вкусного нельзя. Она мне приносит, угощает... И я... ем. Она так меня уговаривает...

Я вспомнил взгляд Юли. Сколько же злобы в нем было, сколько ненависти и зависти. Вот сучка, а? Небось сама хотела на прием поехать, надеялась, что ее опять возьмут, а тут папаня прямым текстом заявил, мол, никто тебя никуда не возьмет, поедет Дана. И она из кожи вон лезет, чтобы Дане помешать.

— А в дневник почему не записываешь? Тоже Юля уговаривает?

— Нет, ну... Она говорит, мы никому не скажем, а от одного пирожного ничего не сделается, зато сколько радости.

— Слушай, — я устало плюхнулся на стул и прикрыл глаза, — неужели тебе действительно столько радости доставляют эти пирожные? Неужели это и в самом деле так замечательно, что прожить без них никак нельзя?

— Да нет, вообще-то... Я уже отвыкла от них, мне их и не хочется.

— Тогда зачем ты их ешь?

— Ну... мне неудобно, Юля так старается, хочет сделать мне приятное, заботится обо мне. Она пирожные ко мне в комнату приносит, поздно вечером или ночью, чтобы никто не видел. Вот я и...

Все понятно. Добрая безотказная девочка. Заботится Юля о ней, как же. О себе она заботится, больше ни о ком.

После занятий я прочно занял позицию в столовой с твердым намерением дождаться Юлю. Хорошо, что она появилась через некоторое время, когда я уже порядком остыл и мог себя хоть как-то контролировать. Если бы она пришла минут на десять-пятнадцать раньше, наверное, я бы уже сидел за убийство или тяжкие увечья.

— Привет, — пропела она, усаживаясь рядом

со мной и прижимаясь бедром к моему бедру. — Как успехи?

Я резко отодвинулся и встал.

— Значит, так, дорогая моя, — произнес я, глядя на нее в упор. — Если я еще раз узнаю, что ты мне мешаешь, если ты еще хоть раз попробуешь заставить Дану есть то, что ей нельзя, ничего хорошего тебя не ждет.

— Да? — Она сладко потянулась, выставив грудь. — А что меня ждет?

— Увидишь, — грозно пообещал я. — И уж в любом случае я поставлю в известность твоего дядю о том, как ты вредишь его дочери. Не думаю, что ему это понравится.

— А я ему скажу, что ты все врешь и Данка все врет. Просто вы мне мстите и наговариваете на меня. Понял?

— За что же я тебе мщу, интересно?

— А за то, что я на твои ухаживания не отвечаю. Ты меня с самого первого дня домогаешься, но у тебя ничего не получается, вот и мстишь мне. И попробуй докажи, что это не так.

— Ну ладно. — Я улыбнулся. — А Дана за что тебе мстит?

— Из зависти. Завидует, что я такая изящная и красивая. Ей такой никогда не стать.

— Это точно, — медленно проговорил я. — Ей такой не стать никогда. Знаешь почему? Потому что она к этому не стремится. Она станет такой, какой станет, и будет красивой своей собственной красотой. А такой, как ты, она быть не хочет вообще. Потому что ничего красивого в тебе нет. В тебе есть только злоба, зависть и глупость, поэтому ты уродина.

Юля выскочила из столовой как ошпаренная и помчалась по коридору в свою комнату, а я, не откладывая в долгий ящик, постучал в дверь папаниного кабинета.

— Можно, Михаил Олегович?

— Входи.

Папаня сидел, развалившись в кресле, и смотрел по телику футбол. Неужели для того, чтобы смотреть футбол, нужно заводить кабинет?

— Михаил Олегович, я пришел извиниться перед вами.

— Что случилось? — Он недовольно оторвал глаза от экрана.

— Я оскорбил вашу племянницу.

— Юльку-то? И что ты, интересно, ей сказал?

— Я сказал, что она завистлива, злобна и глупа. И еще сказал, что она уродина. Мне очень неловко.

— А чего? Правильно сказал. Она такая и есть. Даже еще хуже. Чем же она так тебя достала?

— Она соблазняет Дану пирожными и мешает ей соблюдать режим.

— Вот сучка!

Он повторил те же самые слова, которые сказал я сам некоторое время назад. Мне сразу стало легче, и я решил пойти до конца.

— Я предупредил ее, что поставлю вас в известность, и она пригрозила мне, что, если я вам пожалуюсь, она скажет, что это все ложь и я ей просто хочу отомстить за то, что она не отвечает на мои ухаживания.

— Сучка, — констатировал папаня во второй раз. — Иди, Павел, не морочься. Неужели ты думаешь, что я ей поверю? Я своей племяннице цену знаю. Тебе — тоже. Иди.

Перед уходом домой я заглянул к Дане, которая сидела над учебниками.

— Юля больше не будет приносить тебе пирожные.

— Откуда вы знаете?

— Я попросил ее. Объяснил, что тебе нельзя. Надеюсь, что она меня поняла.

— Но она не обиделась? — встревоженно спросила Дана. — Я бы не хотела ее обижать. Она ведь хочет как лучше, она просто меня очень жалеет...

— Не волнуйся, она все поняла и не обиделась.

Я говорил уверенно, но на самом деле сомневался. То есть совершенно очевидно, что Юля ничего не поняла, но я надеялся, что она хотя бы испугалась.

Через неделю мы согнали наеденные пирожными сотни граммов и стали двигаться дальше. Юля затихла, и я успокоился.

* * *

Между тем Дана делала заметные успехи в стрельбе и на тренировках без проблем выполняла женские нормативы для кандидата в мастера спорта по компакт-спортингу, поражая 76, а то и 78 мишеней из 100. Анатолий Викторович очень ее хвалил и говорил, что к зиме она уже сможет участвовать в соревнованиях и получить квалификацию. Я молчал, хотя и понимал, что это очень проблематично. Это на тренировках, когда рядом только Николаев да я, она стреляет спокойно и не думает ни о чем, кроме летящей мишени. На соревнованиях все не так. На соседних номерах стоят другие стрелки, вокруг толпятся операторы, тренеры и судьи, а также зрители. В такой обстановке она вообще ни в одну мишень не попадет, будет думать только о том, что вот она промазала и над ней будут смеяться.

Мы стреляли, танцевали, худели. Приехал брат Даны, Тарас, тонкий изящный мальчик с замашками денди и непомерным самомнением, без конца повторявший «у нас в Лондоне» и пересыпавший свою речь английскими словечками, всячески демонстрируя, что русский язык ему теперь не очень-то родной и гораздо проще найти нужное слово в другом языке. Он мне страшно не понравился, но какое это имеет значение? Плевать мне на него. Приехал и уедет через две недели. Мне с ним детей не крестить.

И вот наступил тот июньский день, когда надо было ехать на прием к некоему банкиру Лановскому, праздновавшему пятидесятилетие. Честно признаться, мне ехать не хотелось, но я понимал, что без меня Дана растеряется или вообще откажется выходить из дома. Мы с ней начали тренироваться загодя не только в исполнении танго, но и в общении с людьми. Каждый раз, возвращаясь из клуба, мы останавливались возле какого-нибудь ресторана, и я вел Дану пить кофе. Делалось это, разумеется, с разрешения папани и оплачивалось все той же кредиткой. Ресторан я выбирал каждый раз другой, незнакомый, и Дане приходилось общаться.с новым официантом, а не с теми улыбчивыми официантками из клубного ресторана, которых Дана уже хорошо знала и которые не задавали ей никаких вопросов, потому как давно поняли: кроме зеленого чая и свежих ягод, эта девочка ничего не заказывает. Дело шло туго, Дана стеснялась, терялась, зажималась, не могла от страха прочесть меню, но постепенно все как-то наладилось. Она не перестала бояться и нервничать, но по крайней мере научилась держать себя в руках и делать так, чтобы это было не очень заметно.

Мы съездили с ней в магазин и купили специальные босоножки для танцев, на высоких тонких каблуках, но очень удобные, и весь месяц Дана тренировалась только в них. Она ныла и стонала, что у нее болят ноги и что на таких каблуках ей не удержать равновесие, но понемногу привыкла.

В день приема с самого утра она стала жаловаться на головную боль. Ну, дело ясное... Потом у нее живот схватит, потом нога подвернется.

— Послушай, — я присел рядом с ней на диванчик в ее комнате и взял за руку, — я все понимаю, тебе не хочется ехать. И мне тоже не хочется. Но для твоих родителей это очень важно. Ты пойми, Дана, они любят тебя, они очень тебя любят, они знают, что ты чудесная и умная девочка, ты — талантливая и очень способная, и они хотят, чтобы все вокруг увидели, какая замечательная у них дочь. Они хотят гордиться тобой, понимаешь? Вот ты же с удовольствием станцевала для них танго, правда? Тебе было в тот момент чем гордиться, и ты хотела, чтобы и другие это знали. Тебе хотелось поделиться своей радостью. Точно так же и они хотят поделиться с другими своей радостью от того, что у них такая замечательная дочь.

— А вдруг я плохо станцую? У меня ничего не получится, и все увидят, что у моих родителей дочь неуклюжая и нелепая. Им будет за меня стыдно.

Но я уже знал, что нужно делать. Нет, ребята, меня голыми руками не возьмешь.

— Пойдем-ка в «тренажерку», я тебе кое-что покажу.

Я включил музыкальный центр, поставил диск с танго.

— А теперь смотри внимательно. Только очень внимательно. Смотри на мои ноги, а не по сторонам.

Я протанцевал всю мужскую партию, не сделав практически ни одного точного шага, ни одного правильно исполненного па. Сплошные ошибки и недоделки.

— Ну как?

— Здорово! Я так никогда не смогу.

— Я сделал двадцать четыре ошибки. Ровно двадцать четыре. Специально считал.

— Да вы что?! — ахнула Дана. — Честно? Или шутите?

— Честное слово. Ты знаешь, как танцевать танго, ты умеешь это делать, ты смотрела на мои ноги — и ты ничего не заметила. Так неужели ты думаешь, что, если ты несколько раз ошибешься, кто-нибудь это заметит? Там не будет ни одного человека, который знает, как надо танцевать этот танец. И никто не будет смотреть на твои ноги, поверь мне. Смотреть будут на голову и на спину, в крайнем случае — на руки, но точно не на ноги. Ты можешь станцевать как угодно — никто ничего не заметит.

Она поверила мне. Надела свое новое, сшитое специально для этого случая платье. И снова началось!

— Это ужасно! Смотрите, какие у меня ноги толстые! Их видно! Платье слишком короткое, надо было делать длиннее.

— В длинном платье ты танцевать не сможешь, — уговаривал я.

Ну, ноги действительно были, прямо скажем, толстоваты, ну и что? Во-первых, в босоножках на высоких каблуках они будут казаться стройнее, а во-вторых, кого вообще это волнует? Глупая девочка.

Сама поездка до места, где проходил прием, и первые два часа прошли как в кошмарном сне. Дана, слава богу, не плакала, но все остальное я поимел в полном объеме. Она вцепилась в мою руку, помертвела и не отходила ни на шаг. Хорошо, что папаня и Лариса Анатольевна все время были рядом, иначе я с Даной просто не справился бы, она то и дело пыталась убежать, вернуться в машину и затаиться там. Тараса с нами не было, он еще несколько дней назад заявил, что ни на какой прием ни к какому Лановскому не поедет, потому что у него свои планы, которые никак нельзя отменить: один из его лондонских преподавателей, англичанин, приехал в Москву, и Тарас обещал повозить его по городу. Нельзя оказаться необязательным, ему у этого препода еще учиться и учиться...

Оркестр наяривал вовсю, и я решил пойти на кардинальные меры.

— Дана, пошли потанцуем.

Я потянул ее за руку.

— Как, уже?! Нет, я не могу, я боюсь.

На ее лбу выступили капельки пота.

— Да нет, не «уже», а «еще», — рассмеялся я. — Там целая толпа танцует, пойдем, просто потолкаемся, без всяких изысков. Ну чего тут стоять? Скучно же. Заодно и разомнемся немножко.

— Иди-иди, — подтолкнул дочь Михаил Олегович, — Павел правильно говорит.

Я вытащил ее в толпу танцующих, в самую середину, чтобы нас никто особо не видел, встал в позицию и начал осторожно двигаться. Музыка была для танго не очень подходящей, но я импровизировал на ходу, придумывая движения, попадающие в такт. Никто не обращал на нас внимания, все разговаривали, смеялись, некоторые танцевали с бокалами в руках, а мы потихоньку разогревались. Ничего страшного не происходило, я понемногу усложнял движения и с удовлетворением чувствовал, что Дана ловит мою «танцевальную» мысль и слушается.

Прошло, наверное, полчаса. У меня созрел план, и я ждал удобного момента. Оркестр заиграл танго, совсем не такое, как надо и к какому Дана привыкла, но все равно это было танго, и ритм был правильным. Резким движением я крутанул Дану вокруг себя, разметав плотную толпу, и начал танец. Она ничего не поняла, не заметила, думая, что мы продолжаем разминаться. А уж в том, что она не станет крутить головой и глазеть по сторонам, я был уверен. Слишком хорошо я ее изучил.

Народ был еще не пьян, и все сразу заметили, что мы не переминаемся с ноги на ногу, а действительно танцуем. Пространство вокруг нас моментально стало свободным. А Дана ничего не замечала. От испуга, наверное. Она делала ошибки, но совсем несущественные и вполне простительные, тем более что общего рисунка они не портили.

— Ну вот и все, — шепнул я, когда смолк финальный аккорд. — А ты боялась.

Она растерянно остановилась и в ужасе оглянулась. И тут нас буквально сшиб с ног шквал аплодисментов. У меня даже уши заложило.

Сквозь толпу к нам пробрался банкир-юбиляр,

обнял нас. Тут же какие-то услужливые парни поднесли ему микрофон.

— Дамы и господа! Позвольте представить вам Богдану, дочь нашего уважаемого Михаила Олеговича Руденко, которая только что порадовала нас страстным аргентинским танго вместе со своим партнером Павлом Фроловым.

Произнося мое имя, банкир слегка запнулся и посмотрел в бумажку, но все равно я был ему благодарен. Все шло так, как нужно. Если Дана переживет, не потеряв лица, всеобщее внимание к себе такой толпы чужих людей, то можно считать, что половину своей задачи я выполнил. Останется только убрать еще килограммов двадцать — и всё.

Дана вцепилась в мою руку и снова зажалась. Я буквально кожей ощущал, как каменеют ее еще минуту назад такие подвижные мышцы.

— Перестань трястись, — шепнул я ей на ухо, — все уже закончилось. Ты прекрасно танцевала. Расслабься, ничего страшного не происходит.

Через минуту мы уже стояли рядом с папаней и Ларисой, которые чуть не лопались от гордости и принимали поздравления.

— Ой, Ларисочка Анатольевна, какая чудесная у вас девочка...

— Миша, ну ты даешь! Чего ты прятал такое сокровище? Почему никогда не привозил?

— Потрясающий концертный номер! Жаль,

что нынешняя молодежь пренебрегает бальными танцами, это так красиво!

— Какую школу танцев вы посещали, Ларочка? Запиши мне адрес, я туда свою Аньку запихну...

— Богдана, а это ваш постоянный партнер? Вы с ним и на конкурсах выступаете?

Я давился от смеха, но старался не оплошать и не подвести папаню, демонстрируя дурные манеры.

Но пора и честь знать. Слишком большие нагрузки вредны, особенно без тренировок. Дана стояла ни жива ни мертва, и я всерьез начал побаиваться, как бы она в обморок не грохнулась.

— Михаил Олегович, — шепнул я хозяину, — если по уму, то надо бы Дану домой отправить. Она переволновалась и очень устала с непривычки-то. Давайте я ее отвезу.

Он кивнул, что-то сказал Ларисе и повел нас с Даной к машине.

Едва машина миновала шлагбаум парковки, Дана разрыдалась. Ну вот, начинается.

— Ну что ты? Что опять не так?

— Все та-а-ак, — прорыдала она, прижав подол красивого платья к лицу.

Значит, никакой беды. Просто накопившееся напряжение нашло выход. Ну и слава богу.

* * *

Нана Ким давно потеряла интерес к семье Руденко и прекратила меня истязать. То ли поняла, что от меня толку все одно не будет, то ли сделала какие-то свои выводы и успокоилась. После истории с Леной я стал сторониться всех, кроме Даны, без необходимости не проводил в столовой ни одной лишней минуты, контактируя в основном с папаней, и то только в дни зарплаты или если он требовал отчета. Поэтому не имел ни малейшего представления, что там у них происходило, кто с кем ссорился и почему. К Володе я больше не заходил, доводил Дану до его квартиры и убегал, даже не дожидаясь, пока ей откроют дверь. С Артемом отношения тоже как-то не сложились: за то время, что он дулся на меня из-за измененного графика, мы отдалились друг от друга и впоследствии так и не сблизились. Между утренними и вечерними занятиями я либо мотался по городу с какими-то придуманными целями, изображая перед самим собой видимость активной жизни, либо сидел в своей конуре за компьютером или перед телевизором, а то и вообще спал.

Что со мной происходило? Не знаю. Может быть, мое нутро никак не могло смириться с приговором врачей, и я просто психовал? Или оно, нутро это, решило затаиться и вроде как заснуть, чтобы в один прекрасный день проснуться и начать новую жизнь, не помня о жизни предыдущей и не сожалея о ней? Я не спец в этих вопросах, поэтому ответа у меня нет. Могу только предположения строить.

Миновало лето, кто-то ездил в отпуск, кто-то возвращался — все проходило мимо меня, не вызывая интереса. Близился сентябрь, и мне казалось, что Дана обрела достаточно приличную форму, чтобы вернуться в гимназию. Но она возвращаться не собиралась.

— Ни за что, — твердо ответила она на мой вопрос. — Они будут меня рассматривать и издеваться. Видеть их не хочу.

— Но ты можешь пойти в другую школу. Совсем не обязательно возвращаться к тем, кто тебя однажды обидел.

— Нет. Мне и дома хорошо.

— Ну ладно, а как же институт? Тебе остался всего один школьный год, потом-то надо будет продолжать учебу в институте. Ты там тоже будешь экстерном учиться?

— Ну, институт — совсем другое дело. Там люди другие. А в школу больше не пойду. Ни за что. Я лучше буду на спортинг ездить. Если ходить в школу, то когда же стрелять?

Мы продолжали заниматься, и все шло попрежнему. В конце ноября Анатолий Викторович Николаев сказал, что через две недели состоятся соревнования, на которых будут судьи республиканской и международной категории. Я-то хорошо понимал, что это означает, судьи такого уровня имеют право присваивать квалификацию, а вот Дана пока не въезжала.

— Думаю, тебе пора принять участие, — сказал тренер.

— Зачем?

— Разряд получишь. Как минимум третий, если

выбьешь пятьдесят один из ста. А если пятьдесят семь — то и второй.

— А там много людей будет?

— Много.

— Нет, Анатолий Викторович, не надо. Я не буду.

Ну вот, опять двадцать пять.

— Дана, не валяй дурака, — встрял я. — Ты отлично стреляешь, ты на тренировках выбиваешь нормативы мастера спорта. Я понимаю, ты будешь волноваться, нервничать, стесняться, это нормально, поэтому на соревнованиях ты на мастера не настреляешь, но на третий-то разряд наверняка. Даже с закрытыми глазами.

— Нет.

— А если попробовать? — Я хитро прищурился.

Она озадаченно посмотрела на меня, потом слабо улыбнулась.

— Как тогда? С танго?

— Примерно. Попросим приехать сюда всю твою семью, они будут стоять у тебя над душой, и ты будешь понимать, что все они смотрят, как ты стреляешь, и оценивают, годишься ты на что-нибудь или нет.

Дана подумала немного и кивнула:

— Ладно. Давайте попробуем.

Дома я поговорил с папаней, он принял мой план, и в ближайшее же воскресенье с раннего утра вся семейка в полном составе, включая Володю с женой, но без Лены и Костика, на трех машинах притащилась в стрелковый клуб.

— Работаем по программе соревнований, — объявил тренер.

Дана, бледная и напряженная, послушно встала на первый номер, а мы разместились у нее за спиной. Все пять выстрелов на первом номере оказались неудачными — ни одной разбитой тарелки.

— Мазила, — пренебрежительно протянула Юля. — Тоже мне, спортсменка. Сидела бы лучше дома, книжки читала. Только деньги на твои забавы переводить.

— Помолчи, — оборвал ее папаня. — Не говори под руку.

Дана перешла на второй номер. Я подошел поближе, заглянул ей в лицо и увидел, что девочка глотает слезы.

— Вот видишь? — шепнул я. — На соревнованиях такого не будет. Никто тебе этого не скажет. Это самое плохое, что может случиться. Если ты с этим справишься и разобьешь хотя бы одну мишень, то тогда тебе никакие соревнования не будут страшны. Помнишь, Анатолий рассказывал, как один опытный спортсмен на соревнованиях вообще ни разу не попал? Ни одной мишени из ста не поразил. И такое бывает. Но от этого не умирают. Давай, Дана. Покажи им, чего ты стоишь.

И она показала, безупречно поразив оставшиеся двадцать мишеней и настреляв на второй разряд. Особый восторг у присутствующих вызвали ее выстрелы по мишени «бату» — одной из самых трудных. Тарелка летит быстро и ребром к стрелку, ее почти не видно, и только в последние полторы-две секунды разворачивается всей плоскостью. Именно в эти короткие мгновения ее можно отчетливо увидеть и поразить.

— А во что она стреляла? — удивленно спросила Валентина. — Я никакой тарелки не видела.

Ей подробно объяснили, откуда вылетает мишень, куда прилетает, где разворачивается и падает и куда смотреть, но разглядеть «бату» она сумела только с третьего раза.

— Господи, я эту мишень и увидеть-то не успела, а Дана ее уже разбила, — не переставала ахать папанина сестра.

— Переходим на другую площадку и снова стреляем по программе, — скомандовал Николаев.

На другой площадке совершенно успокоившаяся Дана уверенно выполнила норматив первого разряда, разбив 38 из 50 мишеней. Родственники шумно хвалили ее, а папаня громогласно заявил, что, если она хорошо выступит на соревнованиях, он купит дочери ружье.

— Пусть из своего стреляет, а не из прокатного.

— Рано, — покачал головой Николаев. — До восемнадцати лет не получится. Разве что вы зарегистрируете ружье на себя и будете сами с ней приезжать. Будете?

— Куда мне, у меня работа. Не смогу. А если на Павла ружье зарегистрировать?

— Нельзя. Только родители. Огнестрельное оружие — это не шутки. Родители отвечают за несовершеннолетнего. А с чужого человека какой спрос?

— Тоже верно, — вздохнул папаня. — Ну ладно, будешь хорошо стрелять — на восемнадцать лет подарю ружье. Итальянское, самое лучшее.

Да уж кто бы сомневался. У нашего папани все должно быть самым лучшим. Я отправил семейку в ресторан греться и пить чай, а сам остался с Даной, продолжающей тренировку.

— Ну что? — спросил я ее, когда тренер объявил пятиминутный перерыв. — Пережила?

Она молча и без улыбки кивнула.

— Видишь — это совсем не страшно. И заметь себе: сегодня ты стреляла перед своими родными, и тебе хотелось выглядеть в их глазах как можно лучше. А на соревнованиях тебе будет все равно. Ну, стоят вокруг какие-то дядьки незнакомые, на соседних номерах кто-то стреляет, никто тебя знать не знает, никому до тебя лично, до Богданы Руденко, никакого дела нет. Как отстреляла, так и отстреляла, им без разницы. Их дело — зафиксировать результат, не более того. И тебе совершенно безразлично, что они о тебе подумают и как ты выглядишь в их глазах. Во-первых, ты их не знаешь и их мнение о тебе никакого значения не имеет, а во-вторых, они о тебе и думать-то не будут. У них работа такая: стоять и фиксировать результат. А сам стрелок им до лампочки.

— Ладно, — коротко и непонятно ответила Дана.

— Так что? Будешь участвовать в соревнованиях?

— Буду.

Я подмигнул стоящему рядом Николаеву и налил себе горячего чая из большого термоса.

* * *

На соревнованиях Дана выступила из рук вон плохо, не выполнив нормативы даже третьего разряда. Но какое это имело значение? Важно, что она набралась храбрости пройти через это, а пройдя — поняла, что это не смертельно и вполне можно пережить. Кроме того, она узнала, как это бывает, как проходит, и на собственном опыте убедилась, что никто не комментирует неудачный выстрел язвительными замечаниями и никто не смеется над плохим стрелком.

Через месяц, перед самым Новым годом, Николаев повез ее на соревнования в другой клуб, где Дана получила свой заслуженный второй разряд. После этого дело пошло веселее. Мы с тренером запихивали ее на все соревнования, которые были доступны без выезда за пределы области, ставя перед собой только одну цель: укрепить нервную систему девочки, чтобы она перестала бояться и стесняться.

— Тебе не надо бороться за первое место, — твердили мы в один голос. — Вообще не имеет значения, какое место ты займешь. Считай, что это как у летчиков — налет часов. Твоя задача — привыкнуть к соревнованиям и показывать пусть низкий, но стабильный результат. Тебя ничто не должно выбивать из колеи.

Совершенно неожиданно в мае она стала второй среди девушек-юниоров и выбила себе вместе с пораженными мишенями первый разряд. К тому времени она весила уже пятьдесят восемь килограммов, и при росте в метр пятьдесят пять сантиметров это почти нормально. Конечно, если ориентироваться на придуманный кем-то когда-то показатель для женщин «рост минус сто десять», то оставалось еще тринадцать лишних килограммов, но, на мой взгляд, для семнадцатилетней девушки Дана с попкой, грудью и бедрами выглядела просто отлично.

В июне она сдавала выпускные экзамены, и в клуб мы ездить перестали — папаня запретил.

— До осени — никакой стрельбы, — отчеканил он. — Пусть получит аттестат, подготовится к вступительным экзаменам, сдаст их, а потом может делать что хочет.

Во мне забрезжила слабая надежда на отпуск. Без малого два года, как я пашу на эту семейку без выходных. Может, мне дадут все-таки вздохнуть? Я осторожно поинтересовался собственными перспективами, на что папаня вместо ответа велел позвать Дану.

— Ты еще собираешься худеть или уже достаточно? — спросил он.

— Еще двенадцать килограммов осталось.

— Помрешь от истощения, — проворчал Михаил Олегович. — Что от тебя останется-то? Ни кожи, ни рожи, ни бородавок. Может, остановишься?

— Нет. Смотри, — она захватила пальцами упругие складки на животе и бедрах, — вот это все лишнее, это надо убрать.

— Ну, как знаешь. Значит, придется еще поработать.

Мы сошлись на том, что заниматься с Даной до окончания вступительных экзаменов в институт я буду только один раз в день, по утрам. Естественно, на зарплате это не скажется. То есть вставать придется по-прежнему рано... Жаль. Никаких особых выгод получить не удалось.

Но лето я все равно провел отлично. У меня появилась очень славная девушка, Оля, она работала приемщицей в химчистке, куда я сдавал свои шмотки. Свободного времени у меня было навалом, каждый день в девять утра я освобождался, и если Оля не работала, мы ехали на пляж или за город, а то и просто катались на машине, гуляли, ходили в кино или заваливались ко мне домой, а если работала, я предавался сладостному безделью. К этому времени я уже купил себе комп и мог в полный рост наслаждаться любимыми играми в домашних условиях.

Но экзамены — и выпускные, и вступительные — закончились, Дана поступила в свой институт, и папаня снова изменил мне график. Теперь мы ездили в клуб по вторникам и четвергам во второй половине дня, после того, как Дана возвращалась из института, по воскресеньям — с утра, а в остальные дни занимались дома с шести до восьми вечера. За лето Дана, несмотря на ежедневные двухчасовые занятия, не сбросила ни грамма, и я подозревал, что она просто ела не то, что нужно, и нарушала режим. Но это, учитывая экстремальность ситуации и нервное напряжение, вполне объяснимо и простительно. Без сладкого голова плохо работает, это общеизвестный факт.

В конце сентября ожидалось большое семейное торжество — Владимиру Олеговичу исполнялось сорок лет. Трубите, фанфары! Дана всю плешь мне проела разговорами о том, что ей подарить любимому дяде. И вдруг за два дня до юбилея Владимир повредил ногу, причем как-то серьезно. Ему наложили лангету и велели лежать или сидеть, но ни в коем случае не ходить. Изначально предполагалось, что день рождения, выпавший аккурат на воскресенье, будет отмечаться в ресторане, но в пятницу к вечеру, после того как Володя оказался закованным в лангету от щиколотки до бедра, торжество отменили.

В воскресенье утром я повез Дану на тренировку по спортингу. Подарок она наконец купила и всю дорогу из клуба домой предвкушала, как вручит его дядюшке, и как он будет рад. Мы только-только пересекли Кольцевую, как зазвонил мой мобильник.

— Вы где?

Папаня. Голос какой-то странный. Чужой. Глухой.

— МКАД пересекли. Через полчаса будем дома.

— У нас несчастье. Володя умер. Ты там Дану подготовь как-нибудь.

Я сидел как пришибленный, не в силах пошевелиться. Дану подготовь... Меня бы кто подготовил. Как же так? Еще вчера вечером он был живой и почти совсем здоровый, от травмы ноги никто не умирает, а все остальное у него было в полном порядке.

Дана была в таком шоке, что даже не плакала.

Возле подъезда нас поджидала Лариса Анатольевна. Едва Дана вышла из машины, мать бросилась к ней, обняла и повела домой, даже не оглянувшись на меня. То есть дала понять, что мне тут делать нечего и в моем присутствии никто не нуждается. Оно и понятно. Кто я им? Наемный работник, домашний персонал. А к Владимиру Олеговичу так и вовсе никакого отношения не имею. Что же касается Даны, то без меня девочка не пропадет, в доме полно людей, одна она не останется.

Я был уверен, что в течение как минимум недели не понадоблюсь: какие могут быть спортивные занятия, когда в семье горе? И страшно удивился, когда на следующий день вечером мне позвонил участковый Дорошин.

— Надо бы пересечься, — коротко попросил он. — Если можно, прямо сейчас.

Мы встретились возле станции метро «Чистые Пруды» и уселись за один из расставленных вдоль бульвара столиков. Дорошин был в гражданском и взял пиво, я тоже себе позволил: из-за пробок на дорогах не рискнул садиться за руль и приехал на метро.

— Сегодня было вскрытие, — начал Дорошин, слизав с губ пену. — Беда пришла в кишлак Руденко, как это ни прискорбно. В организме Владимира Олеговича обнаружили лошадиную дозу сильнодействующего сердечного препарата.

— Он дозировку перепутал? — догадался я.

— Да нет, Паша, там таблеток столько, что не перепутаешь. Можно вместо одной выпить две, но не двадцать же. Следователь сегодня начал допрашивать всех членов семьи по очереди. Вчера они с самого утра потянулись к покойному поздравлять с днем рождения и дарить подарки. Все приходили, кроме племянницы, которую ты увез на тренировку. Приходили в разное время, кто в начале девятого, кто в девять, кто в десять. Причем, кроме членов семьи, никто больше в квартиру не заходил. Потом Владимиру Олеговичу стало плохо, жена вызвала «Скорую», его увезли, но, к сожалению, не довезли, он скончался по дороге в больницу. Однако врачи, пока еще пытались его откачать, что-то такое почуяли и звякнули в прокуратуру и нам. Следователь тут же сделал стойку, видать, настроение у него было хорошее, боевое, дело возбудил и помчался на квартиру к покойному с обыском. И что ты думаешь? В комнате чашка стоит, огромная такая, керамическая, в ней — остатки чая. В мусорном ведре — пустая конволюта от сердечного препарата. Эксперт эту конволюту — хвать! И тут же порошочком обработал. Ни одного следа. Ни единого. Все стерто. Вот и скажи мне, может человек регулярно доставать из конволюты таблетки и не оставить на ней ни одного следа? Не может. Да и зачем человеку, имеющему совершенно здоровое сердце, принимать эти таблетки? Бред же, согласись. Да еще двадцать штук. Кстати, таблетки принадлежат матери покойного, ей врач их уже много лет прописывает.

— Может, это не ее таблетки, а просто такие же? — предположил я, с трудом переваривая услышанное.

— Да нет, Паша, не такие же, а именно что ее. Из квартиры Владимира Олеговича следователь поскакал к его брату и задал вопрос в лоб: мол, откуда у покойного препарат. И матушка его сначала сразу сказала, что принимает такой же, а потом пошла к себе в комнату, чтобы принести свое лекарство и показать следаку. Возвращается и говорит: было три упаковки, а осталось только две, одна куда-то подевалась. Вот и считай. Стянул кто-то у бабушки таблетки и Владимиру Олеговичу в чай сыпанул. Чашку с остатками чая следователь с места происшествия изъял, эксперты быстренько посмотрели — все точно, таблетки там растворены. Это я все к тому тебе рассказываю, что завтра с утра тебя следователь вызовет, и если тебе есть что мне сказать, ты скажи лучше прямо сейчас. Время дорого. Я бы до завтра что-нибудь успел. Вот ведь гнилое дело! Вся семья под подозрением, все к покойному приходили, и каждый имел возможность его отравить. Хорошо хоть тебя и девочки не было, все-таки на два человека меньше. Ну и Музу Станиславовну вычеркиваем.

— Почему? — заинтересовался я. — Ее что, дома не было?

— Была, была. Только если она причастна, то чашку давно бы вымыла, а мусор из ведра выбросила. Не дура же она клиническая, чтобы следователя с обыском ждать. Бабку, пожалуй, я бы тоже исключил, это совсем надо мозгов не иметь, чтобы травить человека собственным лекарством. Сам же первым под подозрение попадешь. И потом, родной сын все-таки. Но все равно остается много народу: брат с женой, сестра с дочерью, да еще родственница эта, у которой маленький мальчик. Вот морока-то следователю! Не позавидуешь. Так как, Паша, скажешь мне что-нибудь интересное?

Я пожал плечами. Сказать мне было нечего. Я был уверен, что если кто-то и хотел убить Володю, то это могла быть только Лена. Он так и не бросил свою неказистую жену, не женился на Лене, хотя, наверное, обещал. И она его возненавидела. Никаких иных соображений в моей голове не появилось.

— А зачем я следователю нужен? Меня ведь там не было, я к Володе не приходил.

— Вот именно поэтому и нужен. Ты и Дана совершенно точно не причастны. Но Дана — член семьи и вообще еще маленькая, мало чего понимает, а ты — человек со стороны. Ты мог видеть много интересного, такого, о чем сами Руденко не расскажут. Так что ты с завтрашнего дня для следователя наиглавнейший свидетель, знающий ситуацию изнутри и при этом ни в чем не заинтересованный.

Так и получилось, что я почти каждый день, как на работу, стал приходить в кабинет Галины Сергеевны Парфенюк. Мы вели долгие разговоры, но толку от них никакого не было. Она записывала, что-то рисовала, что-то обдумывала, придумывала вопросы, на которые я добросовестно отвечал, но, судя по всему, не продвинулась ни на шаг.

* * *

Прошло два месяца. Следователь давно перестала меня вызывать, и дело, как мне казалось, полностью заглохло. Я продолжал заниматься с Даной и чувствовал, что в клане Руденко что-то происходит. В квартире висело нечто тяжелое, давящее, мешающее дышать. Все сидели по своим комнатам, никто лишний раз по коридору не пройдет. Оказываясь в столовой, они быстро ели и разбегались по своим углам — никаких долгих совместных посиделок с чашечкой чаю, как бывало прежде. И мне даже показалось, что каждый из них старался прийти поесть тогда, когда в столовой никого больше не было.

Но однажды мне позвонила Муза Станиславовна.

— Павел, вы сейчас у Даны?

— Да.

— Вы не могли бы потом зайти ко мне?

— Конечно, зайду.

Когда Муза открыла мне дверь, я поразился: как же она постарела! Я не видел ее со дня похорон, и за эти два месяца она превратилась в маленькую щуплую старушку.

— Я вас надолго не задержу, — произнесла она сдержанно. — Я разбирала Володины бумаги и нашла вот это.

Она протянула мне плотный конверт.

— Это вам.

— Что это?

— Здесь написано ваше имя. Это вам, — повторила она, отведя глаза.

— Но вы знаете, что это? — настойчиво спросил я.

— Возьмите, Павел.

Муза чуть не силком всунула конверт мне в руку и отвернулась. Я не стал больше ни о чем спрашивать и ушел. Спустился вниз, сел в машину, включил свет и вскрыл конверт, в котором оказались распечатанные на принтере страницы.

«Павел...

Даже не знаю, как начать. «Дорогой Павел»? Сентиментально. «Уважаемый Павел»? Слишком официально. Просто «Паша»? Отдает панибратством.

Начну с главного: Муза все знает. Она знает, что я думаю, что чувствую и что собираюсь сделать. Она знает о том, что я пишу это письмо, и она обязательно его прочтет, когда я его закончу. У меня нет секретов от жены. Я попрошу ее отдать тебе это через два месяца после моей смерти.

Никто меня не убивал. Это самоубийство. Не спонтанное, не под влиянием момента, а продуманное и давно запланированное. Помнишь день, когда ты пришел ко мне и заявил, что я — любовник Леночки и отец ее ребенка? Мне до сих пор стыдно за этот разговор, я был рассеян и груб, я ничего тебе не объяснил и никак тебя не утешил, но мне, честное слово, было не до этого. В тот день я узнал, что смертельно болен. Симптомов никаких не было, но специальное исследование показало однозначно: я тяжело болен, и как только болезнь войдет в решающую стадию, начнутся тяжелейшие головные боли, затем расстройство памяти, затем расстройство мышления, затем смерть. Можешь себе представить, о чем на самом деле я думал, пока ты пытался устроить со мной битву самцов.

Муза была в командировке, и мне пришлось ждать ее возвращения, чтобы все рассказать. Не сообщать же такие вещи по телефону... Мы тогда долго разговаривали и решение принимали вместе: как только я почувствую, что «началось», я уйду. Я не хочу терпеть мучительную боль и не хочу, чтобы моя любимая жена терпела рядом с собой теряющего разум умирающего мужа. Так будет лучше и правильнее.

У тебя может возникнуть вопрос: почему именно так? Почему в день сорокалетия? И почему письмо нужно отдать именно через два месяца, а не сразу, чтобы никто не подозревал убийство и не терзал родных бесконечными допросами? Я мог бы ограничиться просто предсмертной запиской, но я слишком хорошо отношусь к тебе, чтобы уйти, ничего не объясняя и не попрощавшись. Ты избегал меня по вполне понятным причинам, но я не обижаюсь. То, что я делаю, может показаться чудовищным и отвратительным, если не понимать, что мною движет. Я не пытаюсь оправдаться. Я очень ценю тебя, я благодарен тебе за Дануську и чувствую свою вину перед тобой. Ты, конечно, и так все узнаешь, но мне хочется, чтобы ты узнал первым. И узнал не от кого-то из «моих», а от меня самого. Считай, что это прощальный жест уважения к тебе.

Я не люблю свою родню. Не знаю, заметил ли ты это, но это так. Не стану грузить тебя подробностями своей жизни, скажу лишь несколько слов, чтобы ты понимал, как я к ним отношусь. Я рос в семье изгоем. Как-то так получилось, что в нормальной советской семье появился мальчик, который не понимал, почему нельзя говорить правду и почему обязательно надо врать. Этот мальчик не хотел понимать, что есть правила игры, которые надо соблюдать, чтобы всем было удобно. Он не хотел признавать существование понятий «так принято», «так полагается», он требовал объяснений: почему принято именно так и почему именно так полагается. А объяснений ему не давали, только все время ругали и наказывали. И он совершенно не понимал, за что его все время ругают и наказывают. Ему стали говорить, что он — бессердечный, эгоистичный и злой, что он подлец и мерзавец и что из него не вырастет настоящий человек. И поскольку это говорили старшие, которых полагается уважать и которым должно верить, он верил. Он жил с ощущением собственной неполноценности, он верил, что он какой-то особенно, просто невероятно плохой и ни на что не годный. Именно поэтому он никогда не оправдывался, если его ругали, и не сопротивлялся, когда наказывали. Он верил, что заслужил все это, потому что он плохой, и что все справедливо.

Потом мальчик вырос и стал кое-что в этой жизни понимать. Потом он вырос еще больше, и его понимание расширилось. Ему стали понятны побудительные мотивы поступков его родителей, брата и сестры. В тот момент он решил, что за всем этим стоит подлость, своекорыстие, лицемерие и ханжество. И поскольку те самые правила, на соблюдении которых они настаивали, пронизывают всю жизнь вокруг, он решил, что ничего невозможно изменить, можно только подстроиться.

Он подстроился. И стал как-то жить. И даже почти успокоился. А потом, когда он был уже совсем взрослым и даже доктором наук, он случайно услышал, как его мама и его сестра разговаривают о нем.

— Подумать только, каким Володя стал, когда вырос, — говорила мама. — Никто уже не надеялся, что он выправится. Все-таки он был ужасным ребенком, совершенно бессердечным. Отказаться ехать к больной бабушке! Уму непостижимо!

— Да уж, — вздохнула сестрица. — А как он радовался, когда наш Ванечка умер! Это просто не человеком надо быть, чтобы такое сказать. И как у него язык повернулся?

Ты, Павел, не знаешь этих историй, да и не надо тебе... Это интересно только мне и моей Музе. Но поверь мне: мама и Валентина сидели и вспоминали все мои грехи, а я стоял за дверью и слушал, не переставая поражаться маминой простоте и Валиному цинизму. Все первые двадцать лет жизни и родители, и Миша с Валентиной ломали меня, корёжили мою личность в угоду собственным интересам, прикрываясь демагогическими лозунгами о чувстве ответственности, об обязанности любить и уважать старших и помогать близким. И в тот момент, стоя за дверью и слушая, как воркуют мама и сестра, я вдруг решил: хотите жить по своим правилам? Живите. Хотите любить и беспрекословно уважать старших, хотите помогать близким, хотите холить и лелеять своё чувство ответственности? Пожалуйста. Я предоставлю вам полную возможность. Я доведу ситуацию до абсурда, я создам вам милый уютный домашний ад, в котором всё будет устроено по вашим правилам, и посмотрю, как вы будете в этом аду гореть.

Сейчас уже неважно, что и как я делал. Просто поясню: то, что Валентина с дочерью живут у Михаила, — моя работа. И Лену с ребёнком я тоже туда воткнул. Кстати, перестань ревновать её ко мне, отец Костика — мой брат, и Лариса об этом знает. Ещё одно поленце в адском огне... Муза тоже знает. Больше никто. Надеюсь на твою деликатность. И даже поэтические сборники, которые финансирует Миша, — моих рук дело. Мама, между прочим, очень этим гордится и всем знакомым рассказывает, какой ее сын тонкий ценитель прекрасного и щедрый меценат. А Лариса просто задыхается от злости, подсчитывая, сколько платьев она купила бы себе на эти деньги.

Когда я понял, что пора, я стал планировать свой уход так, чтобы от него тоже была какая-то польза. Например, умереть в день своего рождения. Я не люблю ходить на кладбище, и мне очень не нравится, когда кого-то заставляют это делать. Могилы принято посещать как минимум дважды в году: в день рождения и в день поминовения. По крайней мере ко мне нужно будет ездить не два раза в год, а только один. Кто-нибудь когда-нибудь скажет мне за это спасибо.

Но мне хотелось нанести последний удар, самый сильный. Я решил уйти так, чтобы они со своими правилами и дешевым лицемерием оказались в полной заднице. Ведь если жить по их правилам, демонстративно любить родных и уважать старших, то невозможно честно сказать близкому человеку: я тебя подозреваю в убийстве. А они будут вынуждены друг друга подозревать, у них просто не останется другого выхода.

Я все продумал. И травму свою придумал, и лангету, слава богу, знакомые врачи есть. Предварительно стащил у мамы таблетки. Я знал, что даже небольшая их передозировка может привести к очень тяжелым последствиям. Я так радовался, что день рождения выпал на воскресенье и можно будет уберечь Дануську, вывести ее из-под удара.

И вот настал этот день, и с самого утра они стали приходить с поздравлениями и подарками. Первым — Мишка, он ранняя пташка, даже в выходные поднимается ни свет ни заря, за ним — мама, потом Лариса, потом Валя с Юлькой, потом Леночка. Я уже давно пишу это письмо, вторую неделю. Сейчас я его наконец допишу, потом высыплю таблетки в кружку с чаем и выпью. А конволюту тщательно протру салфеткой и только после этого выброшу в мусорное ведро. Я сделаю все для того, чтобы моя смерть была похожа на умышленное убийство. Но я установил срок — два месяца. Им хватит. Через два месяца Муза отдаст тебе это письмо.

Муза все время стоит рядом, положив руку на мое плечо. Ты даже представить себе не можешь, сколько сил и мужества у этой женщины...

Не хочу, чтобы у тебя были лишние проблемы, поэтому избавлю от необходимости объясняться со следователем и моей родней. Я написал еще одно письмо, очень короткое, которое Муза тоже «найдет» через два месяца и передаст в следственные органы. В нем я признаюсь в самоубийстве и рассказываю, как все было (то есть будет). Дело закроют.

Обнимаю тебя.

В.Р.

P.S. Вот сейчас, когда таблетки уже высыпаны в чай и мне остается только сделать несколько глотков, я вдруг подумал, что все в этой жизни, наверное, не так просто и однозначно, как мне бы хотелось. И дело не в «правилах» и лицемерии, а в чем-то другом. На самом деле все намного сложнее и тоньше, чем я себе представлял. Все не так».

Я перечитал письмо дважды, не веря собственным глазам. Потом зажмурился, посидел несколько минут, открыл глаза и перечитал в третий раз. Ничего не изменилось, все слова оставались теми же.

Честно признаться, я понял далеко не все. Насчет его болезни, решения уйти из жизни и насчет того, как он это все устроил, — тут мне было ясно. Но вот причин я так и не понял. Как-то невнятно он их изложил. Почему у него все так сложно? Проще надо жить, проще.

Я завел двигатель и поехал на свидание с Олей.

Сентябрь 2006 — январь 2007

Литературно-художественное издание

Маринина Александра Борисовна

ВСЕ НЕ ТАК

Издано в авторской редакции
Ответственный редактор *С. Рубис*
Художественный редактор *С. Груздев*
Технический редактор *Н. Носова*
Компьютерная верстка *Г. Клочкова*
Корректоры *Н. Сгибнева, Г. Титова*

ООО «Издательство «Эксмо»
127299, Москва, ул. Клары Цеткин, д. 18/5. Тел. 411-68-86, 956-39-21.
Home page: **www.eksmo.ru** E-mail: **info@eksmo.ru**

Подписано в печать 05.02.2007. Формат 84×108 $^1/_{32}$.
Гарнитура «Гарамонд». Печать офсетная. Бумага тип. Усл. печ. л. 23,52.
Тираж 335 000 (320 000 А.М.Кд + 15 000 Кп) экз. Заказ 6993.

Отпечатано с электронных носителей издательства.
ОАО "Тверской полиграфический комбинат". 170024, г. Тверь, пр-т Ленина, 5.
Телефон: (4822) 44-52-03, 44-50-34, Телефон/факс (4822) 44-42-15
Home page - www.tverpk.ru Электронная почта (E-mail) - sales@tverpk.ru

Оптовая торговля книгами «Эксмо»:
ООО «ТД «Эксмо». 142700, Московская обл., Ленинский р-н, г. Видное,
Белокаменное ш., д. 1, многоканальный тел. 411-50-74.
E-mail: **reception@eksmo-sale.ru**

По вопросам приобретения книг «Эксмо» зарубежными оптовыми
покупателями обращаться в отдел зарубежных продаж ООО «ТД «Эксмо»
E-mail: **foreignseller@eksmo-sale.ru**

International Sales:
For Foreign wholesale orders, please contact International Sales Department at
foreignseller@eksmo-sale.ru

По вопросам заказа книг «Эксмо» в специальном оформлении
обращаться в отдел корпоративных продаж ООО «ТД «Эксмо»
E-mail: **project@eksmo-sale.ru**

Оптовая торговля бумажно-беловыми
и канцелярскими товарами для школы и офиса «Канц-Эксмо»:
Компания «Канц-Эксмо»: 142702, Московская обл., Ленинский р-н, г. Видное-2,
Белокаменное ш., д. 1, а/я 5. Тел./факс +7 (495) 745-28-87 (многоканальный).
e-mail: **kanc@eksmo-sale.ru**, сайт: **www. kanc-eksmo.ru**

Полный ассортимент книг издательства «Эксмо» для оптовых покупателей:
В Санкт-Петербурге: ООО СЗКО, пр-т Обуховской Обороны, д. 84Е.
Тел. (812) 365-46-03/04.
В Нижнем Новгороде: ООО ТД «Эксмо НН», ул. Маршала Воронова, д. 3.
Тел. (8312) 72-36-70.
В Казани: ООО «НКП Казань», ул. Фрезерная, д. 5. Тел. (843) 570-40-45/46.
В Ростове-на-Дону: ООО «РДЦ-Ростов», пр. Стачки, 243А.
Тел. (863) 268-83-59/60.
В Самаре: ООО «РДЦ-Самара», пр-т Кирова, д. 75/1, литера «Е».
Тел. (846) 269-66-70.
В Екатеринбурге: ООО «РДЦ-Екатеринбург», ул. Прибалтийская, д. 24а.
Тел. (343) 378-49-45.
В Киеве: ООО ДЦ «Эксмо-Украина», ул. Луговая, д. 9.
Тел./факс: (044) 537-35-52.
Во Львове: ТП ООО ДЦ «Эксмо-Украина», ул. Бузкова, д. 2.
Тел./факс (032) 245-00-19.
В Симферополе: ООО «Эксмо-Крым» ул. Киевская, д. 153.
Тел./факс (0652) 22-90-03, 54-32-99.

Мелкооптовая торговля книгами «Эксмо» и канцтоварами «Канц-Эксмо»:
117192, Москва, Мичуринский пр-т, д. 12/1. Тел./факс: (495) 411-50-76.
127254, Москва, ул. Добролюбова, д. 2. Тел.: (495) 745-89-15, 780-58-34.

Полный ассортимент продукции издательства «Эксмо»:
В Москве в сети магазинов «Новый книжный»:
Центральный магазин — Москва, Сухаревская пл., 12. Тел. 937-85-81.
Волгоградский пр-т, д. 78, тел. 177-22-11; ул. Братиславская, д. 12, тел. 346-99-95.
Информация о магазинах «Новый книжный» по тел. 780-58-81.
В Санкт-Петербурге в сети магазинов «Буквоед»:
«Магазин на Невском», д. 13. Тел. (812) 310-22-44.

По вопросам размещения рекламы в книгах издательства «Эксмо»
обращаться в рекламный отдел. Тел. 411-68-74.

Уважаемые читатели!

Издательство «ЭКСМО» стремится к тому, чтобы на полках книжных магазинов России было как можно книг, отвечающих вашим литературным вкусам и пристрастиям.

Вы можете помочь нам в этом, приняв участие в Литературном опросе. Мы будем вам очень признательны.

Для участия в опросе заполните, пожалуйста, нашу анкету и отправьте ее по адресу: 127299, г. Москва, ул. Клары Цеткин, д.18/5. Обязательно укажите на конверте в разделе «Кому» кодовую фразу: «А. Маринина. «Все не так».

Среди тех, кто ответит до 1 мая 2007 г., будет проведен розыгрыш 100 экземпляров следующей книги А. Марининой с автографом автора. Книга появится в продаже осенью 2007 г. Победители розыгрыша получат ее в числе первых.

---

1. К какому, на ваш взгляд, жанру относится (ближе всего) книга А. Марининой «Все не так»?

1.1. Классический детектив ☐   1.5. Семейная сага ☐

1.2. Психологический детектив ☐   1.6. Философский роман ☐

1.3. Психологический триллер ☐   1.7. Другое ☐

1.4. Криминальный роман ☐

---

2. В книге А. Марининой «Все не так» достаточно много внимания уделяется психологии взаимоотношений героев. Понравилось ли вам это?

2.1. Да, понравилось ☐ 2.2. Нейтральное отношение ☐ 2.3. Нет, не понравилось ☐

---

3. В книге А. Марининой «Все не так» достаточно много внимания уделяется философии отношения к жизни. Понравилось ли вам это?

3.1. Да, понравилось ☐ 3.2. Нейтральное отношение ☐ 3.3. Нет, не понравилось ☐

---

4. Чего, на ваш взгляд, недостает роману А. Марининой «Все не так»?

4.1. Интрига ☐

4.2. Загадки, тайны, детективные расследования ☐

4.3. Динамика развития сюжета ☐

4.4. Стрельба, драки, погони ☐

4.5. Юмор, ирония ☐

4.6. Романтика ☐

4.7. Мелодраматизм ☐

4.8. Психологизм ☐

4.9. Философские мысли, рассуждения, выводы ☐

4.10. Другое ☐

4.11. В этом романе есть все, что мне нужно ☐

5. Какой бы вы хотели увидеть следующую книгу А. Марининой? Выберите из списка:

5.1. Роман, близкий по жанру
к книге «Все не так» .... ☐

5.3. Новые расследования
Игоря Дорошина .... ☐

5.2. Новые расследования
Насти Каменской .... ☐

5.4. Другое .... ☐

**6. Станете ли вы читать следующую книгу А. Марининой, если она окажется
близкой по жанру к книге «Все не так»?**

6.1. Скорее да ☐   6.2. Скорее нет ☐

7. Укажите ваш пол:

7.1. Мужской ☐   7.2. Женский ☐

8. Укажите ваш возраст:

8.1. Менее 18 лет .... ☐

8.5. 45 – 55 лет .... ☐

8.2. 18 – 24 года .... ☐

8.6. 56 – 64 года .... ☐

8.3. 25 – 34 года .... ☐

8.7. Свыше 65 лет .... ☐

8.4. 35 – 44 года .... ☐

9. Укажите ваше образование:

9.1. Неполное среднее .... ☐

9.3. Высшее или неоконченное высшее ☐

9.2. Среднее, среднее специальное ☐

9.4. Ученая степень кандидата
или доктора наук .... ☐

**10. Оставьте, пожалуйста, ваши контактные данные, чтобы мы смогли
связаться с вами в случае вашей победы в розыгрыше призов.**

10.1. Фамилия ....

10.2. Имя ....

10.3. Отчество ....

10.4. Город ....

10.5. Контактный телефон .....

*Большое спасибо за Ваши ответы!
С уважением, сотрудники издательства ЭКСМО*

издательство «Эксмо» представляет

МАРИНИНА
АЛЕКСАНДРА

Место преступления — НАША ЖИЗНЬ
Орудие — НАШИ ПОСТУПКИ
Мотивы — НАШИ СТРАХИ
Круг подозреваемых — МЫ

«Чувство льда» -
книга о нас
и наших страхах

Бестселлеры года:
«ГОРОДСКОЙ ТАРИФ», «ПРУЖИНА ДЛЯ МЫШЕЛОВКИ»

www.marinina.ru   www.eksmo.ru

Загадки года
от Дарьи Донцовой

Вопрос № 1: *Чем отличается детектив от криминального романа?*

Ответ: *В детективе всегда есть загадка, которую* **можно разгадать самому.**

Вопрос № 2: *Чем отличается хороший детектив от детектива обычного?*

Ответ: *В хорошем детективе есть загадка, которую* **сложно разгадать самому.**

Отныне в детективах Дарьи Донцовой есть загадки, которые

НУЖНО РАЗГАДАТЬ САМОМУ!

www.eksmo.ru

Читайте подробности в книге Дарьи Донцовой "Лягушка Баскервилей", сами распутывайте преступления и... получайте призы.

Главный ПРИЗ — золотой кулон, принадлежащий лично Дарье Донцовой!